D0395539

UN PARADIS TROMPEUR

HENNING MANKELL

UN PARADIS TROMPEUR

roman

TRADUIT DU SUÉDOIS
PAR RÉMI CASSAIGNE

ÉDITIONS DU SEUIL
25, bd Romain-Rolland, Paris XIVe

CE LIVRE EST ÉDITÉ PAR ANNE FREYER-MAUTHNER

Titre original : *Minnet av en smutsig ängel*
Éditeur original : Leopard Förlag, Stockholm

ISBN original : 978-91-7343-242-9

Cette traduction est publiée en accord avec
l'agence littéraire Leonhardt & Høier, Copenhague

ISBN 978-2-02-107970-8

www.seuil.com

Il existe trois sortes d'hommes : les morts, les vivants et ceux qui naviguent sur la mer...

PLATON

PROLOGUE

Africa Hotel, Beira, 2002

Une froide journée de juillet 2002, un certain José Paulo fit un trou dans un plancher pourri. Il ne cherchait pas à s'évader, ni une cachette, il voulait juste utiliser les lattes arrachées comme combustible. On n'avait pas vu un hiver si rude en Afrique depuis des années.

José Paulo était célibataire, mais s'occupait de sa sœur et de ses cinq enfants depuis que son beau-frère Emilio avait disparu un matin, ne laissant derrière lui qu'une paire de chaussures usées et des factures impayées. Presque toutes dues à Donna Samima, qui tenait un bar clandestin près du port de pêche, où l'on servait du *tontonto* et une bière maison étonnamment forte.

Emilio ne faisait que boire en parlant du bon vieux temps où il travaillait dans les mines d'or en Afrique du Sud. Mais beaucoup prétendaient qu'il n'y avait jamais mis les pieds, pas plus qu'il n'avait jamais eu d'emploi stable de sa vie.

Sa disparition n'était ni attendue, ni surprenante. Il s'était éclipsé aux heures silencieuses qui précèdent l'aube, quand tout le monde dort.

Personne ne savait où il était parti. Personne ne le regretterait beaucoup, même au sein de sa famille. Donna Samima ? On pouvait en douter. Elle se préoccupait surtout de se faire rembourser.

Emilio, buveur et beau parleur, était assez insignifiant. Son absence ne changeait pas grand-chose.

José Paulo habitait avec sa sœur et sa famille à l'Africa Hotel, à Beira. À une époque qui semblait à présent lointaine et mystérieuse, l'établissement était considéré comme un des hôtels les plus cossus de l'Afrique coloniale. On le comparait avec le Victoria Falls, à la frontière de la Rhodésie du Sud et de la Rhodésie du Nord, rebaptisées après leur indépendance Zimbabwe et Zambie.

Les Blancs venaient de loin à l'Africa Hotel pour se marier, fêter de grands événements ou juste montrer leur appartenance à une aristocratie incapable d'imaginer que son paradis colonial disparaîtrait un jour. On organisait dans cet hôtel des thés dansants le dimanche après-midi, des concours de swing ou de tango, on se faisait volontiers photographier devant son entrée principale.

Mais ce rêve d'un paradis colonial était voué au déclin. Un jour, les Portugais avaient abandonné leurs derniers bastions. Aussitôt les propriétaires partis, l'Africa Hotel avait commencé à tomber en ruine. Les chambres et les suites à l'abandon avaient été occupées par des Africains sans abri. Les pianos éventrés, les boudoirs et les baignoires encrassées leur servaient à ranger leurs quelques biens. Les beaux parquets avaient été arrachés pour faire du feu les hivers les plus rigoureux.

Plusieurs milliers de personnes habitaient désormais ce qui avait jadis été l'Africa Hotel.

Un jour de juillet, José Paulo arracha donc des lattes de parquet. Il faisait un froid glacial. Le seul chauffage était un brasero où on préparait les repas. Un tuyau qui pendait par une fenêtre mal réparée évacuait la fumée.

Le parquet à moitié pourri puait. José pensait trouver

dessous un rat crevé. Mais il n'y trouva qu'un petit carnet relié en veau.

Il déchiffra un nom étrange sur la couverture noire.

Hanna Lundmark.

Et en dessous une date : *1905.*

Mais il était incapable d'en comprendre le contenu. C'était écrit dans une langue qu'il ne connaissait pas. Il s'adressa au vieux Afanastasio, qui occupait la chambre 212 plus bas dans le couloir et que la foule des habitants de l'hôtel considérait comme un sage, car il avait dans sa jeunesse survécu après s'être retrouvé nez à nez avec deux lions affamés sur un chemin désert aux alentours de Chimoio.

Mais même Afanastasio n'avait pu déchiffrer cet écrit. Il interrogea la vieille Lucinda, qui vivait dans l'ancienne réception : elle non plus ne savait pas de quelle langue il s'agissait.

Afanastasio conseilla à José Paulo de jeter ce carnet.

– Il était caché sous le parquet, dit Afanastasio. Quelqu'un l'aura mis là à l'époque où des gens comme nous ne pouvaient pénétrer dans ce bâtiment que pour servir, laver ou porter des valises. Ce carnet contient sûrement une histoire désagréable. Brûle-le, utilise-le pour faire du feu.

José Paulo regagna sa chambre avec le carnet. Mais il ne le brûla pas, sans vraiment savoir pourquoi. Il lui trouva une autre cachette. Il y avait un vide sous le cadre de la fenêtre, où il cachait l'argent qu'il parvenait péniblement à gagner. Désormais, les quelques billets crasseux partageraient la place avec le carnet noir.

Il ne le ressortit jamais. Mais ne l'oublia pas non plus.

PREMIÈRE PARTIE

Les missionnaires quittent le navire

1

Juin 1904. La chaleur étouffante d'une aube tropicale.

Un vapeur battant pavillon suédois est arrêté dans la houle légère. À bord, trente et un membres d'équipage. Dont une femme : Hanna Lundmark, née Renström, engagée comme cuisinière.

Trente-deux personnes devaient faire ce voyage jusqu'en Australie, avec une cargaison de bois suédois et de planches pour les parquets de saloon et les intérieurs de riches éleveurs de moutons.

Un des membres d'équipage vient de décéder. C'était le second du navire, et le mari de Hanna.

Il était jeune, voulait vivre. En dépit des mises en garde du capitaine Svartman, il est descendu à terre lors d'un ravitaillement en charbon dans un des ports du désert, au sud de Suez. Il a alors contracté une de ces fièvres mortelles qui constituent une menace permanente sur les côtes africaines.

Quand il a compris qu'il allait mourir, il s'est mis à hurler de terreur.

Aucun de ceux présents à son chevet, le capitaine Svartman ou le charpentier Halvorsen, ne l'a entendu prononcer le moindre mot. Même à Hanna, qui allait être veuve après à peine un mois de mariage, il n'a rien dit. Il est mort en criant et, juste avant la fin, en geignant d'effroi.

Il s'appelait Lars Johan Jakob Antonius Lundmark. Hanna le pleure, assommée par ce qui s'est passé.

C'est l'aube, au lendemain de sa mort. Le navire est immobile. On a mis en panne, car bientôt aura lieu l'enterrement en mer. Le capitaine Svartman ne veut pas attendre. Il n'y a pas de glace à bord pour refroidir le cadavre.

Hanna se tient à la poupe, un seau à la main. Elle est petite, la poitrine haute, des yeux aimables. Ses cheveux bruns sont attachés en un chignon serré.

Elle n'est pas belle. Mais entière. Cela émane de toute sa personne.

C'est ici et maintenant qu'elle se trouve. En mer, à bord d'un vapeur à double cheminée. Chargé de bois, en route pour l'Australie. Port d'attache : Sundsvall.

Le navire s'appelle *Lovisa*. Construit dans le chantier naval Finnboda à Stockholm. Mais depuis toujours rattaché à la côte du Norrland.

D'abord propriété d'un armateur de Gävle qui a fait faillite après des spéculations hasardeuses, puis racheté par une compagnie basée à Sundsvall. À Gävle, il se nommait *Matilda*, comme la femme de l'armateur, qui jouait du Chopin de ses doigts malhabiles. C'est maintenant *Lovisa*, du nom de la fille cadette du nouvel armateur.

Un des actionnaires s'appelle Forsman. C'est lui qui a veillé à faire engager Hanna Lundmark. Il y a un piano chez lui, mais personne n'en joue. Forsman va pourtant écouter travailler l'accordeur à chacune de ses visites.

Et voilà à présent le second Lars Johan Antonius Lundmark qui vient de mourir d'une fièvre foudroyante.

La houle semble figée. Le navire est immobile, comme s'il retenait son souffle.

C'est ainsi que j'imagine la mort, pense Hanna Lundmark. Un calme soudain, inattendu, venu de nulle part. La mort est comme le vent. On passe vite à couvert.

À couvert de la mort. Puis plus rien.

2

Hanna est assaillie par un souvenir. Ça vient de nulle part.

Elle se rappelle son père, sa voix qui vers la fin de sa vie n'était qu'un chuchotement. Comme s'il désirait qu'elle conserve ses paroles comme un précieux secret.

Un ange sale. Voilà ce que tu es.

C'est ce qu'il lui a dit avant de mourir. Voulait-il lui faire un don, alors que – ou justement parce que – il ne possédait presque rien ?

Hanna Renström, ma fille, tu es un ange, un ange sale, mais un ange quand même.

De quoi se souvient-elle vraiment ? Quels ont été ses mots ? *Pauvre* ou *sale* ? Lui a-t-il laissé le choix ? Non, à présent qu'elle se rappelle cet instant, elle pense qu'il l'a bien appelée *ange sale*.

Ce souvenir est distant, pâli. Elle est si loin de son père et de sa mort. Là-bas, jadis, dans une maison isolée près des eaux froides et boueuses du Ljungan, au fin fond des terres silencieuses du Norrland. C'est là qu'il est mort, recroquevillé de douleur sur le canapé-lit d'une cuisine qui peinait à garder la chaleur.

Il est mort cerné par le froid. Le froid était sévère en ce mois de janvier 1899, quand il a cessé de respirer.

Il s'est écoulé plus de cinq ans. Nous sommes en juin 1904.

Les souvenirs de son père et de l'ange disparaissent aussi vite qu'ils sont apparus. Il ne lui faut que quelques secondes pour émerger du passé.

Les voyages les plus remarquables sont intérieurs, libérés du temps et de l'espace.

Ces souvenirs sont-ils destinés à l'aider ? À lui tendre une corde pour escalader les murailles où l'enserre son chagrin assourdissant ?

Mais elle ne peut pas fuir. Le navire s'est transformé en forteresse imprenable.

Elle n'y échappera pas. Son mari est mort.

La mort : une griffe. Qui refuse de lâcher sa proie.

3

On a réduit la pression des chaudières. Les bielles sont immobiles, la machine se repose. Hanna est devant le bastingage, elle tient un seau. Elle doit vider la poubelle à la mer. Le marmiton a voulu la lui prendre des mains en la voyant sortir de la cambuse. Mais elle s'y est accrochée. Même si elle doit voir aujourd'hui son mari englouti dans les profondeurs marines, cousu dans une toile de voile, elle ne veut pas manquer à ses devoirs.

Elle lève les yeux de son seau plein de coquilles d'œufs, c'est comme si la chaleur la griffait au visage. Quelque part dans la brume, à tribord, se tapit l'Afrique. Elle a beau ne rien apercevoir des côtes, il lui semble en sentir l'odeur.

Celui qui est mort à présent lui en a parlé. De cette odeur de putréfaction qui flotte dans l'air et prend à la gorge, partout sous les tropiques.

Il avait déjà fait plusieurs voyages, vers différentes destinations. Il avait eu le temps d'apprendre deux ou trois choses. Mais pas l'essentiel : comment survivre.

Il n'achèvera pas ce voyage. Mort à vingt-quatre ans.

Quelqu'un se glisse à ses côtés. Le plus proche ami de son mari à bord, Halvorsen, le charpentier norvégien. Elle ne lui connaît pas de prénom, alors qu'ils ont voyagé sur le même bateau durant deux mois. Il restera à jamais Halvorsen, un homme grave dont on raconte qu'à chacun de ses retours chez lui après quelques années en mer il tombe à genoux, converti, puis finit par se rengager quand sa foi ne le porte plus.

Il a de grosses mains, mais les traits de son visage sont doux, presque féminins. Ses rares touffes de barbe semblent des postiches.

– J'ai compris que tu voulais me poser une question, dit-il.

Sa voix chante.

– La profondeur, répondit Hanna. À quelle profondeur se trouvera la tombe de Lundmark ?

Halvorsen secoue la tête, hésitant. Tel un oiseau inquiet prêt à s'envoler.

Il la quitte en silence. Mais elle sait qu'il lui fournira la réponse.

À quelle profondeur se trouvera la tombe ? Y a-t-il un fond où son mari reposera, dans sa toile de voile recousue ? Ou bien n'y a-t-il rien d'autre qu'un gouffre marin infini ?

Elle vide son seau de coquilles d'œufs, regarde les oiseaux blancs plonger en piqué pour s'emparer du butin, tout en s'essuyant le front avec le torchon noué à son tablier.

Puis l'inévitable. Elle hurle.

Les oiseaux qui planent sur les courants ascendants en attendant de nouveaux détritus se mettent à battre des ailes pour s'éloigner en hâte de ce cri de douleur qui les touche comme une volée de plombs.

Effrayé, Lars, le marmiton, regarde par l'ouverture de la cambuse. Un œuf cassé à la main il l'observe en cachette, la mort l'embarrasse.

Elle sait ce qu'il pense : Elle va sauter, elle va nous quitter à cause de ce chagrin trop lourd à porter.

Ils sont plusieurs à entendre son cri. Deux aspirants en sueur, torse nu, s'arrêtent pour la regarder à côté de la cambuse, là où une corde se love comme un gros serpent.

Hanna se contente de secouer la tête, serre les dents et regagne l'intérieur avec son seau vide. Non, je ne vais pas enjamber le bastingage. Toute sa vie, elle a toujours tout supporté : elle tiendra bon.

Dans la cambuse, la chaleur lui saute au visage. Près des fourneaux, c'est comme dans la salle des machines, elle le sait, même si elle n'y est jamais descendue. Les femmes au voisinage des chaudières et des feux sont de mauvais augure. De toute façon, pour les marins les plus âgés, les femmes à bord sont une hérésie. Elles portent la poisse et provoquent disputes et jalousies. Pourtant, quand l'armateur Forsman a voulu imposer Hanna, le capitaine Svartman a été d'accord. Le capitaine ne croyait pas à toutes ces superstitions.

Hanna saisit un œuf, le casse dans la poêle, jette la coquille dans le seau. Trente marins bien vivants attendent leur petit déjeuner. Elle essaye de ne penser qu'aux œufs, pas aux funérailles. Elle est à bord comme cuisinière, la mort de son mari n'y change rien.

C'est comme ça : elle vit. Mais Lundmark est mort.

4

Peu après, Halvorsen revient et la prie de le suivre. Le capitaine Svartman les attend.

– Nous allons sonder la profondeur, dit Halvorsen. Si nos cordes n'y suffisent pas, le capitaine choisira un autre endroit.

Elle finit de faire frire les quatre œufs dans sa poêle puis le suit. Elle titube, prise d'un soudain vertige. Mais elle tient le coup, elle ne tombe pas.

Le capitaine Svartman descend d'une ancienne lignée de marins. Il a soixante ans, c'est un vieil homme. Il lui manque la dernière phalange du petit doigt de la main gauche. Personne ne sait si c'est de naissance, ou suite à un accident.

À deux reprises, il a fait naufrage. Une fois sauvé avec tout l'équipage, l'autre seul rescapé avec le chien du bateau qui s'est ensuite couché dans le sable pour mourir.

Lundmark lui a dit un jour que Svartman avait dû mourir lui aussi cette fois-là, avec le chien. Après cette catastrophe, le capitaine est resté plusieurs années à terre. On ne sait pas vraiment ce qu'il a fait pendant cette période. La rumeur dit qu'il était dans la première équipe envoyée par la Compagnie publique des chemins de fer pour baliser le parcours de cette voie ferrée intérieure sur laquelle on se chamaillait encore au Parlement.

Puis il a repris la mer, cette fois comme capitaine à bord

d'un vapeur. C'est l'un des rares à ne pas avoir quitté la mer à la disparition des voiliers, et à avoir choisi de s'adapter aux temps nouveaux.

Il n'a jamais parlé à personne de ces années passées à terre, de ce qu'il a fait, pensé, ni même de l'endroit où il vivait.

Il parle rarement en vain. Pour lui, les gens sont aussi peu capables d'écouter que la mer est digne de confiance. Dans sa cabine, il a des fleurs couleur lavande que lui seul a le droit d'arroser.

C'est un homme taciturne. À présent, il va décider à quelle profondeur ensevelir son second.

Le capitaine Svartman s'incline quand Hanna s'approche. Malgré la chaleur, il est en grand uniforme. Boutonné, amidonné.

À côté de lui le bosco Peltonen, un Finlandais. Il tient une sonde en plomb, attachée à un long filin.

Au signe de tête du capitaine, Peltonen jette la sonde à la mer et la laisse couler. Le filin glisse entre ses doigts. Ils font silence. À un certain endroit, une bande noire est nouée au filin.

– Cent mètres, dit Peltonen.

Sa voix criarde se perd au-dessus de la houle.

Après sept bandes noires, sept cents mètres, le filin prend fin. La sonde de plomb pend toujours dans le gouffre, n'a pas encore touché le fond. Peltonen attache un autre filin au premier, lui aussi gradué tous les cent mètres.

À 1 935 mètres, le filin se détend. La sonde a touché le fond. Hanna connaît la profondeur de la tombe de son mari.

Peltonen rembobine le filin. Le capitaine Svartman ôte sa casquette et s'essuie le front. Puis il regarde sa montre. Sept heures moins le quart.

– À neuf heures, dit-il à Hanna. Avant que la chaleur ne soit trop écrasante.

Elle descend dans la cabine qu'elle a partagée avec son mari. Il avait la couchette supérieure. Le plus souvent, ils dormaient dans celle du bas. À son insu, quelqu'un a enlevé le drap du mort.

Le matelas est nu. Elle s'assoit sur le coin de sa couchette et fixe la cloison de l'autre côté de l'étroite cabine. Elle doit se forcer à penser.

Comment en est-elle arrivée là ? À bord d'un navire qui se balance doucement sur une mer étrangère ? Elle qui est née dans un endroit on ne peut plus éloigné de la mer. Il y avait une barque sur le Ljungan, c'était tout. Elle y accompagnait parfois son père quand il partait pêcher. Mais quand elle avait parlé d'apprendre à nager – elle devait avoir sept ou huit ans –, il le lui avait interdit. C'était une perte de temps. Si elle voulait se baigner, elle pouvait rester sur le bord du fleuve. Pour le traverser, il y avait des bateaux et des ponts.

Elle s'étend sur sa couchette et ferme les yeux. Elle remonte aussi loin qu'elle se souvient, dans son enfance, là où les ombres s'allongent.

C'est peut-être là qu'elle doit chercher refuge jusqu'au moment où son mari va disparaître pour de bon au fond de la mer.

5

L'enfance : tout là-bas. Comme au fond d'une crevasse.

C'est le premier souvenir de Hanna Lundmark : le froid qui bandait et tordait le mur de bois, tout près de son visage endormi. Elle se réveillait souvent et à travers la mince épaisseur des papiers journaux collés, la tapisserie du pauvre, elle sentait le froid qui rongeait le bois sans relâche pour entrer.

Chaque printemps, son père grimpait sur le toit de la maison, comme sur un bateau en cale sèche, pour le rafistoler au mieux avant l'hiver suivant.

Le froid était une mer, la maison un navire et l'hiver une attente sans fin. Longtemps en automne il continuait à colmater les fentes disjointes, jusqu'à l'arrivée des grands froids. Alors il n'y avait plus rien à faire. La maison était remise à flot pour l'hiver, s'il restait des fuites, il n'y pouvait rien.

Son père Arthur Olaus Renström, bûcheron, coupait du bois pour la scierie Iggesund et partageait des chevaux de trait avec les frères Solomonsson, qui habitaient un peu plus bas sur le fleuve. Il travaillait dur en forêt pour un salaire de misère. Il faisait partie de ces hommes des grandes forêts qui n'ont jamais su si leur salaire valait la peine.

Hanna se rappelait son père : parfois solide et souriant, mais d'autres fois sombre, mélancolique et plongé dans des pensées dont elle ne savait rien. Assis à la table de la cuisine, absent, ses lourdes mains posées sur ses genoux, il était chez lui, parmi les siens, mais pourtant ailleurs. Dans un autre monde où les pierres devenaient des trolls, les lichens leurs cheveux et le vent qui sifflait aux cimes des sapins le brouhaha des voix des morts.

Il parlait souvent d'eux. De ceux qui étaient passés avant. Cela l'effrayait : les vivants étaient si peu, et les morts tellement plus nombreux.

Il y avait une maladie, une épidémie dont toutes les femmes savaient le nom, la torgnolite. Elle se déclarait quand les hommes avaient bu et frappaient tout ce qui se trouvait à leur portée, surtout les enfants, et les femmes qui voulaient les protéger. Bien sûr, son père buvait parfois, même si ce n'était pas très souvent. Mais jamais il n'était violent : ce n'était pas tant l'alcool que sa mélancolie qui inquiétait sa femme, la mère de Hanna. Quand il buvait, il devenait larmoyant et se mettait à chanter des psaumes. Lui qui d'ordinaire parlait de brûler les églises et de chasser les prêtres dans les bois. Il criait :

– *Sans souliers ! Les prêtres dans les bois sans souliers par grand froid ! Voilà où il faudrait les chasser, dans les bois, pieds nus.*

La grand-mère de Hanna, qui habitait une maison pleine de courants d'air du côté de Funäsdalen, la terrorisait en parlant de son maudit gendre qui allait envoyer toute sa descendance en enfer avec ses blasphèmes. Là, ils seraient ébouillantés, il y aurait du soufre, des charbons ardents sous leurs pieds. Sa grand-mère prêchait, prompte à punir et menaçante, roulant des yeux méchants et prenant un malin plaisir à effrayer ses petits-enfants jusqu'à les faire pleurer et les empêcher de dormir. C'était la pire des corvées pour Hanna quand sa mère la forçait à l'accompagner pour lui rendre visite.

Elle se souvenait aussi de sa colère permanente. La vieille

femme ne cessait de faire des reproches à sa fille. Elle ne lui pardonnait pas d'avoir épousé cet incapable de Renström, malgré ses mises en garde. Mais que lui avait-elle donc trouvé ? Petit, jambes arquées, chauve avant vingt-cinq ans. Avec en plus du sang lapon, car il venait du fin fond des forêts du Värmland, où la nuit et le jour se confondaient presque.

Pourquoi n'avait-elle pas pu choisir un homme de Hede, ou de Bruksvallarna, enfin d'un endroit où il y avait des honnêtes gens ?

La mère de Hanna s'appelait Elin. Elle faisait le dos rond devant sa vieille mère, ne la contredisait jamais, attendait que ça passe. Hanna comprenait que l'on pouvait aimer quelqu'un qui vous traitait mal, si curieux que cela puisse paraître. Ce devait être le cas entre sa grand-mère et Elin.

Elin.

Hanna avait toujours pensé que ce nom ne convenait pas à sa mère. Quand on s'appelait Elin, il fallait être mince, avoir la peau délicate, des mains laiteuses et des cheveux blonds en cascade jusqu'au bas du dos. Mais Elin Wallén, épouse Renström, était robuste, avait des cheveux rouquins, un grand nez et des dents mal rangées. Quand elle souriait, on avait l'impression qu'elles voulaient sortir de la bouche et se sauver chacune de leur côté. Elin Renström n'était pas une belle femme. Et elle le savait. Peut-être le regrettait-elle : il était arrivé à Hanna de le penser, quand elle avait eu l'âge de regarder son propre visage dans le miroir à raser fêlé de son père.

Mais sa mère ne se décourageait pas. Elle avait de l'énergie à revendre. Elle compensait la beauté par un souci constant de propreté. Dans sa maison, malgré le froid, sol, plafond, murs, ses enfants et elle-même devaient être tenus propres. Elin faisait la chasse aux poux comme un fantassin chargeant l'ennemi. Elle remplissait et vidait la bassine en tôle où toute la famille se baignait, allait chercher l'eau au fleuve, la mettait à chauffer, frictionnait tout le monde puis allait remplir d'autres seaux pour la lessive qui s'empilait.

Ses quatre enfants la voyaient avec étonnement s'occuper aussi de son mari, quand il rentrait de la forêt sale et fatigué. Elle le lavait alors, et ses gestes étaient comme le Cantique des cantiques. Et lui semblait se délecter de ses mains qui frottaient et séchaient, qui coupaient ses gros ongles déformés et le rasaient de si près que ses joues étaient aussi lisses que celles d'un nourrisson.

Le froid était donc le premier souvenir de Hanna Lundmark. Le froid et la neige, qui tombait dès la fin septembre pour ne plus lâcher prise avant début juin, quand les dernières plaques blanches fondaient enfin.

Bien sûr, il y avait aussi la pauvreté. Ce n'était pas un souvenir, mais le cadre même de son enfance. Et c'est elle qui avait fini par la forcer à quitter sa maison du bord du fleuve.

Hanna avait dix-sept ans, son père était mort et elle consacrait sa vie à aider sa mère à élever ses frères et sœurs, car elle était l'aînée. Ils étaient pauvres, mais parvenaient à repousser la famine hors des murs de la maison.

Jusqu'en 1903. Après un long été de sécheresse, des gelées précoces avaient achevé de détruire ce qui n'avait pas été brûlé. L'horizon était menaçant.

C'est alors que sa vie avait changé.

6

Mi-août, nuages bas, tôt le matin.

Même si elle le voulait, elle n'oublierait jamais ce jour-là.

Hanna et sa mère étaient en train de constater les dégâts. La sécheresse avait tout brûlé. Un étrange silence régnait. La farine qui leur restait suffirait à peine jusqu'à l'Avent. Le foin manquerait pour faire passer l'hiver à leur unique vache.

Tandis qu'elles parcouraient les champs morts qui descendaient en pente douce vers le fleuve, Hanna vit pour la première fois sa mère pleurer. Durant la longue maladie de son père, et quand il avait cessé de vivre, Elin s'était contentée de fermer les yeux, face à la fin inévitable et à la désespérante solitude qui l'attendait. Mais elle n'avait pas pleuré, pas crié. Hanna avait souvent pensé qu'Elin refoulait toute sa douleur vers l'intérieur, où une force secrète triomphait de ses tourments.

C'est là, au milieu de ces champs dévastés, sentant la famine approcher, qu'Elin lui dit qu'il fallait qu'elle parte. Il n'y avait pas d'avenir pour Hanna près du fleuve. Elle devait descendre vers la côte chercher sa subsistance. Quand Elin et son mari étaient venus s'établir là en reprenant la pauvre ferme d'un de ses oncles, ils n'avaient pas eu le choix. C'était en 1883, seize ans après la dernière grande famine. Hanna devait s'en aller tant qu'il était encore temps.

Elles se trouvaient à l'orée du bois, là où finissait le champ silencieux.

– Tu me chasses ? demanda Hanna.

Elin se frotta le nez, signe qu'elle était embarrassée.

– Je m'en sortirai avec trois enfants, pas quatre. Tu es grande, tu peux partir, ce sera un soulagement pour toi et pour moi. Je ne chasse pas mes enfants. Je veux juste que tu aies la possibilité de vivre. Ici, tu peux au mieux survivre, rien de plus.

– Que faire pour me rendre utile sur la côte ?

– La même chose qu'ici. Garder des enfants, travailler de tes mains. En ville, on a toujours besoin de bonnes.

– Qui dit ça ?

Elle n'avait pas l'intention de lui tenir tête. Mais Elin prit cela pour de l'impertinence et lui attrapa le bras.

– Je le dis et, crois-moi, je parle sérieusement. Non que ça me fasse plaisir, mais parce que je le dois.

Elle lâcha aussitôt prise, regrettant de s'être emportée.

Hanna n'avait jamais oublié cet instant : c'est là, à ce moment précis, au bord de ce sinistre paysage de désolation, près de sa mère qu'elle avait vue pleurer pour la première fois, qu'elle comprit qui elle était.

Elle était Hanna : une personne irremplaçable. Ni son corps ni ses pensées ne pouvaient être échangés. Elle se dit aussi que son père mort était comme elle, un être irremplaçable.

Est-ce cela être adulte ? songea-t-elle, en détournant le visage, car elle avait l'impression que sa mère lisait ses pensées. Substituer à l'incertitude de l'enfance un autre inconnu ? Savoir qu'il n'y aura pas d'autres réponses que celles qu'on ira soi-même chercher ?

Elles retournèrent vers la maison, blottie dans un bosquet de bouleaux, près d'un sorbier solitaire. Ses frères et sœurs étaient à l'intérieur, alors qu'il ne faisait pas très froid ce jour-là. Mais ils jouaient moins, restaient tranquilles quand ils avaient faim. Leur vie se limitait à attendre qu'on les nourrisse.

Elles s'arrêtèrent sur le pas de la porte, comme si Elin avait décidé de barrer l'entrée à sa fille.

– Mon oncle Axel vit à Sundsvall, dit-elle. Axel Andreas Wallén. Il travaille au port. C'est un homme gentil. Lui et son épouse Dora n'ont pas d'enfants. Ils ont eu deux garçons qui sont morts, puis plus rien. Axel et Dora t'aideront. Ils ne te mettront pas à la porte.

– Je ne veux pas arriver comme une mendiante.

La gifle claqua sans prévenir. Tel un rapace qui aurait fondu sur sa joue.

Elin l'avait déjà frappée, mais poussée par la peur. Quand Hanna s'était trop approchée du fleuve en crue au printemps et avait failli être emportée. Mais aujourd'hui, elle était mue par la colère. C'était la première fois.

Une gifle donnée par une adulte à une autre adulte – qui est censée savoir pourquoi.

– Je n'abandonne pas ma fille à la mendicité ! s'indigna Elin. Je veux ton bien. Ici, il n'y a rien pour toi.

Hanna avait les larmes aux yeux. Pas de douleur, elle avait connu pire.

Cette gifle était une confirmation de ce qu'elle venait de comprendre : désormais, elle était seule au monde. Elle irait vers l'est, vers la côte, et n'aurait pas le droit de se retourner. Ce qu'elle laissait derrière elle s'estomperait à chaque mètre parcouru par les patins du traîneau qui l'emmènerait.

C'était le début de l'automne 1903. Hanna Renström avait dix-sept ans, elle en aurait dix-huit le 12 décembre.

Quelques mois plus tard, elle allait quitter sa maison pour toujours.

7

Hanna pensa : Fini les contes de fées. Maintenant c'est l'histoire de ma vie qui commence.

Elle le comprit quand Elin lui dit ce qui l'attendait : parfois, les marchands de la côte revenant de la foire de Röros ne rentraient pas par le chemin le plus court, en suivant le Ljusnan jusqu'à Kårböle. Certains prenaient par le nord après la frontière norvégienne et, si le temps le permettait, franchissaient le mont Flatruet pour conclure quelques affaires dans les villages le long du Ljungan.

Un certain Jonathan Forsman avait l'habitude de rentrer en passant par les villages au nord du Flatruet.

– Il a un grand traîneau, dit Elin. Sur le chemin du retour, il est moins chargé qu'en allant à Röros. Il te fera une place. Et il te laissera tranquille Il ne te touchera pas.

Hanna la regarda, interloquée. Comment Elin pouvait-elle en être si sûre ? Hanna n'ignorait pas ce qui l'attendait dans la vie, elle n'avait pas été privée de conversations avec des filles de son âge. Les filles de ferme racontaient des choses surprenantes en pouffant et aussi parfois avec une inquiétude mal dissimulée. Hanna savait ce que c'était que de rougir, et ce qu'on pouvait soudain ressentir dans son corps, surtout le soir, juste avant de s'endormir.

Mais cela n'allait pas plus loin. Que pouvait savoir Elin

de ce qui se passerait pendant un long voyage en traîneau jusqu'à la côte lointaine ?

Elle le lui demanda franchement.

– Il est converti, dit simplement Elin. Avant, c'était un affreux bonhomme, comme la plupart de ces loups en traîneau. Mais depuis sa conversion, c'est le bon Samaritain. Il te prendra avec lui, et ne voudra même pas être payé. Il te prêtera une de ses fourrures, tu n'auras pas froid.

Impossible cependant d'être sûr qu'il viendrait, et quand. Généralement, c'était un peu avant Noël. Mais il lui était arrivé de ne passer qu'après le Nouvel An. Ou pas du tout.

– Bien sûr, il peut aussi être mort, dit Elin.

Quand une personne, jeune ou vieille, disparaissait sur son traîneau dans la poussière de neige, on ne pouvait jamais savoir si on la reverrait.

Depuis son anniversaire, le 12 décembre, Hanna se tenait prête à partir. Jonathan Forsman ne s'attardait jamais. Contrairement à ceux qui prennent tout leur temps, chaque minute comptait pour lui, et il était toujours pressé.

– Il arrive d'habitude l'après-midi, dit Elin. Des forêts du Sud, par le chemin qui longe la tourbière et descend vers le lit du fleuve et les vallées.

Chaque jour, à la tombée de la nuit, Hanna sortait regarder vers la forêt. Parfois, il lui semblait entendre la clochette lointaine d'un cheval. Mais personne ne venait. La porte de la forêt restait fermée.

Pendant cette attente inquiète, elle dormait mal la nuit, se réveillait souvent, avait des rêves confus qui l'effrayaient, sans qu'elle comprenne vraiment pourquoi. Souvent, ses rêves étaient blancs comme la neige, vides, silencieux.

Un rêve la poursuivait cependant : elle était couchée dans le canapé-lit avec Olaus, le petit dernier, et sa sœur la plus proche, Vera, douze ans. Elle sentait leur chaleur contre son corps. Mais elle savait que, si elle ouvrait les yeux, ce seraient d'autres enfants, des inconnus. Et au moment où elle les regarderait, ils mourraient.

Elle se réveillait soudain et constatait avec soulagement que ce n'était qu'un rêve. Elle restait alors à regarder la lumière bleue de la lune qui entrait par la fenêtre basse couverte de givre. Sa main effleurait le mur couvert de papier journal. Tout contre elle, le froid qui bandait et tordait le vieux bois.

Le froid est comme un animal. Un animal en cage. Un animal qui veut sortir.

La signification de son rêve lui échappait. Mais il devait s'agir de son voyage. Qu'est-ce qui l'attendait ? Que lui demanderait-on ? Elle se sentait gauche de corps et d'âme quand elle imaginait les gens de la ville. Si son père avait encore été là, il aurait pu lui raconter, la prévenir. Il était allé à Stockholm, et aussi dans une grande ville extraordinaire, Arboga. Il aurait pu lui dire de ne pas avoir peur.

Elin venait de Funäsdalen et ne connaissait rien d'autre. Elle avait juste fait ce voyage vers le nord, avec celui qui était devenu son mari.

Et pourtant, c'était elle qui devait répondre aux interrogations de Hanna. Il n'y avait personne d'autre.

Les réponses d'Elin ? Laconiques, chiches. Elle en savait si peu.

8

Un jour, début novembre, alors qu'avec sa mère elle coupait du bois pour l'hiver à l'orée de la forêt, elle l'avait interrogée sur la mer. À quoi ressemblait-elle ? Coulait-elle dans un lit, comme le fleuve ? Avait-elle la même couleur ? Était-elle toujours si profonde qu'on n'y avait pas pied ?

Elin s'était relevée, les mains sur ses reins douloureux, et l'avait longuement regardée avant de répondre.

– Je ne sais pas. La mer est comme un grand lac, je crois. Il doit y avoir des vagues. Mais s'il y a du courant, je ne peux pas te répondre.

– Mais Renström a dû te raconter ? Il avait voyagé en mer, à ce qu'il disait ?

– Ce n'était peut-être pas tout à fait vrai. Une grande partie n'avait peut-être existé que dans sa tête. Mais de la mer il avait juste dit que c'était grand.

Elin se courba pour ramasser les branches coupées. Hanna n'abandonna pas encore. Un enfant arrête de poser des questions quand il sent que ça suffit. Mais elle était adulte, elle avait le droit de continuer.

– Je ne sais rien de ce qui m'attend, dit-elle. Est-ce que je vais habiter dans une maison avec d'autres personnes ? Partager un lit avec quelqu'un ?

D'un geste agacé, Elin jeta quelques branches dans la corbeille.

– Tu poses trop de questions. Je ne peux pas te dire ce qui t'attend. En tout cas, là-bas, il y aura des gens pour t'aider.

– Je voudrais savoir, c'est tout.

– Arrête maintenant avec tes questions. Elles me donnent mal à la tête. Je n'ai pas de réponse.

Elles retournèrent en silence vers la maison, dont le mince filet de fumée montait droit vers le ciel. Olaus et Vera surveillaient le feu. Mais Elin et Hanna ne s'éloignaient jamais trop, pour pouvoir à tout moment du haut d'un rocher jeter un œil à la cheminée et s'assurer que le feu ne s'était pas éteint. Ou pire : qu'il n'était pas en train de se propager en flammes folles tout autour du foyer.

Il neigeait la nuit, gelait le matin. Mais la vraie grosse chute de neige qui ne durait jamais moins de trois jours n'était pas encore arrivée des montagnes de l'Ouest. Hanna savait que, sans route praticable, aucun traîneau ne traverserait la forêt par les routes du Sud.

Quelques jours plus tard, la neige arriva. Comme à son habitude sans bruit, pendant la nuit. En se levant pour allumer le feu, Hanna trouva Elin près de la porte entrebâillée. Elle était inquiète, aux aguets. Dehors, le sol était blanc. De basses congères s'étaient formées autour de la maison. Hanna voyait des traces de corneilles dans la neige, peut-être aussi celles d'une souris et d'un lièvre.

Il neigeait toujours.

– Cette neige va tenir, dit Elin. C'est l'hiver, maintenant. On ne reverra plus la terre avant le printemps, fin mai, début juin.

Il continua à neiger toute la semaine suivante. D'abord il ne fit pas si froid, juste quelques degrés en dessous de zéro. Mais quand la neige cessa, le ciel se dégagea et les températures chutèrent d'un coup.

Elles avaient un thermomètre que Renström avait jadis acheté sur un marché. Ou l'avait-il gagné au bras de fer, lui qui était fort ? On pouvait l'accrocher dehors, mais on en prenait grand soin, pour ne pas briser le tube fin qui renfermait le dangereux mercure.

Elin le plaça délicatement dans la neige, du côté de la maison qui restait toujours dans l'ombre. Quand le froid s'installa vraiment, il fit trois jours de suite au-delà de moins trente.

On ne faisait alors qu'alimenter le feu, veiller à ce que la vache et les deux chèvres aient quelque chose à se mettre sous la dent. On mangeait chichement. Toutes les forces servaient à repousser le froid. Chaque degré en moins était comme un bataillon de plus jeté dans la bataille par l'ennemi qui les assiégeait.

Hanna voyait qu'Elin avait peur. Que se passerait-il si une fenêtre, un mur, se brisait ? Ils n'avaient nul autre refuge que la petite étable. Mais là aussi il gelait, et on ne pouvait pas y faire de feu.

Ce fut pendant ces jours de froid intense que pour la première fois Hanna entrevit une ouverture dans le changement qui s'annonçait. Une brèche dans une grande forêt sombre, où la lumière éclairait soudain une clairière inattendue. Une vie qui serait peut-être meilleure que celle-ci, cernée par les armées du froid et de la famine. La peur de l'inconnu se transforma en attente de ce que cette vie nouvelle lui réservait. Au-delà des forêts, des crêtes qui ondulaient au sud-est.

Cependant elle n'en dit rien à Elin. Elle tut cet obscur désir.

9

Dans l'après-midi du 17 décembre, juste après deux heures et demie, des clochettes tintèrent dans la forêt. Véra était sortie voir si les poules avaient pondu malgré l'hiver. En rentrant bredouille par le sentier étroit déblayé dans la neige d'un mètre d'épaisseur, elle entendit la clochette. À ses cris, Elin et Hanna accoururent. Le grand froid était passé. Après plusieurs jours de dégel, une couche de poudreuse s'était déposée sur la croûte de glace reformée pendant la nuit.

Le tintement se rapprocha, puis le cheval noir apparut, tel un troll ou un ours, à l'orée du bois. Emmitouflé sous des fourrures, le conducteur tira les rênes et stoppa devant la maison enfoncée dans la neige et la misère.

Elin avait eu le temps de dire à Hanna les mots décisifs :

– C'est Jonathan Forsman.

– Comment en es-tu si sûre ?

– Personne n'a un cheval si noir et ne se couvre d'autant de fourrures.

Hanna put le constater quand l'homme descendit du traîneau et entra dans la maison. Il était couvert de peaux d'ours et de loups et avait un renard roux autour du cou. Quand il s'extirpa de toutes ces fourrures dégoulinantes de neige et de sueur, on eût dit un homme resté trop longtemps près d'un feu : son visage barbu était écarlate, ses cheveux lui collaient au front. Hanna vit aussitôt qu'Elin avait raison : cet homme qui l'emmènerait peut-être avec lui n'était ni menaçant ni méchant. Aimable, il prit place sur un tabouret près du feu et offrit à Elin un livre de psaumes acheté à Röros.

– C'est en norvégien, dit-il. Mais la reliure est belle, du vrai cuir, et le fermoir brille si on l'entretient. Et puis tu sais à peine lire, Elin Renström. Je me trompe ?

– Je déchiffre, dit Elin. Si on peut appeler ça lire, alors je sais lire.

Ce n'est que le soir, une fois les plus petits endormis, qu'Elin aborda la question du voyage de Hanna. Ils étaient assis près du feu. Jonathan Forsman laissait reposer ses grosses mains. Avant que les enfants aillent se coucher, il avait entonné un psaume de sa voix éraillée. Jamais Hanna n'avait entendu un homme chanter ainsi. Le pasteur à Ljungdalen avait une petite voix perchée. Quand il entamait un psaume, on aurait dit qu'on l'avait pincé. Mais cet homme chantait à faire taire même le froid qui craquait dans les murs.

Elin lui dit ce qu'il en était. En peu de mots, il n'en fallait pas davantage.

– Pouvez-vous emmener Hanna ? Elle doit aller à Sundsvall, chez des parents qui s'occuperont d'elle.

Jonathan Forsman l'écouta attentivement.

– Tu es sûre ?

– De quoi ?

– Que ces parents vont l'accueillir ? C'est le côté Renström ?

– Non, le mien, les Wallén. Je ne l'aurais jamais envoyée chez des Renström.

Jonathan Forsman regarda longtemps ses mains.

– Quand vous êtes-vous parlé la dernière fois ?

– Ça fera quatre ans au printemps.

– Il peut s'être passé beaucoup de choses entre-temps,

dit Jonathan Forsman. Mais je vais la prendre avec moi. En espérant que quelqu'un voudra d'elle.

– Ils ne peuvent quand même pas tous être morts en quatre ans, affirma Elin. À moins qu'il n'y ait eu une épidémie si meurtrière qu'elle ne soit pas remontée jusqu'à nous, dans les montagnes ?

Les yeux de l'homme s'attardèrent sur Hanna pour la première fois.

– Quel âge as-tu ?

– Je viens d'avoir dix-huit ans.

Jonathan Forsman hocha la tête. Il ne posa pas d'autre question. Le feu flambait.

Cette nuit-là, il dormit par terre, près de la cheminée. Il s'étendit sur ses fourrures, enveloppé d'une peau de renne. Le cheval avait été serré à l'étable avec la vache et les chèvres.

Hanna resta longtemps éveillée. Aucun homme n'avait dormi dans la maison depuis la mort de son père. Elle l'entendait qui ronflait et reniflait dans son sommeil.

Il poussait des gémissements, comme s'il traînait un lourd fardeau.

Le lendemain, quelques flocons tombaient. Le mercure indiquait moins deux. Juste après huit heures, Hanna s'installa dans le traîneau avec les deux baluchons préparés par Elin. Elle s'était emmitouflée avec tous les vêtements qu'elle possédait, et Jonathan Forsman la couvrit encore davantage, jusqu'à ce qu'elle ne puisse presque plus bouger.

Ses frères et sœurs pleurèrent quand elle leur fit ses adieux en les serrant l'un après l'autre, puis tous ensemble contre elle.

Elin se contenta de lui serrer la main. C'était comme ça. Hanna avait décidé de ne pas se retourner une fois dans le traîneau. Elle pleurait intérieurement quand Jonathan Forsman fit claquer son fouet et que le cheval noir s'ébranla. Mais elle ne le montra pas. À personne.

Elle pensa à son père. C'était comme s'il était là lui aussi, près d'Elin, à la regarder partir.

Il était revenu pour cet instant précis. Il voulait être là.

C'était en 1903. Une grande famine menaçait alors le nord de la Suède.

10

Le voyage en traîneau de Ljungdalen à la côte devait prendre cinq jours. Jonathan Forsman l'avait dit à Elin, presque comme une promesse.

– Ça ne prendra pas plus longtemps. La piste est bonne et je n'ai pas trop d'affaires à régler en chemin. Nous ne nous arrêterons que pour manger et dormir. Nous allons suivre le fleuve, puis obliquer vers le nord à travers les forêts, droit sur Sundsvall. Ça prendra cinq jours, pas plus.

Mais le voyage fut beaucoup plus long. Dès le deuxième jour, alors qu'ils n'avaient pas même atteint la forêt qui sépare le Jämtland du Härjedalen, arriva de l'est une tempête de neige que Forsman n'avait pas prévue. Le ciel était clair, le temps froid, la piste bonne. Mais soudain le ciel s'était couvert. Même Antero, le cheval noir, commençait à s'inquiéter.

Ils s'arrêtèrent dans une auberge d'Överhogdal. Hanna fut logée avec les bonnes, mais mangea à la même table que Jonathan Forsman et on la servit comme lui. Cela ne lui était encore jamais arrivé.

– Nous reprendrons la route demain, dit-il après avoir dit le bénédicité en s'assurant qu'elle joignait bien les mains.

Mais cette nuit-là, la tempête s'enroula vers le nord et décida de rester. Les vents violents persistèrent. Ils furent coincés par la neige. Il en tomba un demi-mètre en moins de quatre heures et la bourrasque fit monter des congères jusqu'au faîtage de l'auberge.

Ce n'est que dans l'après-midi du quatorzième jour, pendant le bref crépuscule, qu'ils arrivèrent à Sundsvall. Hanna avait compté les jours, sans se rendre compte que c'était justement le soir du Nouvel An. Le lendemain, on serait en 1904.

Jonathan Forsman semblait y attacher une importance particulière. Il poussa le cheval pour être en ville avant minuit. Pour Hanna, le Nouvel An n'avait jamais rien eu de spécial. Le plus souvent, elle dormait, comme d'habitude. Elle ne se souvenait pas que son père ou Elin ait jamais considéré le changement d'année comme une occasion de veiller ou de faire la fête.

Qu'ils aient passé Noël ensemble sur la route n'avait pas d'importance pour Forsman. C'était le Nouvel An qui comptait.

Le long voyage en traîneau s'était déroulé en silence à travers les forêts et les vastes plaines. De temps à autre, Forsman criait quelque chose au cheval. Mais il ne parlait pas avec Hanna. Il était comme un grand mur assis devant elle.

Ce dernier jour de voyage fut pourtant différent. Il tournait la tête pour lui parler et elle criait ses réponses aussi fort qu'elle pouvait, pour qu'il entende.

Jonathan Forsman considérait le Nouvel An comme un jour sacré.

– Dieu a créé le changement d'année pour que nous méditions sur le temps passé et sur celui qui nous reste ! cria-t-il en se retournant.

Avant sa conversion, il passait le soir du Nouvel An à des pratiques païennes. Il faisait fondre du plomb pour tenter de lire l'avenir dans les gouttelettes solidifiées. Et il n'avait jamais osé aborder l'année nouvelle sans être ivre.

Mais à présent il vivait dans la lumière, lui dit-il.

– Je n'ai plus peur de rien.

À leur arrivée, la ville de Sundsvall était plongée dans le noir et le froid. Forsman tira les rênes dès les faubourgs. Hanna s'extirpa des fourrures et descendit du traîneau. Elle découvrirait plus tard la ville qu'elle avait imaginée.

La maison de Jonathan Forsman était en pierre, sur deux grands étages. Quand il s'arrêta, on accourut de la maison et des communs. On s'occupa d'Antero, on rangea le traîneau, on porta à l'intérieur les peaux restantes et les autres marchandises. Tout ce qui se passait autour d'elle fit tourner la tête de Hanna, tous ces gens nouveaux qui la regardaient avec curiosité, parfois ouvertement, souvent en cachette. Elle avait l'habitude de rencontrer des individus solitaires. Vagabonds égarés le long du fleuve, voyageurs, bûcherons armés de scies et de haches ramenés à la maison par son père. Mais jamais une foule inconnue comme aujourd'hui.

Forsman vit qu'elle était bousculée et clama haut et fort que la jeune fille qui l'accompagnait se nommait Hanna Renström, qu'elle venait visiter des parents à Sundsvall. Mais pour cette dernière nuit de l'année, elle serait la bienvenue sous son toit.

Vers minuit, Forsman rassembla toute sa famille et tous ses employés, jusqu'aux garçons d'écurie et aux bonnes. Il ouvrit grand une fenêtre de la vaste pièce qu'on l'appelait « la salle », et cria à tous de se taire. L'heure sonna à l'église de Sundsvall. Hanna vit Forsman compter les coups en silence, les yeux de plus en plus brillants.

Horrifiée, elle sentit qu'il allait se mettre à pleurer. Jamais de sa vie elle n'aurait imaginé un homme adulte fondre en larmes. La gorge serrée, elle comprit que quelque chose d'important se passait quand le son des cloches, porté par l'air glacé, entra par la fenêtre ouverte. Quand les cloches se turent, Forsman entonna un psaume et toute l'assemblée reprit en chœur, et Hanna aussi, même si elle chantait tout bas.

Cette nuit-là, elle dormit avec trois des bonnes de la grande maison de pierre. Elle partageait un lit avec une fille de son âge appelée Berta. Elle ne sentait pas tout à fait le propre, et Hanna craignait de ne pas sentir meilleur. Avant de s'endormir en gigotant et en prenant toute la place, Berta lui confia d'un air sombre qu'elle devait se lever à cinq heures, même si c'était le premier de l'an, qui comptait comme un dimanche. Mais il fallait qu'elle allume les poêles avec le bois apporté par les valets.

Berta dormit bientôt. Hanna resta éveillée, avec l'impression d'un manque. Elle mit longtemps à comprendre ce que c'était.

Les murs de pierre ne craquaient pas. Le froid n'y pénétrait pas comme dans les parois de bois chez elle.

C'est alors, dans le lit, contre le mur de pierre, qu'elle réalisa qu'elle se trouvait dans un monde étranger. Elle ne pouvait plus tendre la main et toucher ses frères et sœurs, ni entendre la respiration profonde d'Elin plongée dans ses rêves.

Elle était maintenant au cœur de l'inconnu.

Doucement, elle posa la main sur le corps chaud de Berta. Sa famille lui manquait. Elle était seule, désormais, désemparée face à ce vide qui se creusait autour d'elle.

11

Le lendemain, Forsman envoya Jukka, son plus fidèle serviteur, chercher avec Hanna les parents censés l'accueillir. Elin lui avait donné une adresse. Mais elle était vague. À Sundsvall, les noms des rues et les numéros n'étaient pas toujours corrects.

Le pire était que Forsman, qui se faisait fort de connaître tout le monde en ville, n'avait jamais entendu parler d'aucun Wallén. Mais il ne l'avait pas dit à Elin. Peut-être vivaient-ils près de quelque scierie aux environs de Sundsvall.

Le temps s'était radouci. Le froid n'était plus aussi mordant que pendant le long voyage en traîneau.

Forsman les accompagna jusque dans la rue.

– Si tu ne trouves pas sa famille, tu la ramènes, indiqua-t-il à Jukka, qui attendait, son bonnet de cuir à la main.

Jukka se montrait soumis, timoré devant cet homme gigantesque couvert de fourrures. Il avait beau avoir la soixantaine, il était craintif, comme un enfant qui a peur qu'on le gronde.

Elle ne comprenait pas.

Ils se mirent en route. Aussitôt Forsman disparu, Jukka se transforma. Il se mit à cracher, faire l'important, bousculant les gens sur son passage, comme s'il régnait sur cette rue encombrée de neige.

Dans la lumière pâle de l'hiver, Hanna découvrit la ville

où elle était arrivée. Pour une grosse bâtisse en pierre, dix bicoques branlantes semblaient avoir poussé. Comme des champignons, se dit-elle. Si les maisons de pierre sont les comestibles, les maisons en bois sont ceux qu'on piétine sans les cueillir.

L'inquiétude ne la quittait pas. Y arriverait-elle ? Pourrait-elle jamais s'acclimater à la ville ?

Elle finit aussi par découvrir la mer. Elle non plus n'était pas telle qu'elle l'avait imaginée. C'était un port où mouillaient de gros navires, certains avec des mâts, d'autres avec des cheminées noires. Mais la surface de l'eau n'était pas infinie comme son père le lui avait dit. Partout elle voyait la terre, sans apercevoir le large, au-delà des glaces couvertes de passes et de crevasses.

Jukka la rabrouait quand elle s'arrêtait. Il se montrait aussi impatient et pressé que son maître.

Ils suivirent les quais gelés. Plusieurs fois, Hanna faillit tomber à la renverse. Ses souliers fabriqués par un cordonnier lapon de Fjällnäs ne convenaient pas aux rues pavées et gelées de la ville.

Ils arrivèrent devant un amas de baraques en bois qui avaient l'air de se serrer les unes contre les autres pour se réchauffer.

Jukka s'arrêta pour interroger un homme qui tirait un traîneau de bois. Connaissait-il l'adresse ? Les Wallén ? L'homme, qui avait une grosse brûlure sur une joue et de violentes quintes de toux, indiqua une direction et essaya d'expliquer. Jukka le pressa, trépignant, puis le remercia un doigt sur son bonnet de cuir, et ils repartirent.

– Personne ne s'y retrouve dans ce foutoir, marmonna-t-il dans son dialecte chantant. Personne, mais je crois quand même que c'est là.

Il s'arrêta devant une maison en bois de deux étages avec un toit penché, des fenêtres rafistolées et une porte qui semblait dépasser de son cadre. Jukka tambourina dessus. Aussitôt vint ouvrir une vieille femme tellement emmitouflée dans son châle que Hanna ne voyait que ses yeux et son nez.

– Les Wallén, dit Jukka. Ils habitent ici ?

La vieille sursauta comme s'il l'avait frappée, puis dit quelque chose qu'il ne comprit pas.

– Ôte ton châle ! beugla-t-il. C'est le marchand Johan Forsman qui m'envoie. C'est lui qui veut savoir s'il y a des Wallén ici. Je ne peux pas entendre ce que tu bafouilles avec ce chiffon sur ta bouche !

La vieille écarta le châle qui lui couvrait le visage. Hanna vit qu'il était creusé, comme si elle souffrait de la faim.

– La famille Wallén, répéta Jukka, sans cacher son impatience.

– Ils sont partis, dit la vieille.

– Comment ça, partis ? Partis au ciel ? Au diable ? Allez, réponds comme il faut avant que je me fatigue.

La vieille recula devant la menace, mais Jukka coinça sa grosse botte dans l'embrasure de la porte.

– Il ne reste qu'un type dans cette maison, dit-elle. Lui, ils l'ont laissé. Où ils sont partis, j'en sais rien.

Jukka se mordilla les lèvres, comme s'il hésitait.

– Alors on va aller lui parler, finit-il par dire. Montre-nous où il habite !

La vieille les précéda dans l'escalier. Devant les portes, des enfants pâles regardaient avec de grands yeux ces étrangers passer. Hanna remarqua l'odeur aigre et rance, comme si la maison n'était jamais aérée.

Ils continuèrent jusqu'au grenier, où la vieille s'arrêta enfin devant une porte, frappa et déguerpit. Jukka ouvrit et poussa Hanna à l'intérieur.

– Allez, va lui parler. Soit tu t'installes ici, soit tu rentres avec moi chez Forsman.

La chambre ne comprenait qu'un lit, une chaise en sapin et un miroir fendu au mur. Hanna y saisit son visage, un visage inquiet, quelqu'un qu'elle ne reconnaissait pas vraiment. Puis elle regarda le vieux alité qui la fixait comme une apparition descendue du ciel.

Elle se souvint des paroles de son père, les dernières, chuchotées en secret. Sur l'ange sale. Avait-il donc eu raison ?

Était-ce un ange que le vieux pensait voir ? Ou une servante ahurie débarquée du fond de ses montagnes ?

12

Jukka s'impatientait.

– Allez, parle-lui, à ce vieux. On n'a pas le temps de rester là à se regarder dans le blanc des yeux.

Il alla ouvrir d'un coup la fenêtre coincée d'avoir été si longtemps fermée.

– Ça pue le vieillard rance, ici. La terre a déjà commencé à te dévorer sans que tu le remarques. Ton corps est déjà plein de vers qui te rongent la couenne.

Jukka fusilla Hanna du regard. Elle s'approcha du lit. L'homme avait des restes de nourriture dans la barbe, sa chemise de nuit était tachée de sueur et de crasse. Elle dit qui elle était, qui étaient son père et sa mère. Le vieux n'avait pas l'air de comprendre, ou peut-être n'entendait-il pas. Elle répéta, plus fort.

En réponse, il leva une main tremblante. Hanna crut qu'il voulait la saluer. Mais sa main montrait la fenêtre.

– J'ai froid, dit-il. Ferme la fenêtre.

Jukka bondit d'un pas, comme s'il passait à l'attaque.

– Ça pue dans cette chambre, dit-il. Il faut aérer. Alors, grand-père, on la connaît ? Hanna Wallén ? Elle est de la famille ? Allez, oui ou non, et on s'en va.

Mais le vieux ne comprenait pas. Il se mit à supplier, il avait faim, on ne lui donnait plus rien à manger.

Hanna essaya encore. Répéta qui elle était et parla longtemps d'Elin. Mais rien n'y faisait. Sur le lit souillé, le vieil homme vivait dans son monde, où seule sa faim comptait.

– On s'en va, dit Jukka. Ça ne sert à rien. On va parler à la vieille, en bas. Elle sait peut-être.

Si elle l'avait pu, Hanna aurait pris ses jambes à son cou et ne se serait plus arrêtée avant d'être revenue auprès d'Elin et de ses frères et sœurs. Personne ne voulait d'elle, tout ce voyage avait été vain. Elle n'était pas à sa place dans cette ville. Elle n'avait trouvé pour l'accueillir qu'un vieillard confus.

Quand Forsman fut informé de l'échec de l'expédition, il gronda Jukka, qui fit le dos rond. Il était donc incapable de dénicher les gens ? C'était donc si difficile ?

Forsman se calma peu à peu, puis d'une voix radoucie dit à Hanna qu'il s'occuperait désormais personnellement des recherches. Elle ne devait pas s'inquiéter. On ne disparaissait pas comme ça, sans laisser de trace. Il retrouverait ceux qu'elle était venue voir.

– Pour le moment, tu vas rester ici. Tu te rendras utile dans la maison en attendant. Va aider les autres filles !

Deux jours plus tard, il avait du nouveau. Hanna fut convoquée dans son bureau où elle le trouva en train de mâchonner un moignon de cigare.

– Le vieux que tu as vu est une sorte de pensionnaire. Vous n'êtes pas parents. Il va rester dans ce lit jusqu'à sa mort. Puis d'autres reprendront sa chambre. Toute une famille de dockers. Ils habitent pour le moment dans une écurie et doivent sans doute espérer qu'il crève le plus vite possible. Quant aux autres, personne ne sait où ils sont passés.

Il la dévisagea. Elle se prépara à accuser le coup.

– Je pense te garder jusqu'à nouvel ordre, dit Forsman. On a besoin d'une fille de plus à la maison.

Elle ferma les yeux, soupira. De soulagement, de joie ? Elle ne savait pas. Elle essaya d'évoquer les bruits familiers de sa maison, du fleuve. Mais rien, et elle fut arrachée à ses pensées par le fracas d'une charrette qui passait en cahotant dans la rue.

Forsman semblait deviner ses pensées. Il sourit. Hanna s'inclina et quitta la pièce.

Elle se dit tout bas : Je suis quand même arrivée à quelque chose.

13

C'est avec Berta qu'elle travailla les jours suivants. Elle ne la quittait pas d'une semelle, partageait ses tâches et la laissait aussi lui montrer la ville durant leurs rares moments libres. La majeure partie de leur temps passait à nettoyer les vêtements, les draps et les nappes de la grande maison. Elles puisaient de l'eau à la pompe de la cour, qu'elles portaient à la buanderie, contre l'étable. Hanna ne comprenait pas comment Berta supportait de travailler si dur, souvent plus de douze heures par jour. Elle avait commencé chez Forsman quand elle n'avait que treize ans. Elle raconta à Hanna que son père était mort dans un accident à la scierie d'Essvik, puis sa mère l'année suivante d'une pneumonie, après quoi ses frères et sœurs avaient été dispersés. Berta répétait toujours qu'elle avait eu de la chance de trouver cette place chez Forsman. Ça avait beau être dur et ingrat, elle avait un toit, un lit et à manger trois fois par jour. Pourquoi se plaindrait-elle ? Qui lui en donnerait le droit ?

– Si je m'en allais, il y en aurait aussitôt dix dans la rue pour prendre ma place, dit un matin Berta alors qu'elles étaient à la pompe en train de remplir leurs seaux. Pourquoi je ne garderais pas ce que j'ai ?

– Tu seras toujours là dans dix ans ? demanda Hanna.

Berta secoua la tête en riant. Malgré son jeune âge, elle avait déjà perdu plusieurs dents de la mâchoire supérieure.

– Je ne pense pas si loin, dit-elle. Dix ans ? Je ne sais même pas si je serai encore en vie.

Mais Hanna ne se contenta pas de cette réponse. Berta devait quand même bien avoir un rêve ?

– Des enfants, dit Berta en hésitant. Je crois que j'en voudrais. Mais pour ça, il faudrait trouver un homme. Et je n'en ai pas. J'en veux un qui ne boive pas et ne se batte pas. Où trouver un homme comme ça ?

Hanna répondait elle-même en silence à toutes les questions qu'elle posait à Berta. Que voulait-elle elle-même ? Dans dix ans, serait-elle encore en vie ? Ou aurait-elle aussi disparu ? Qui était l'homme qu'elle espérait rencontrer ? L'espérait-elle vraiment ?

Et des enfants ? Pouvait-elle y songer alors que par bien des côtés elle était encore elle-même une enfant ?

Un redoux inattendu arriva vers la fin février. Le soir, quand elles en avaient la force, elles allaient faire un tour en ville. Berta la guidait, fière, avec un sentiment de possession et de responsabilité. Elle savait quelque chose que Hanna ignorait. La ville était à elle.

De temps à autre, Berta l'interrogeait sur l'endroit où elle vivait avant de venir à Sundsvall avec Forsman. Le peu que Hanna avait à en dire n'intéressait pas vraiment Berta. Ou peut-être lui était-il impossible, elle qui n'avait rien vu d'autre que la ville, d'imaginer ce que c'était qu'un fleuve coulant au pied d'une haute montagne ?

L'intimité avec Berta était nouvelle pour Hanna. Durant son séjour sous le toit de Forsman, Berta et elle devinrent vraiment amies et se confièrent l'une à l'autre. Presque chaque soir, elles chuchotaient dans le lit qu'elles partageaient. Hanna n'avait jamais eu une amie comme Berta. Ce qu'elle partageait avec ses frères et sœurs et sa mère était différent.

Elles osaient aborder les grands sujets. L'amour, les enfants, les hommes. Hanna comprit vite que son amie avait aussi peu d'expérience qu'elle.

Parfois, le soir, quand elles se promenaient bras dessus, bras dessous, leurs châles toujours bien serrés sous le menton, il arrivait que des garçons de leur âge qui traînaient dans la rue les interpellent. Elles ne répondaient jamais et pressaient le pas, ce qui ne les empêchait pas, une fois au lit, de commenter l'événement en pouffant.

Nous n'en sommes pas encore là, pensa Hanna. Mais un jour, nous nous arrêterons pour parler à ces garçons.

Le temps que leur travail leur laissait, elles le consacraient surtout à apprendre à lire ensemble. Elles avaient très vite découvert qu'elles en savaient aussi peu l'une que l'autre. Berta avait reçu d'une cuisinière qui avait travaillé chez Forsman un abécédaire crasseux et écorné. Elles se penchaient dessus, ânonnaient, s'interrogeaient mutuellement et se mirent à emprunter des livres en cachette dans la bibliothèque de Forsman, qu'elles se lisaient à voix haute avec de plus en plus d'assurance.

Hanna n'oublierait jamais le moment où les lettres avaient cessé de sauter sous ses yeux. Où elles avaient arrêté de grimacer pour former des mots, des phrases, et bientôt des histoires entières qu'elle pouvait comprendre.

C'est aussi à cette époque que Hanna entra par hasard en possession d'un dictionnaire portugais. Il arrivait que Forsman fasse le tri dans sa bibliothèque. Un jour, Hanna avait trouvé le livre dans sa corbeille à papier. Elle estimait avoir le droit de récupérer ce qu'il jetait. Elle le montra à

Berta, que n'intéressait pas cette langue étrangère qui ne lui servirait jamais à rien.

Hanna garda pourtant le dictionnaire et apprit des mots et des phrases dont elle ne savait même pas si elle les prononçait correctement.

La fin de l'hiver fut douce en cette année 1904. Dès la mi-mars, les marins impatients qui avaient hiverné à terre commencèrent à se rassembler au port et autour des cales sèches, où les voiliers étaient remontés, désarmés. Berta avait expliqué à Hanna que les bateaux à voile étaient de moins en moins nombreux. Désormais les armateurs avaient tendance à acheter des vapeurs. Mais des cotres continuaient à circuler le long des côtes, ou vers la Finlande et peut-être aussi les Pays baltes. Beaucoup descendaient aussi vers Stockholm avec des cargaisons de bois et de poisson, d'autres partaient vers le nord.

Bientôt, les dernières voiles auraient disparu, et ne resteraient plus que les bateaux à vapeur.

14

Un matin, Hanna fut convoquée à l'improviste dans le bureau de Forsman. Il était rare qu'il veuille lui parler en particulier. Chaque fois elle s'inquiétait, craignant qu'il ne se fâche, qu'il ne trouve à redire à son travail ou son comportement.

Quand elle entra dans la pièce, Forsman n'était pas seul. Il y avait aussi, dans un fauteuil, un homme en uniforme qu'elle n'avait jamais vu. Elle s'arrêta sur le seuil et s'inclina. Forsman lui fit un signe de tête et posa son cigare allumé dans un cendrier.

L'homme en uniforme était plus âgé que Forsman. Il la toisa du regard.

– Voici le capitaine Svartman, dit Forsman. Il commande un bateau dont je possède des parts. C'est le *Lovisa*, en partance prochaine pour un long voyage vers l'Australie avec du bois coupé dans mes forêts et scié dans ma scierie.

Forsman se tut tout net, comme chaque fois qu'il voulait donner le temps aux gens de bien réfléchir à ce qu'il venait de dire. Hanna essaya vite de situer ce pays, l'Australie, mais cela ne lui disait rien.

Si Forsman avait parlé d'un long voyage, l'Australie n'était donc pas un pays voisin de la Suède.

– J'ai réfléchi à ton avenir, reprit Forsman si brusquement

que Hanna sursauta. Tu peux espérer davantage que continuer à servir de bonne ici. Je sens en toi quelque chose de prometteur. Quoi, je ne sais pas. J'ai juste l'impression que tu as de la volonté. Voilà pourquoi j'ai décidé de t'envoyer avec le capitaine Svartman en Australie. Tu embarqueras en qualité de cuisinière. Tu seras la seule femme à bord, mais tout le monde te saura sous ma protection.

Il se tut de nouveau, perdu dans la contemplation de son cigare éteint. Hanna s'empressa de répondre :

– Il faut que je demande à Elin. Je ne peux pas partir comme ça sans la prévenir.

Forsman hocha pensivement la tête. Il saisit un papier sur son bureau et le montra à Hanna.

– Ta mère écrit en pattes de mouche. Son orthographe est une catastrophe et elle ne connaît pas l'usage de la ponctuation. Mais elle est au courant de ma proposition et te donne sa bénédiction pour partir.

Hanna comprit que Forsman s'était occupé d'elle, comme il l'avait promis. Qu'elle parte à bord d'un bateau pour un long voyage avait été envisagé depuis longtemps. Il fallait du temps pour échanger du courrier entre Sundsvall et les montagnes.

– Dans un mois, tout sera chargé et prêt à partir, dit Forsman. D'ici là, tu iras tous les matins à bord. Mörth, un vieux cuisinier de marine, t'apprendra le métier. Tu auras de l'argent pour t'équiper et un bon salaire à bord, plus que tu ne pourrais jamais gagner comme bonne. Vas-y sans hésiter. Je sais que cela te conviendra.

Hanna quitta la pièce, en nage sous son chemisier.

Elle attendit le lendemain, un dimanche, pour le dire à Berta. Le soleil brillait, la neige gouttait des toits. Elles étaient montées sur une petite hauteur aux abords de la ville, où un tronc d'arbre coupé avait été creusé en banc. C'était toujours l'hiver, mais le soleil chauffait en milieu de journée. Elles étalèrent leurs manteaux et s'assirent. Hanna n'avait rien décidé, mais elle sentait le moment venu de parler à Berta. Elle appréhendait la tâche que lui confiait Forsman : comment ferait-elle l'affaire comme cuisinière sur un bateau pour l'Australie ?

– J'aurais aimé qu'on me le propose, moi, dit Berta. Je n'aurais pas hésité à partir.

– C'est si loin, dit Hanna, en lui racontant qu'elle avait fini par trouver l'Australie sur le globe brun que Forsman avait près de sa table de billard.

Elle avait été effarée de découvrir que l'Australie était de l'autre côté du globe.

– Je veux rester chez Forsman. Qui fera tout mon travail en mon absence ?

– Tu tiens donc tant à toutes ces corvées ? s'étonna Berta. Et puis on n'a pas vraiment besoin d'une bonne de plus dans cette maison.

Elle semblait convaincue de ce qu'elle disait tout en comprenant ce qui tracassait Hanna. Mais peut-être aussi était-elle jalouse ? Hanna eut l'impression désagréable que son amie avait envie qu'elle s'en aille.

– C'est à toi de décider, dit Berta. Je ne demande pas mieux que tu restes. Ne serait-ce que parce que tu ne bouges pas en dormant. Je ne supporte pas de partager un lit avec quelqu'un qui gigote et donne des coups de pied toute la nuit.

Elles éclatèrent de rire toutes les deux, mais reprirent aussitôt leur sérieux.

– Va voir Forsman, si tu hésites. C'est lui le patron.

Elles ne parlèrent pas davantage de ce voyage. Elles restèrent là à regarder, au-delà de la ville, les étendues gelées derrière les crêtes boisées. Quand il se mit à faire trop froid, elles entreprirent de redescendre le sentier glissant. Berta dérapa la première, puis Hanna. Elles s'esclaffèrent et se tinrent par la main pour le reste de la descente. Hanna songea à ce qui l'inquiétait le plus.

Perdre l'amie qu'elle avait trouvée en Berta.

Le lendemain, elle prit son courage à deux mains et alla frapper à la porte du bureau de Forsman. Il cria d'entrer et haussa un sourcil étonné en la voyant franchir le seuil.

– Qu'est-ce que tu veux ?

Elle s'arrêta près de la porte. Que dire ?

– Avance. Approche-toi ! J'attends bientôt des types à qui je dois acheter du bois. Dis ce que tu as à dire. Tu ne vas pas bien, qu'est-ce que tu as ?

– Je vais bien, dit Hanna, en s'inclinant.

– Mais alors qu'est-ce qu'il y a ? Ça ne me plaît pas de te voir faire des courbettes pour rien.

– J'aimerais bien rester ici, dit-elle.

Sa voix était si faible que Forsman dut se pencher au-dessus du bureau pour l'entendre.

Elle se mit à parler plus fort, pour qu'il ne se fâche pas.

– Je ne sais pas ce qui m'attend sur ce bateau. Mais avec mon travail ici, je me sens à ma place.

Forsman se recala au fond de son fauteuil, ses grosses mains lourdement posées sur son ventre, où sa veste était déboutonnée. Il la dévisagea.

– Ce sera comme j'ai dit. C'est mieux. Crois-moi.

Il se leva. L'entretien était terminé. Hanna s'inclina et se dépêcha de sortir.

Presque en courant.

15

Le livre de psaumes était identique à celui que Forsman avait donné à Elin ce jour de décembre l'année précédente, quand le traîneau longtemps attendu était enfin apparu à l'orée du bois. C'était à présent le tour de Hanna d'en recevoir un, en ce jour d'avril où le moment était venu pour elle d'embarquer pour de bon. Elle avait signé un contrat et une assurance.

Elle avait appris tout ce que pouvait lui enseigner le vieux cuisinier Mörth, qui ne pouvait s'empêcher de la peloter mais arrêtait dès qu'elle ôtait ses mains. Il attendait alors jusqu'au lendemain avant de réessayer. Elle n'appréciait pas qu'il l'importune, mais il avait vraiment à cœur de lui apprendre à bien cuisiner pour l'équipage. Il lui montra comment stocker les denrées, lui indiqua où se réapprovisionner, selon les produits. Il lui fit une carte, une liste : sans Mörth, elle n'aurait jamais pu être prête pour ce voyage.

Forsman lui serra la main après lui avoir donné le livre de psaumes. Il semblait troublé, remué, comme s'il avait bu, ce qui n'était pas le cas.

– J'espère que tout ira bien pour toi. Que Dieu veille sur tes pas. Mais tu peux aussi compter sur moi, c'est promis.

Les adieux avec la maison de pierre et ses habitants furent brefs. Mais Berta et elle avaient passé un accord. Il était sacré, s'étaient-elles promis, il ne fallait pas le rompre. Elles avaient décidé de s'écrire jusqu'à leurs retrouvailles. Elles avaient ensemble appris à lire et à écrire, et voilà que cela leur servirait. Et si Hanna ne devait pas revenir à Sundsvall, elles ne se perdraient pas de vue grâce à ces lettres.

Forsman l'accompagna jusqu'au bateau. Elle aperçut un homme en uniforme qu'elle n'avait pas vu jusqu'alors, campé sur la passerelle. Il était jeune, pas plus de quatre ou cinq ans plus âgé qu'elle. Il portait une casquette à visière, un pull bleu, était blond et tripotait une pipe éteinte.

Hanna s'avança sur la passerelle. L'inconnu l'attendait à l'autre bout.

Elle s'inclina, et le regretta aussitôt. Pourquoi saluer ainsi un marin ?

On piétinait derrière elle : Forsman montait à bord, accompagné du capitaine.

– Le second Lundmark, dit le capitaine Svartman. Notre cuisinière, Hanna Renström. Traitez-la bien, et vous serez peut-être bien nourri pendant le voyage.

Lundmark hocha la tête. Son sourire mit Hanna mal à l'aise. Pourquoi la dévisageait-il ainsi ?

Il y avait du vent sur le port de Sundsvall ce jour d'avril. Elle ferma les yeux et écouta le bruit des rafales et des vagues. La forêt, songea-t-elle. Les vagues font le même bruit.

Elle eut soudain la nostalgie d'Elin et de ses frères et sœurs. Mais impossible de faire marche arrière. Il n'y avait plus que ce bateau plein de bois odorant fraîchement scié, en partance pour l'Australie.

– Lars Johan Jakob Antonius Lundmark, fit une voix près d'elle.

C'était le second qui s'était attardé, tandis que le capitaine et Forsman s'étaient rendus dans la cabine de Svartman.

– Lars d'après mon père, continua-t-il. Johan d'après mon grand-père, Jakob d'après mon frère aîné décédé, Antonius d'après un docteur qui a jadis guéri mon père d'une septicémie. Voilà, vous savez maintenant qui je suis.

– Moi c'est Hanna. J'ai un seul nom. Pour moi, ça a toujours suffi.

Elle tourna les talons et se dirigea vers sa cabine. À part le capitaine Svartman, elle était la seule à avoir la sienne. Elle s'assit sur la couchette, le livre de psaumes à la main. En le sortant de son étui, elle trouva deux couronnes brillantes.

Elle revint sur le pont. Le second avait disparu. Elle resta près du bastingage jusqu'à ce que Forsman sorte de la cabine du capitaine.

– Je voulais vous remercier pour l'argent, dit-elle.

– L'argent complète bien la parole de Dieu, dit Forsman. Un peu d'argent de poche pour le voyage ne peut pas faire de mal.

Il lui donna une petite tape maladroite sur la joue et lorsqu'il quitta le navire la passerelle ploya sous son poids.

Comme si tout le bâtiment se penchait pour prendre congé de son propriétaire.

16

Neuf heures plus tard, le 23 avril 1904, le vapeur *Lovisa* appareilla pour Perth.

Le bateau fit ses adieux : la corne de brume retentit. Appuyée au bastingage en poupe, près de la cambuse, Hanna songea qu'elle était restée là-bas, sur le quai.

Elle y avait laissé une partie d'elle-même. Qui elle était désormais, elle l'ignorait. L'avenir incertain, inconnu, le lui dirait.

Elle se plaça à l'arrière de la cambuse, sous l'avancée du toit, et regarda l'écume des hélices. Un tourbillon de neige. Me voilà en route vers un monde où il ne neige jamais, vers un désert avec des tempêtes de sable et une chaleur que je ne peux pas imaginer.

Soudain, le second fut près d'elle. Elle devait par la suite se rappeler ce qu'elle avait remarqué en premier : ses ongles. Ils étaient bien coupés et propres, et elle pensa à Elin, penchée sur les mains de son père, s'efforçant de tailler et de récurer ses ongles avec une infinie tendresse.

Elle se demanda qui s'était occupé des ongles du second. Une phrase du capitaine Svartman lui avait fait comprendre que Lundmark n'était pas marié. Svartman lui avait aussi demandé si elle avait un fiancé qui l'attendait. Sa réponse négative avait semblé le satisfaire. Il avait marmonné qu'il préférait quand les membres de son équipage n'avaient pas de famille.

« Au cas où, avait-il ajouté. Qui sait ce que la mer nous réserve. »

Lundmark lui sourit.

– Bienvenue à bord.

Elle le regarda, stupéfaite. C'était la voix de Forsman. Lundmark l'imitait à la perfection.

– Ça alors, on aurait dit que c'était lui.

– Je peux, si je veux, dit Lundmark, prendre une voix d'armateur, même si je ne suis qu'un second.

Un cri au loin, sur la passerelle, interrompit leur conversation. La fumée noire des cheminées était rabattue vers le pont. Hanna dut se retourner pour que ses yeux ne la piquent pas.

Pour l'aider à préparer les repas, elle avait un gamin de quinze ans, Lars. Lui aussi, c'était son premier voyage. Un orphelin apeuré. En lui serrant la main, elle l'avait senti prêt à la retirer si elle s'était mise à la serrer trop fort.

Le capitaine Svartman avait demandé des haricots bruns au lard pour ce premier jour.

« Je ne suis pas superstitieux, mais mes meilleurs voyages ont toujours commencé avec des haricots bruns au lard pour tout l'équipage. Ça ne peut pas faire de mal de garder les bonnes recettes. »

Le soir venu, les préparatifs du petit déjeuner du lendemain terminés, le marmiton parti se coucher, elle sortit sur le pont. Ils avaient quitté l'archipel et faisaient route vers le sud. Le soleil se couchait à tribord, derrière les crêtes boisées.

Soudain, Lundmark fut de nouveau près d'elle. Ils restèrent côte à côte à regarder le soleil disparaître lentement.

Cela devint bientôt une habitude. Chaque soir, Hanna et le second bavardaient. S'il pleuvait ou s'il y avait trop de vent, ils s'abritaient sous l'avancée du toit de la cambuse.

17

Voilà le plus extraordinaire, songea-t-elle : chaque matin, quand je me réveille, ma couchette s'est déplacée. Je ne suis plus là où je me suis endormie.

Un autre changement s'opérait en elle : elle commençait à attendre avec impatience ses rencontres avec Lundmark. Ils se disaient peu à peu qui ils étaient, d'où ils venaient, et elle ne sursauta pas le soir où il l'enlaça.

Ils naviguaient alors sur la Manche, fendant à tâtons un épais brouillard qui s'élevait devant eux comme un mur. Des cornes de brume poussaient alentour leurs beuglements désolés. Elle imaginait un troupeau de bêtes égarées tentant de se rassembler. Le capitaine Svartman ne quittait pas la passerelle et avait ordonné une vigie supplémentaire. De temps à autre surgissaient de tout ce blanc des bateaux noirs qui passaient voiles pendantes ou cheminées fumantes, parfois beaucoup trop près, elle le voyait à la réaction de Svartman qui secouait la tête et ordonnait de ralentir l'allure.

Deux jours et deux nuits, ils restèrent presque immobiles. Toutes les lampes et lanternes disponibles restaient allumées sur le pont. Hanna avait du mal à dormir et quittait souvent sa cabine. Mais elle veillait toujours à ne pas gêner la manœuvre.

Le deuxième jour, le capitaine Svartman lui demanda de chercher le marmiton, qui avait disparu. Elle le retrouva dans le garde-manger, où il s'était caché. Il tremblait de peur. Elle le consola et le conduisit sur le pont, où le capitaine Svartman lui mit une lanterne dans la main.

– Le travail est remède à tout, dit-il.

Quelques jours plus tard, le brouillard se leva. Ils reprirent de la vitesse. Hanna entendit dire qu'ils allaient bientôt passer le golfe de Gascogne.

Un soir, Lundmark se mit soudain à parler vraiment de lui. Il était le fils unique d'un commerçant de Timrå qui avait fait faillite. La misère cognait à la porte. Sa mère était une femme taciturne qui n'avait jamais accepté de n'avoir mis qu'un seul enfant au monde. Pour elle c'était une déception et une honte.

Quant à lui, il avait toujours été attiré par la mer. Il passait son temps à courir sur la plage et à regarder les bateaux. À treize ans, il s'était engagé comme mousse sur un cotre qui naviguait entre Sundsvall et Söderhamn. Ses parents avaient tenté de l'en empêcher. Ils l'avaient même menacé de lui envoyer les gendarmes s'il s'embarquait. Mais en voyant qu'il était déterminé à partir, ils s'étaient résignés à le laisser suivre sa voie.

Avant de s'endormir, elle songea à ce que le second lui avait raconté. Il s'était confié à elle comme seule Berta l'avait fait auparavant.

Le lendemain, il continua. Mais il l'interrogea aussi sur sa vie avant d'être chez Forsman et de s'engager sur ce navire. Que dire ? Il l'écouta pourtant, l'air sincèrement intéressé.

Et leurs conversations se poursuivirent ainsi soir après soir, sauf quand il y avait trop de vent ou que le capitaine Svartman assignait à son second des tâches supplémentaires.

Hanna réalisa qu'elle ressentait pour Lundmark quelque chose qu'elle n'avait jamais éprouvé. Rien à voir avec ce qu'elle partageait avec Elin et ses frères et sœurs. Ni avec l'intimité qui l'avait si fortement liée à Berta. Ses sentiments étaient plus profonds et lui ouvraient un horizon jusqu'alors inconnu. Chaque instant passé à attendre qu'il surgisse derrière la cambuse augmentait son désir.

Un soir, il lui offrit une petite sculpture en bois représentant une sirène. Il l'avait achetée dans un port italien lors d'un précédent voyage et elle était devenue sa mascotte.

– Je ne peux pas accepter.

– Je veux te la donner, dit Lundmark. Je trouve qu'elle te ressemble.

– Qu'est-ce que je peux t'offrir en échange ?

– J'ai tout ce qu'il me faut, dit Lundmark. C'est ce que je ressens en ce moment.

Puis ils se turent. Hanna lui souhaita bonne nuit et rentra dans sa cabine. Plus tard, en entrebâillant la porte, elle vit qu'il était toujours là, campé devant le bastingage. Il regardait la nuit tomber sur la mer, sa casquette à la main.

Le lendemain matin, elle était en train d'écailler le poisson fraîchement pêché pour le dîner quand une ombre passa sur elle. Levant les yeux, elle vit Lundmark. Il s'agenouilla, prit sa main couverte d'écailles brillantes et lui demanda si elle voulait l'épouser.

Jusqu'alors, ils n'avaient rien fait d'autre que se parler. Tout le monde à bord en avait pourtant conclu qu'ils formaient un couple, elle l'avait compris, car aucun des autres hommes d'équipage n'avait tenté de l'approcher.

S'y attendait-elle ? L'espérait-elle ? L'idée avait bien dû la traverser que c'était avec lui qu'elle voyageait, pas avec ce bateau et cette cargaison de planches. Et ce, même s'ils ne s'étaient rencontrés qu'au moment où le bateau allait quitter Sundsvall.

Elle lui dit oui aussitôt. Sa décision fut prise en un instant.

Il l'embrassa avant de rejoindre le capitaine pour la réunion quotidienne des officiers.

Ils accostèrent à Alger pour se ravitailler. Le consul de Suède, un Français tombé amoureux de la ville de Stockholm dans sa jeunesse, dégota un prêtre méthodiste anglais pour les marier. Le capitaine Svartman fournit les documents nécessaires et fit office de témoin, avec le consul et sa femme, qui pleura d'émotion pendant la brève cérémonie. Le capitaine les emmena ensuite chez un photographe et paya de sa poche leur photo de mariage.

Le soir même, elle déménagea dans la cabine de Lundmark. L'autre officier de bord, Björnsson, alla s'installer dans l'étroite cabine de quarantaine. Hanna conserverait sa cabine, le capitaine ne voulait pas la lui enlever. Mais si quelqu'un tombait très malade, elle serait utilisée.

Le capitaine Svartman considéra leur union avec bienveillance. Mais comme ils quittèrent Alger tard dans la soirée, leur nuit de noces fut gâchée par le quart que dut assurer Lundmark. Pas question pour Svartman de lui donner congé ce soir-là. Sa bienveillance n'allait pas jusque-là. Lundmark n'aurait jamais non plus songé à le demander.

Hanna était donc devenue la femme de quelqu'un, madame Lundmark. Ils étaient tous les deux timides et maladroits. L'imposant officier se transforma en petit garçon craignant de lui faire mal. Ils s'approchèrent l'un de l'autre avec précaution, car ils se connaissaient à peine. L'amour était discret, une passion non encore éclose.

En traversant le canal de Suez, ils eurent un de leurs rares quartiers libres en commun. Ils regardèrent les rives, les hauts palmiers, les chameaux qui avançaient en se balançant lentement, les enfants nus qui plongeaient dans les eaux du canal.

Le plus dur pour Hanna fut d'apprendre à dormir à ses

côtés. Ses frères et sœurs, Berta, c'était différent. Cet homme grand et lourd la réveillait en bougeant.

Elle se sentait à la fois rassurée et inquiète d'être là près de lui, et il lui arrivait d'être submergée par une violente nostalgie de sa vie d'avant, dans les montagnes lointaines.

La nuit, après l'amour, ils parlaient ensemble dans le noir, mais toujours à voix basse, car les cloisons étaient fines.

Dans la chaleur de la nuit, il lui avoua qu'il voulait devenir un jour capitaine à bord de son propre bateau.

– J'y arriverai si tu m'aides. Maintenant que tu es là, j'y crois.

Elle lui prit la main. Songea à ce qu'il venait de lui dire. Et éprouva soudain le désir douloureux de raconter à Elin tout ce qui se passait dans sa vie.

Quand elle avait déclaré que Hanna devait rejoindre la côte, elle avait eu raison. Mais que pensait-elle de ce voyage qu'elle avait entrepris ?

Il faut que je lui écrive, pensa Hanna. Un jour, Elin doit recevoir une lettre. J'y joindrai notre photographie de mariage. Il faut qu'elle voie l'homme avec qui je me suis mariée.

18

Elle fut tirée de ses souvenirs par cette question qui restait comme un pont entre le passé et le présent : savait-elle qui elle était ? Deux mois après avoir quitté Sundsvall, après être devenue la femme de Lundmark, maintenant qu'elle attendait ses funérailles ?

Elle n'avait pas de réponse. Autour d'elle, en elle, le silence. Qui elle était, ou qui elle était devenue, elle ne savait pas répondre.

Le navire demeurait immobile dans la chaleur écrasante. On maintenait une pression basse dans la chaudière en attendant la cérémonie. Après, on donnerait l'ordre de recharger les feux pour repartir à pleine vitesse.

Pour l'heure, les machinistes étaient montés sur le pont et avaient essuyé sommairement la suie qui leur couvrait le visage. Un seul homme était resté en bas à surveiller qu'il n'y ait pas d'incendie ni qu'aucune chaudière ne s'éteigne.

Le capitaine Svartman alla lui-même chercher Hanna. Il frappa doucement à la porte de la cabine qu'elle avait partagée avec son mari. Elle allait désormais y vivre seule. Que faire si la solitude l'effrayait ? Que faire d'une veuve à bord ?

Il ouvrit la porte. Assise sur la couchette, elle regardait ses mains. Elle venait de se remémorer le long voyage qui avait commencé dans une vallée lointaine, au bord d'un fleuve. Elle avait rencontré un homme, ils s'étaient mariés. Et à présent il avait disparu.

Ils avaient eu deux mois ensemble. Puis la fièvre fulgurante attrapée au Soudan avait eu raison de lui. Mais elle était toujours là. Et aujourd'hui on allait le jeter à la mer.

En se levant de sa couchette, elle eut l'impression de se rendre à son propre enterrement. Ou peut-être son exécution ? Une nouvelle fois elle se retrouvait seule, dans une situation encore plus difficile. Pourquoi aller de l'autre côté du globe, alors que le mari qu'elle avait n'était plus là ? Qui suivait-elle désormais ? Sinon le capitaine Svartman, qui se dirigeait vers le pont tribord, où la côte africaine se perdait dans une brume de soleil, invisible même aux jumelles ?

Une vigie était restée sur la passerelle, un mousse, un des plus jeunes. Tout le reste de l'équipage était rassemblé autour du cercueil en toile de voile posé sur deux tréteaux près du bastingage. La toile grise était entourée d'un drapeau suédois, taché et effiloché. C'était le seul drapeau à bord. Le capitaine Svartman n'était pas du genre à envisager la mort d'un de ses membres d'équipage. Cela ne pouvait arriver qu'aux imprudents et à ceux qui lui désobéissaient. Comme le second qu'on allait bientôt jeter à la mer.

Hanna regarda les hommes rassemblés en demi-cercle. Aucun n'osait croiser son regard. La mort était embarrassante, elle les gênait.

Elle leva les yeux vers le ciel et le soleil, déjà écrasant de si bonne heure. Soudain elle s'imagina revenue dans le traîneau, dans le dos de Forsman.

Le froid, alors. Aujourd'hui la chaleur. Et pourtant d'une certaine façon la même chose.

Même le mouvement : alors un traîneau, aujourd'hui un navire soulevé lentement, presque insensiblement, par la houle.

Le capitaine Svartman était en grand uniforme et gants

blancs, avec à la main le manuel d'instruction pour les funérailles en mer. Il le lut d'une voix monotone mais puissante. Il remplissait sans hésiter son rôle de capitaine.

Hanna se dit que Svartman devait être surtout furieux que quelqu'un soit descendu à terre malgré ses avertissements, sans comprendre le danger auquel il s'exposait.

L'homme que la mer allait engloutir était mort inutilement. Un homme qui n'avait pas été raisonnable et n'avait pas écouté le capitaine Svartman.

Hanna se doutait que le capitaine n'était pas seulement attristé par la mort de son second. Il se sentait aussi trahi.

19

La cérémonie fut courte. Le capitaine se conforma aux instructions du manuel, sans rien ajouter de personnel. Une fois lues les formules d'usage, il se tut et fit un signe à l'autre sous-officier, qui entonna d'une belle voix un psaume. Curieusement, il avait choisi un chant de Noël.

Brille sur la mer et la terre, étoile lointaine.

Les hommes se joignirent à lui, hésitants, voix sourdes, çà et là discordantes. Hanna les regarda à la dérobée. Certains restaient silencieux.

Qui songeait au défunt ? Sûrement quelques-uns d'entre eux. D'autres, peut-être la plupart, devaient se sentir soulagés d'être toujours en vie.

Le psaume achevé, le capitaine Svartman lui fit signe d'approcher. Il lui avait expliqué que le manuel ne prévoyait pas comment la veuve d'un membre de l'équipage devait se comporter lors de funérailles en mer.

« Posez votre main sur la toile de voile, avait-il proposé. Comme il n'y a pas de fleurs à bord, ce sera le signe du dernier adieu. »

Il aurait pu sacrifier une de ses fleurs en pot, pensa-t-elle. En cueillir une et me la donner.

Elle fit comme il avait dit, posa sa main droite sur le drapeau. Tenta d'imaginer Lundmark devant elle. Mais il avait beau n'être mort que depuis peu, elle avait du mal à évoquer son visage.

La mort est un brouillard, se dit-elle, qui enveloppe celui qui s'en va.

Elle recula d'un pas, le capitaine Svartman fit un nouveau signe de tête, quatre marins s'avancèrent, levèrent la planche et précipitèrent le défunt à la mer. Le capitaine avait choisi ses hommes les plus forts, car en plus du corps la toile de voile contenait plusieurs kilos de lest.

1 935 mètres. Son mari aurait une tombe infiniment plus profonde que la plus profonde des tombes terrestres. Il faudrait presque trente minutes pour que le corps touche le fond. Halvorsen lui avait expliqué qu'il coulerait lentement.

La cérémonie était terminée, l'équipage s'éparpilla. Quelques instants plus tard, une secousse monta de la salle des machines. Le navire se remit en route.

Hanna resta près du bastingage. On ne voyait plus rien dans l'eau. Elle tourna les talons et gagna directement la cambuse, où le marmiton avait commencé à préparer le déjeuner. Elle enfila son tablier. Elle découvrit alors qu'un mousse avait été envoyé donner un coup de main en cuisine.

– Même si mon mari est mort, je fais mon travail, dit-elle.

Sans attendre de réponse, elle descendit au garde-manger chercher les pommes de terre qu'il faudrait cuire aujourd'hui.

Les patates épluchées, elle alla jeter par-dessus bord les seaux d'épluchures. À son retour dans la cambuse, Halvorsen était en train de réparer le râtelier des poêles et des casseroles. Le meilleur ami de son mari à bord. Lui aussi se retrouve tout seul, pensa-t-elle. Lui aussi se demande ce qui a pris au second de descendre à terre lors de cette malheureuse escale.

Quand Halvorsen eut fini, il lui toucha légèrement l'épaule en lui faisant signe de le suivre dehors. Elle demanda au marmiton de surveiller ses casseroles et sortit.

Il lui parla les yeux baissés, sans jamais la regarder en face.

– Que vas-tu faire ?

Elle n'avait pas encore eu la force ni le courage de se poser à elle-même cette question. Que pouvait-elle faire ? Avait-elle le choix ?

Elle lui dit franchement qu'elle n'en savait rien.

– Je t'aiderai. Comme ça tu le sais. Si je peux.

Halvorsen n'attendit pas sa réponse. Il tourna les talons et disparut. Elle songea à ce qu'il venait de dire. Et comprit que c'était son mari qui le lui avait demandé, désespéré, quand il avait mesuré la gravité de sa maladie.

C'était Lundmark qui parlait par la voix de Halvorsen. Une voix sortie des profondeurs. Une voix douée pour les imitations.

20

Ils accostèrent à Lourenço Marques. Une petite ville qui rappelait un peu Alger, avec ses maisons blanches dispersées à flanc de colline. Un hôtel blanc se dressait au sommet d'une butte. Le nom de la ville était imprononçable. Pour cette raison, l'équipage l'appelait *Loco* – Hanna se rappela que le mot signifiait *fou* dans son dictionnaire portugais.

Halvorsen y était déjà venu. Il conseilla à Hanna de dormir hublot fermé pour éviter les moustiques porteurs de malaria. Il ne fallait pas non plus avoir des manches courtes, mêmes si les soirées étaient chaudes.

Il proposa de l'accompagner à terre. Ils pourraient se promener en ville, peut-être s'installer dans une des nombreuses tavernes pour manger du poisson grillé, des crevettes frites ou un homard, qui n'avait pas son pareil dans le monde.

Elle déclina l'invitation. Elle ne se sentait pas prête à sortir en compagnie d'un autre homme, même si Halvorsen ne lui voulait que du bien. Elle resta à bord en se disant que deux jours plus tard ils mettraient le cap plein est pour traverser le vaste océan qui sépare le continent africain de l'Australie.

Lundmark lui avait raconté, une nuit où ils chuchotaient serrés sur l'étroite couchette, qu'il arrivait qu'en route pour l'Australie on croise un iceberg. Malgré les latitudes chaudes, ces icebergs, tels des palais de marbre, remontaient très au nord avant de fondre. Le capitaine Svartman le lui avait raconté, et il n'inventait jamais rien.

Accoudée au bastingage, elle regardait les porteurs africains en haillons charger à bord des vivres sous la supervision du capitaine Svartman. Un homme blanc, barbu et bronzé, suant dans son costume kaki, dirigeait la manœuvre. Les mouvements de ses mains ressemblaient aux coups d'un fouet invisible sur leurs épaules. Les porteurs étaient maigres, effrayés. De temps à autre elle croisait leurs regards brefs, inquiets.

Parfois, elle y lisait aussi autre chose : la colère, peut-être la haine. Elle n'en était pas certaine.

La voix de l'homme blanc était criarde, comme s'il détestait ce qu'il était en train de faire, ou voulait juste en finir.

À plusieurs reprises, comme il n'y avait personne sur la passerelle, elle fut tentée de descendre sur le quai, pour poser une dernière fois ses pieds sur le continent africain.

Mais elle ne s'aventura pas si loin. Le bastingage formait toujours pour elle une frontière invisible.

La première nuit, elle resta éveillée dans la chaleur suffocante de la cabine. Halvorsen lui avait expliqué qu'elle pouvait laisser le hublot ouvert si elle le couvrait d'une fine moustiquaire en coton. Il lui avait donné une étoffe qu'il avait achetée pour elle en ville.

De sa couchette, elle entendait les cigales et, plus loin, quelques tambours et peut-être un chant ou le cri d'un oiseau de nuit.

La chaleur immobile était si étouffante qu'elle s'habilla et sortit sur le pont. Un matelot montait la garde à la passerelle, barrée pendant la nuit par une grosse corde. Elle alla à l'avant s'asseoir sur le treuil de l'ancre.

Autour d'elle, le bateau était plongé dans l'obscurité, à part la lampe-tempête au bout de la passerelle. Sur le quai brûlait un feu. Autour, des hommes, le visage éclairé par les flammes. Elle frissonna. Elle ne savait pas pourquoi. Peut-être de peur, ou de ce chagrin en friche qui grandissait en elle.

Elle resta assise là et finit par s'endormir. Elle fut réveillée par un moustique qui lui piquait la main. Elle le chassa et se dit qu'elle ne pouvait rien changer à la mort.

Le lendemain, le dernier jour à Lourenço Marques, elle demanda à Halvorsen comment s'appelait le pays.

– L'Afrique orientale portugaise, répondit-il en hésitant. Si c'est un nom pour un pays africain, ça ?

Halvorsen secoua la tête en faisant la grimace.

– De l'esclavage, dit-il. Les Noirs sont des esclaves. Rien d'autre. Je ne crois pas avoir jamais vu autant de brutes qu'ici. Et ce sont tous des Blancs, comme toi et moi.

Il secoua de nouveau la tête et la laissa.

Elle avait vu son dégoût. Comme elle avait vu dans les yeux de certains porteurs noirs la colère et peut-être aussi le même sentiment que chez Halvorsen.

21

Ce fut au cours de cette dernière journée que les missionnaires suédois montèrent à bord. Le capitaine Svartman vint les accueillir à la passerelle juste avant onze heures du matin. Deux femmes en robe longue et casque colonial et un petit homme ventru affligé d'un pied bot. Hanna regarda ces étrangers monter à bord. Le capitaine leur remit une pleine valise de courrier puis les invita dans sa cabine.

Halvorsen lui avait expliqué que leur mission était installée dans les terres, dans un endroit appelé Phalaborwa. C'était loin de la côte. Ils avaient dû voyager plus d'une semaine en char à bœufs avant d'atteindre Lourenço Marques.

– Le capitaine Svartman leur a sûrement télégraphié d'Alger, dit Halvorsen. Ils connaissaient donc la date de notre arrivée.

Hanna avait fait sa lessive et s'apprêtait à l'étendre sur une des cordes à linge que les mousses lui tendaient quand elle en avait besoin. Soudain, elle vit qu'une des étrangères était là.

Cette femme était pâle, très maigre. Elle avait une petite cicatrice le long de la narine. Des yeux d'un bleu mat, des lèvres fines. La quarantaine, peut-être moins.

Hanna lui trouva l'air maladif.

Elle dit qu'elle s'appelait Agnes.

– Le capitaine Svartman nous a raconté. Au sujet de votre

mari qui vient de mourir. Voulez-vous que nous priions ensemble ?

Hanna resta là, son linge à la main. Voulait-elle s'agenouiller au milieu du pont ? L'idée la rebuta.

– Je veux vous aider, dit Agnes.

Sa voix était douce. Il y avait à bord un matelot qui avait le même accent, Brodin, originaire des forêts du Värmland. Venait-elle aussi de cette région ?

Elle jeta un coup d'œil à sa main gauche. Pas d'alliance. Elle n'était donc pas mariée. Et elle voulait l'aider. Mais comment ? Tout ce que voulait Hanna, c'était retrouver son mari. Mais il était à 1 935 mètres de profondeur et ne reviendrait jamais.

– Merci, murmura-t-elle, mais je n'ai pas besoin d'aide pour le moment.

Agnes la considéra, pensive. Puis elle se contenta de hocher la tête et de lui prendre la main.

– Je prierai pour vous, pour l'apaisement de votre grande douleur.

Hanna regarda les missionnaires quitter le navire avec leur sacoche de courrier et disparaître en ville. Elle les accompagna du regard jusqu'à ce que le dernier, l'homme au pied bot, ait disparu.

Elle fut soudain prise d'un violent désir de courir après eux pour les suivre le plus loin possible de la mer. Mais une barrière invisible lui interdisait encore la passerelle. Son sort était lié au navire du capitaine Svartman.

Le navire de son mari défunt.

22

Ce qui se produisit ensuite, et pourquoi, Hanna ne devait jamais pouvoir se l'expliquer. Toute sa vie, la décision qu'elle prit ce soir-là, après le départ des missionnaires, devait demeurer mystérieuse. Elle s'était déshabillée et couchée, la chaleur était oppressante, aucune brise n'agitait la pièce de coton pendue devant le hublot de laiton ouvert. Elle s'était assoupie, mais se réveilla en sursaut et s'assit sur sa couchette. L'idée qu'avait en tête Hanna était tout à fait claire, elle emplissait toute sa conscience.

Hanna savait qu'elle ne pouvait pas rester à bord. Elle ne pouvait pas continuer ce voyage, car son mari mort était toujours là. Elle se consumerait de chagrin si elle ne quittait pas le navire.

Hanna se recroquevilla sur sa couchette, adossée à la cloison, ses jambes pliées sous elle, retenant son souffle. Elle avait pris sa décision, il fallait qu'elle quitte le navire cette nuit même, quand le matelot de garde se serait endormi.

Une dernière fois, Hanna tenta de se convaincre de rester jusqu'à l'arrivée en Australie. Mais impossible d'y penser. Elle ne croiserait jamais d'iceberg, de château de marbre.

Elle rassembla ses quelques effets personnels dans la valise que lui avait offerte Forsman. Elle hésita longtemps à prendre le sac de marin de Lundmark. Elle finit par n'emporter que sa casquette, son passeport, sa montre et la photographie prise le jour de leur mariage à Alger. Et, dernière chose, son dictionnaire portugais.

Vers quatre heures du matin, Hanna quitta sa cabine. Le marin de garde dormait contre le bastingage, la tête pendante.

Les cigales chantaient. Elle enjamba prudemment la corde et descendit en bas de la passerelle, où la nuit l'avala.

On la chercha à bord une journée entière. Mais elle avait disparu. Svartman envoya Halvorsen et deux autres marins à terre à sa recherche. Le capitaine attendit jusqu'au tout dernier moment. Mais, juste avant le bref crépuscule africain, il ordonna de larguer les amarres.

La cuisinière Hanna Lundmark avait déserté. Le capitaine Svartman se dit tristement qu'elle était devenue folle.

Il nota sa disparition dans le livre de bord : « La cuisinière Hanna Lundmark a quitté mon navire. Comme elle est veuve depuis peu, on peut supposer que le chagrin lui a fait perdre la raison. Les recherches n'ont donné aucun résultat. »

Mais elle se trouvait là, dans les ombres du port. Cachée dans le noir, elle regarda le navire appareiller et mettre cap à l'est.

Quelques jours plus tôt, elle avait reçu cinquante livres anglaises du capitaine Svartman : le montant que l'assurance de l'armateur versait à la veuve d'un marin mort en service.

Elle s'installa dans un hôtel bon marché du port. Dormit d'un sommeil inquiet, avec de brusques douleurs lancinantes au ventre.

Elle se réveilla un jour de juillet 1904. À peu près au moment où le *Lovisa* rencontra son premier iceberg.

DEUXIÈME PARTIE

La baie de la Bonne Mort

23

Elle fut réveillée par un cri qui ressemblait à un appel au secours désespéré. Elle comprit longtemps plus tard qu'il provenait du paon mâle solitaire qu'elle avait vu dans les environs de l'hôtel. Il devait venir des jardins du palais du gouverneur portugais. Il était un jour apparu devant l'hôtel, pour ne plus jamais repartir. Il criait tous les matins et son cri rempli d'angoisse en effrayait plus d'un.

Ce paon était l'objet d'une rumeur dont nul ne connaissait l'origine. Apparue d'abord chez les Noirs, elle s'était répandue à la population blanche de la ville. Plus personne désormais n'en doutait : chaque fois qu'il faisait la roue, quelque part, quelqu'un était débarrassé d'une souffrance insupportable.

Ce paon n'avait pas de nom. Il se déplaçait lentement, sur ses gardes, comme si, dans sa solitude, il ruminait son destin.

Voilà donc comment Hanna se réveilla de sa première nuit africaine. Quel souvenir devait-elle en garder par la suite ?

Cette nuit avait peut-être l'étoffe d'un rêve, tissée de visions fugaces. Mais Hanna éprouvait aussi une sensation très concrète : une douleur lancinante au ventre. La chaleur était étouffante, les murs de sa chambre dégoulinaient d'humidité. Des lézards à la peau lisse, presque translucide, marchaient au plafond au-dessus de sa tête. Sur le sol, des insectes grouillaient dans l'ombre. Une mulâtresse aux yeux vifs lui avait donné une lampe à huile à la flamme vacillante comme le dernier souffle d'un mourant.

À l'aube le cri du paon résonnait encore en elle. Mal assurée sur ses jambes, elle gagna la fenêtre et vit le soleil se lever. Elle imagina le navire se dissoudre dans l'horizon, en route vers l'Australie avec sa cargaison qui sentait la forêt.

Elle fit sa toilette dans une cuvette. Puis cacha son argent parmi ses sous-vêtements dans la valise que lui avait offerte Forsman.

Un miroir lépreux pendait à l'un des murs. Elle se rappela le miroir où son père se rasait et s'approcha pour y observer son visage.

Soudain, elle sursauta et se retourna. La porte de sa chambre, avec son chiffre 4 griffonné sur un bout de papier punaisé, était ouverte. La mulâtresse qui la veille lui avait donné la lampe l'observait. Puis elle entra et posa un plateau avec un peu de pain et une tasse de thé sur l'unique table de la chambre.

Elle était pieds nus et se déplaçait sans bruit. Elle portait un pagne et avait les seins nus, brillants.

Hanna voulut aussitôt savoir son nom. Elle était dans un monde où le seul nom qu'elle connaissait était le sien. Mais elle ne trouva pas quoi dire, et la femme silencieuse disparut, fermant la porte derrière elle.

Hanna but son thé, très sucré. En reposant la tasse, elle se sentit lasse. Son front était brûlant. Était-ce la chaleur ? Elle ne savait pas.

Son ventre recommença à lui faire mal. Elle se recoucha et ferma les yeux. La douleur sourde allait et venait, par vagues. Elle s'assoupit, mais se réveilla en sursaut. Elle porta la main vers son bas-ventre. C'était mouillé. Elle vit sa main couverte de sang. Elle poussa un cri et se redressa dans le lit.

La mort, pensa Hanna en tremblant. Lundmark n'était pas

le seul qu'elle venait chercher. Moi aussi. Elle gémit d'effroi, mais se força à se lever et gagna la porte en titubant ; elle s'ouvrait sur un couloir qui faisait le tour d'une cour intérieure. Elle devait se tenir à la rambarde pour ne pas tomber à la renverse. Au milieu de la cour dallée, quelqu'un était en train d'épousseter les touches d'un piano noir avec un chiffon.

Elle dut faire un bruit sans en avoir conscience. L'homme cessa d'épousseter le piano. Il se retourna et la regarda. Elle leva ses mains ensanglantées dans un geste de supplication, comme si elle s'en remettait à quiconque voulait l'aider.

Je meurs, pensa Hanna. Même s'il ne comprend pas ce que je dis, il doit bien saisir un appel à l'aide.

– Je saigne ! cria-t-elle. J'ai besoin d'aide.

Sur le point de s'évanouir, elle regagna sa chambre, les jambes tremblantes. Elle avait l'impression que sa vie se vidait. Elle était déjà en train de couler vers les mêmes profondeurs que Lundmark.

Quelqu'un lui toucha l'épaule. C'était la femme qui venait de lui servir du thé. Elle souleva doucement la robe de Hanna, examina son bas-ventre et laissa retomber le pan de tissu, sans que son visage dévoile aucune émotion.

Hanna aurait voulu que cette femme de couleur se transforme en Elin, là, devant elle. Mais Elin vivait dans un autre monde. Hanna crut la voir, comme à travers une brume, près de la cuve, devant la maison grise, en train de scruter les montagnes de l'autre côté du fleuve.

La femme tourna les talons et quitta la pièce en hâte.

Un jour, je connaîtrai son nom, puisque je refuse de mourir, pensa-t-elle.

Je ne veux pas sombrer. Pas encore.

24

Hanna se réveilla quand le rideau claqua à l'ouverture de la porte. Ce n'était pas la mulâtresse, mais une inconnue. Très noire, la peau brillante et des tresses serrées collées au crâne. Ses lèvres étaient rouges, très maquillées. Elle ne portait rien d'autre que des sous-vêtements de soie et une fine robe de chambre décorée de dragons et de démons crachant le feu.

Sa voix était sombre, peut-être rendue rauque par les cigarettes et l'alcool. Au grand étonnement de Hanna, comme si ce qui se déroulait sous ses yeux n'était au fond que la suite de ses rêves confus, cette femme à demi nue lui adressa la parole dans une langue qu'elle reconnut aussitôt, sans l'avoir jamais entendue. À son arrivée à l'hôtel, la femme qui lui avait donné la clé de sa chambre lui avait parlé en anglais. Elle n'y comprenait rien mais, avec l'aide de ses mains et de quelques mots, elle avait su demander une chambre.

Mais voilà qu'à présent cette femme noire inconnue donnait vie au dictionnaire ramassé autrefois dans la corbeille à papier de Forsman. Voilà donc comment sonnait cette langue qu'elle avait essayé d'apprendre.

Tout ce que la femme disait fut d'abord incompréhensible pour Hanna. Mais bientôt elle saisit quelques mots et devina de quoi il était question.

La femme désigna le passeport de Hanna, posé sur la table

de nuit. De ce qu'elle dit ensuite, Hanna comprit qu'elle avait autrefois vécu avec un marin suédois, un certain Harry Midgård, qui était terrible quand il avait bu. Il travaillait à bord d'un baleinier norvégien.

La femme essuya la sueur sur son cou du revers de la main.

– Felicia, dit-elle. Je suis Felicia.

Felicia ? Ce nom ne lui disait rien. Mais les souvenirs commencèrent lentement à revenir. Leur conversation balbutiante continua.

– J'ai dormi combien de temps ?

– C'est le quatrième jour.

Felicia avait allumé une cigarette qu'elle gardait derrière l'oreille. Elle dévisagea Hanna.

Hanna reconnut ce regard inquisiteur. Elle avait vu le même quand Elin avait demandé à Forsman de la conduire jusqu'à la côte. Il l'avait regardée avec les mêmes yeux, comme s'il recherchait une vérité qui n'allait pas de soi.

– Avez-vous la force de vous lever ? demanda Felicia.

Elle était encore faible et vacillante lorsqu'elle se leva, vêtue d'une chemise de nuit blanche qu'on avait dû lui enfiler pendant son sommeil. Felicia l'aida à passer une robe de chambre qui sentait le parfum et une paire de pantoufles.

Elles descendirent dans la cour déserte. Hanna avait pris le dictionnaire portugais qui l'avait accompagnée dans ce voyage. Lui soutenant le bras, Felicia la conduisit dans une arrière-cour ceinte de murs.

Il avait plu. Le sol était humide. Cela sentait comme près du fleuve après les foins, songea Hanna. La terre humide bouillonnait et fermentait.

Felicia l'aida à s'asseoir près d'un jacaranda en fleur. Elle-même resta debout.

– Est-ce ce que je crois ? dit Hanna.

– Je ne peux pas savoir ce que vous croyez.

Elle lui raconta alors en quelques mots ce qui s'était passé. Hanna s'en était doutée et en avait à présent la confirmation : elle avait fait une fausse couche. L'enfant de Lundmark avait été rejeté. Un enfant sans père qui ne voulait pas venir au monde.

– J'en sais si peu, dit-elle.

– Ce n'est pas un enfant qui a été rejeté, juste une bouillie sanglante encore dépourvue d'âme.

Felicia agita la petite cloche posée sur la table. Un jeune serviteur en veste blanche vint se placer près de son banc.

– Du thé ? demanda-t-elle en regarda Hanna, qui hocha la tête.

En attendant qu'on les serve, elle ne dit rien. Des papillons blancs éveillés à la vie par la pluie flottaient autour des fleurs bleues de l'arbre. On entendit soudain l'appel à la prière d'un minaret des environs. Cela rappela à Hanna les muezzins d'Alger, quand elle avait épousé Lundmark.

Elle recula son visage dans l'ombre du jacaranda. Felicia regardait ses mains. Elle s'était cassé un ongle, cela semblait l'irriter.

Mais elle ne s'était toujours pas assise, alors qu'il restait de la place sur le banc. Hanna ignorait tout de cette femme noire qui lui avait sans doute sauvé la vie. Au fond, elle avait peur d'elle, tout comme elle avait eu peur des hommes noirs près de leurs feux, sur le port. D'une certaine façon, cela lui rappelait sa peur du noir, quand elle était petite.

Je te vois, Felicia, pensa-t-elle. Mais toi, que vois-tu ? Qui suis-je pour toi ? Et pourquoi ne t'assois-tu pas ? Le banc est bien assez grand pour nous deux.

Le jeune serviteur arriva avec le thé et interrompit ses réflexions. Hanna regarda ses mains tandis qu'il la servait.

Il n'y avait qu'une tasse pour elle. Pas pour Felicia.

– Comment s'appelle-t-il ?

– Estefano.

– Quel âge a-t-il ?

– Quatorze ans, au plus. Mais il n'a jamais couché avec une femme. C'est donc encore un enfant. Ses mains sont encore très douces.

Hanna but son thé en silence. Puis, après avoir reposé sa tasse, elle demanda à Felicia de lui raconter tout ce qui s'était passé pendant ces jours dont elle ne se rappelait rien d'autre que des ombres, la solitude et une douleur qui allait et venait par vagues.

Felicia ne devait rien omettre. Juste lui dire tout ce qui s'était passé. Et lentement, pour qu'elle comprenne.

25

Felicia raconta :

– Laurinda, celle qui vous a donné la lampe à votre arrivée, m'a dit qu'une femme blanche habitait chambre 4. Je ne savais pas, j'étais allée voir mon mari et mes enfants à Katembe. J'y vais une fois par mois, jamais à jour fixe, mais toujours à l'improviste, quand Senhor Vaz le décide. Je venais de rentrer, je m'occupais de mon premier client quand Laurinda est arrivée en courant. Je croyais qu'elle avait vu un fantôme, un mirage blanc qu'elle voulait que je conjure. En entrant dans la chambre, j'ai tout de suite su que vous étiez vivante. Pour moi, il n'y a rien de plus vivant qu'une femme qui saigne. Le sang qui coule de nos corps montre que nous sommes en vie, mais aussi que nous mourons. J'ai compris ce qui s'était passé sans savoir qui vous étiez ni d'où vous veniez. Pour ça, il faudrait danser devant moi. Dans mon village et dans ma famille, c'est ainsi qu'on fait la connaissance des étrangers. En les regardant danser, on apprend qui ils sont.

« Mais vous, c'est par le sang que je vous ai rencontrée. J'ai chuchoté à Laurinda d'aller chercher de l'eau chaude et des serviettes. Vous sembliez éveillée, vous m'avez regardée, mais c'était comme si vous ne saviez pas ce qui se passait. Il faut toujours parler à voix basse aux gens qui ont peur, je l'ai appris de ma mère. Celui qui crie en présence d'un malade peut voir sa voix se transformer en lance mortelle.

« Laurinda est revenue avec de l'eau et des serviettes, je vous ai enlevé vos vêtements ensanglantés. En cherchant parmi vos dessous, j'ai trouvé des billets, une grosse somme, qui m'a fait encore plus me demander qui vous étiez. Pour une livre, un homme peut rester au lit avec moi une semaine. Vous en aviez des dizaines. Je n'arrivais pas à comprendre qu'une femme puisse posséder autant d'argent, même une Blanche.

« Je dois aussi avouer que je me suis dit que, si vous mouriez, je prendrais l'argent. S'il n'y avait personne pour le réclamer. Je l'ai remis parmi vos sous-vêtements, mais désormais je savais où il était. Vous saigniez beaucoup, vous aviez de la fièvre. Un instant, j'ai cru qu'il était trop tard pour vous sauver, que je m'étais trompée. Que ce n'était pas une fausse couche, mais une maladie que je ne connaissais pas.

« Laurinda restait en retrait, mais prête à m'aider à tout instant. Soudain, j'ai entendu que Senhor Vaz était entré lui aussi dans la chambre. Il a l'habitude de prendre les gens par surprise. Il a demandé en chuchotant ce qui se passait, et Laurinda ne savait pas quoi répondre. Quand il a parlé d'envoyer chercher le docteur Garibaldi, je me suis redressée pour lui dire que ce n'était pas la peine, que le docteur Garibaldi ne connaissait rien à ce genre de saignement. Sur le moment, j'ai cru qu'il allait me frapper, car il ne tolère pas que ses putes donnent leur avis personnel. Mais il ne m'a pas touchée. Il a vu dans mes yeux que je savais que le docteur Garibaldi ne ferait qu'empirer les choses. Et il voulait l'éviter. Cela donnerait une mauvaise réputation à son établissement. Les clients pourraient décider d'aller voir d'autres putes, même si Senhor Vaz est connu pour diriger un bordel propre qui propose des femmes noires attirantes. Mais si une femme blanche mourait d'une hémorragie dans une de ses chambres, cela serait un mauvais présage. Une présence maléfique dans l'hôtel O Paraiso. Même si tous les Blancs méprisent nos croyances, ils ne sont pas à l'abri. Les mauvais esprits peuvent aussi faire du mal aux Blancs. Autrefois, nous pensions que notre médecine africaine n'agissait pas sur ceux qui avaient la peau claire. Aujourd'hui nous savons que ce n'est pas vrai. Vous avez autant peur que nous des mauvais esprits que lâchent ceux qui nous veulent du mal. Je ne savais pas qui vous étiez, ni où vous alliez. Mais quand je vous ai vue couchée là avec vos vêtements pleins de sang, j'ai aussitôt pensé que quelqu'un vous voulait du mal, souhaitait votre mort.

Felicia se tut soudain, comme si elle en avait trop dit. Dehors passa bruyamment un chariot chargé de bananes.

Il y avait encore tant de choses que Hanna ne comprenait pas. Pas seulement à cause de la langue que parlait Felicia. L'endroit où elle s'était installée le soir où elle avait fui le navire du capitaine Svartman n'était pas qu'un hôtel. Il s'y cachait aussi un de ces bordels dont parlaient les hommes d'équipage. Felicia, à côté d'elle sous le jacaranda, était une prostituée.

Elle pensa se lever, regagner sa chambre, s'habiller et se rendre sur-le-champ dans un hôtel convenable.

Mais Felicia l'avait sauvée, avec l'aide de cette femme dont elle connaissait à présent le nom, Laurinda. Pourquoi les fuir ? Elle n'avait rien à voir avec le bordel, elle avait demandé une chambre, qu'elle avait bien l'intention de payer avec son propre argent.

Cet argent que Felicia n'avait pas pris, alors qu'elle aurait pu.

Felicia la regarda, comme si elle devinait ses pensées.

– Un bruit a commencé à courir. Comme une traînée de poudre. Que l'établissement de Senhor Vaz avait sa première pute blanche. De nouveaux clients sont aussitôt accourus.

Mais ils ont aussitôt compris que vous étiez la perle rare, une simple cliente de l'hôtel. La déception a été infinie.

– Senhor Vaz ? Le propriétaire ? Qui est-ce ?

– C'est un homme qui ne supporte pas le sang, dit Felicia. Quand nous saignons, c'est mauvais pour ses affaires, sauf quand nous avons la visite d'un de ces dégoûtants qui n'arrivent à coucher avec une femme que si elle saigne. Tant que vous ne serez pas guérie, il gardera ses distances.

– Et après ?

– Dans la mesure où vous payez votre chambre, je suppose que vous pourrez rester.

Soudain, Hanna sentit une présence dans son dos. Elle se retourna et poussa un cri d'effroi. Elle ne comprit d'abord pas ce qu'elle voyait. Un singe en veste blanche la dévisageait.

26

Était-elle devenue folle ? Elle n'en croyait pas ses yeux. Mais le singe était bien là, dressé sur ses pattes arquées. Il tenait d'une main un plateau de pâtisseries. Felicia dit quelques mots. Le singe posa le plateau sur la table, grimaça, grinça des dents et disparut.

– Il s'appelle Carlos, dit Felicia. Comme un roi du Portugal. Il est arrivé ici avec son maître voilà cinq ans. Il revenait de la chasse au lion dans la savane. Avec ce chimpanzé, coiffé alors d'un casque colonial. Quand son maître s'est révélé insolvable après s'être servi des femmes pendant une semaine, Senhor Vaz a saisi le singe pour se payer. Il a été triste quinze jours. Puis il s'est habitué à la veste blanche et à son nom : il était mieux ici qu'avant. La nuit, il monte sur le toit regarder vers les forêts de l'autre côté de la ville. Mais il ne s'en va jamais. Carlos est ici chez lui.

Hanna n'en revenait toujours pas. Mais Felicia semblait parler sérieusement.

Soudain, on entendit de la musique. Hanna tendit l'oreille et comprit que c'était un piano. Mais ce n'était pas vraiment de la musique. Des notes répétées, comme si un enfant s'amusait avec les touches.

Une impression de déjà-vu. L'homme qu'elle avait vu épousseter le clavier accordait aujourd'hui le piano. Il y avait aussi un piano chez Forsman. Personne n'en jouait, personne n'avait le droit de le toucher. Forsman gardait à sa chaîne de montre la clé de son couvercle fermé. Deux fois par an, un aveugle venait pourtant l'accorder. Ce jour-là, il fallait faire silence dans la maison. L'accordeur de piano venait toujours quand Forsman rentrait d'un de ses longs voyages d'affaires en traîneau ou en chariot. Tandis que l'aveugle se penchait sur les touches, sa clé d'accord à la main, Forsman écoutait religieusement, assis dans un fauteuil. Pour lui, l'harmonie parfaite n'était pas la musique, mais un piano bien accordé.

L'accordeur du bordel reprit son travail. Il s'occupait d'abord des notes les plus graves. Qu'il continue sa besogne lui donnait de l'espoir, une force inattendue. On n'accorde pas un piano quand quelqu'un va mourir, se dit-elle. Dans ce cas, on fait silence, ou on joue une musique funèbre.

Elle se rappela confusément ce qu'elle avait pensé un jour où l'accordeur était là et que Forsman était abîmé dans son fauteuil en train de se délecter de l'harmonie rétablie : Que voit-il ? avait-elle songé. Qu'est-ce que l'aveugle voit qui m'est inconnu ? Elle ne pouvait pas imaginer qu'il ne voie que du noir.

Hanna sentit qu'elle était fatiguée. Felicia la raccompagna dans sa chambre. On avait changé ses draps. Ses sous-vêtements tachés de sang étaient revenus, propres.

Sur le pas de la porte, Felicia se tourna vers elle.

– Que dois-je dire à Senhor Vaz ?

– Que la femme blanche saigne encore. Pas beaucoup. Mais elle a besoin d'être seule quelques jours.

Felicia hocha la tête.

– Je promets aussi de ne pas vous envoyer Carlos avec le thé. Laurinda vous servira.

Une fois Felicia sortie, Hanna se mit à pleurer. En silence. Pas pour que personne ne l'entende. Mais pour ne pas effrayer son corps et qu'il ne se remette pas à saigner.

27

Les putains mentent. Comme tous les Noirs.

Quand Attimilio Vaz se présenta à Hanna, une semaine après son arrivée dans son hôtel, lorsqu'elle fut assez remise de sa fausse couche pour quitter sa chambre et descendre seule prendre ses repas au rez-de-chaussée, ce fut une des premières choses qu'il lui dit.

– Ne croyez pas tout ce qu'ils disent. Les Noirs, ici, ne savent rien faire d'autre que mentir.

Hanna était indignée. Felicia, qui lui avait raconté tout ce qui s'était passé et avait pris soin d'elle, aurait-elle menti ? Impossible. Bien sûr, elle avait parfois du mal à comprendre sa langue étrange. Mais pas au point de se tromper complètement et de prendre un mensonge pour une vérité.

Le jour où Attimilio Vaz décida de l'aborder, il parla lentement, en évitant les mots difficiles.

Senhor Vaz était né au Portugal. Voilà bien longtemps, il avait séjourné en Suède, après un bref passage dans une ville danoise, peut-être Odense. Il avait fait le commerce des anchois portugais. Mais cela n'avait pas été si simple. Naturellement, ce n'était pas de sa faute. Attimilio Vaz se décrivait comme une personne honnête et intègre, hélas trop souvent mal comprise. Même s'il avait dû quitter la Suède en toute hâte après avoir été soupçonné d'escroquerie, il gardait le souvenir d'un pays agréable peuplé de gens charmants, et il était ravi d'avoir aujourd'hui la visite d'une Suédoise dans son établissement modeste mais parfaitement propre.

Quelques jours plus tard, comme Hanna se sentait assez forte pour sortir, il l'invita à dîner dans un restaurant situé dans la même rue que l'hôtel O Paraiso.

En s'engageant sur le trottoir en compagnie de son hôte, elle sentit soudain la terre tanguer sous ses pieds. Comme si elle marchait à nouveau sur le pont d'un bateau. Hanna s'arrêta pour s'appuyer à une façade. Senhor Vaz la regarda d'un air préoccupé et lui demanda si elle voulait regagner sa chambre. Elle secoua la tête. Quand il lui prit le bras, elle le laissa faire. Aucun homme ne l'avait touchée depuis la mort de Lundmark. Elle marchait à présent dans une ville africaine au bras d'un inconnu, un propriétaire de bordel portugais qui la conduisait au restaurant.

Ce n'était pas un rêve. Juste un autre monde, étranger.

Lundmark était plus grand qu'elle. Senhor Vaz lui arrivait à peine aux épaules.

La rue qu'ils empruntaient était animée : Hanna lut sur une plaque *rua Bagamoio*. Partout des bars, certains violemment éclairés par des lampes à gaz qui sifflaient, d'autres sombres, où les flammes de bougie vacillaient mystérieusement derrière des draperies chaque fois que quelqu'un s'y glissait en hâte. Mais les ruelles étroites qui partaient de la rue Bagamoio étaient obscures, silencieuses et désertes.

Cela lui rappela la grande forêt autour de la vallée. Elle pouvait se trouver dans une clairière au soleil mais trois pas en direction des hauts troncs suffisaient pour entrer dans un autre monde, au cœur des ténèbres.

À part quelques mendiants en haillons, il n'y avait dans la rue que des Blancs. Il fallut un moment à Hanna pour constater qu'il n'y avait pas de femmes. Elle était la seule.

Autour d'elle, des hommes blancs, des marins, des militaires, certains ivres, tapageurs, d'autres silencieux, rasant les murs, comme s'ils ne voulaient pas être vus. À l'intérieur des bars, en revanche, des femmes noires attendaient sur des tabourets et des canapés, en fumant, silencieuses.

Si ceci était une ville, comment appeler l'endroit où habitait Forsman ? Était-ce seulement comparable ? Les rues où elle se promenait avec Berta et ce dédale mystérieux de ruelles obscures ?

Près d'un feu, un homme frappait un tambour si petit qu'il tenait dans la paume de sa main. Son visage était luisant de sueur. Devant lui, un bout d'étoffe où brillaient quelques pièces. Ses doigts dansaient sur la peau du tambour comme des becs affamés. Hanna n'avait jamais entendu de rythme aussi endiablé. Elle s'arrêta. Vaz s'impatienta, puis attrapa une pièce au fond de sa poche qu'il jeta sur le chiffon avant de l'entraîner.

– Il est pieds nus, dit Vaz. Si la police vient, elle l'emmènera.

Hanna avait bien remarqué que l'homme au tambour n'avait pas de chaussures, mais elle ne comprit pas ce qu'il voulait dire.

– Pourquoi ? demanda-t-elle.

– Aucun nègre n'est autorisé à circuler en ville sans chaussures, dit Vaz. C'est la règle. Après neuf heures du soir, ils n'ont pas le droit de se montrer dans nos rues. S'ils ne travaillent pas, s'ils ne sont pas en mesure de présenter leurs papiers. « Il est interdit aux hommes ou aux femmes noirs d'accéder sans chaussures aux rues de la ville. » C'est comme ça ici. Le premier signe de civilisation, c'est de porter des chaussures.

Une fois encore, elle n'était pas certaine d'avoir compris. « Nos rues » ? Mais alors, à qui n'appartenaient-elles pas ?

Senhor Vaz s'arrêta devant un restaurant plongé dans le

noir. Hanna crut lire le mot *morte* sur son enseigne, mais elle devait se tromper : un restaurant du quartier des plaisirs ne pouvait pas avoir le mot *mort* dans son nom.

C'était pourtant bien le mot. Un des premiers qu'elle avait appris dans le dictionnaire de Forsman.

Ils mangèrent du poisson grillé à une terrasse. Senhor Vaz lui proposa du vin, mais Hanna secoua la tête et il n'insista pas. Il était très aimable, se contentait de lui poser des questions simples sur sa santé et semblait soucieux de son bien-être.

Elle répondait de son mieux à ses questions, mais quelque chose dans sa façon d'être la mit sur ses gardes.

À la fin du dîner, il l'informa qu'une infirmière viendrait à l'hôtel dès le lendemain. Elle y resterait tant que Hanna aurait besoin d'aide. Hanna tenta de protester. Elle recevait déjà toute l'aide nécessaire de Laurinda et Felicia. Mais Senhor Vaz était très déterminé.

– Vous avez besoin d'une infirmière blanche, dit-il. On ne peut pas faire confiance aux Noirs. Même s'ils ont l'air de vous vouloir du bien, ils peuvent être en train de vous empoisonner.

Hanna était abasourdie. Avait-elle bien entendu ? Elle ne le croyait pas. En même temps, elle sentait qu'une femme blanche se comporterait différemment avec elle.

Ils rentrèrent lentement dans la nuit. Senhor Vaz glissa soudain son bras sous le sien. Elle ne se déroba pas.

Une fois à l'hôtel, il prit congé en s'inclinant en bas de l'escalier. Il avait beau être tard, la plupart des prostituées attendaient désœuvrées dans leurs fauteuils, fumant ou parlant à voix basse. Elle comprit que c'était un mauvais soir, songeant avec dégoût à ce qui avait lieu d'habitude derrière les portes closes.

Hanna chercha Felicia du regard, sans l'apercevoir. En montant l'escalier, elle la vit sortir de sa chambre en compagnie d'un homme blanc à la barbe touffue et au ventre énorme. Ce spectacle mit aussitôt Hanna mal à l'aise. Elle se dépêcha d'aller s'enfermer dans sa chambre. Juste avant, son regard et celui de Felicia se croisèrent.

Très brièvement, comme si malgré tout elles avaient eu le temps d'échanger une information d'importance.

Au même moment elle vit Carlos, le chimpanzé costumé, à côté du piano, un cigare à la main. Il regardait autour de lui avec curiosité. Pour l'heure, il semblait le plus vivant de tous les habitants de cette maison dite de joie.

28

Le lendemain, une femme blanche au visage fermé se présenta à sa porte. Elle s'appelait Ana Dolores et ne parlait que portugais et quelques mots de *shangana*, la langue locale. Mais comme elle articulait lentement, Hanna avait moins de mal à la comprendre que Felicia et Senhor Vaz.

Après l'arrivée d'Ana Dolores, Hanna comprit mieux ce que Senhor Vaz voulait dire en affirmant que les Noirs mentaient. Ana Dolores était du même avis, et même plus convaincue que lui, si c'était possible. Elle fut la guide de Hanna dans un monde qui semblait n'être fait que de mensonges.

Ana Dolores avait été engagée car Senhor Vaz était convaincu que ni le docteur Garibaldi ni les servantes noires ne pourraient aider Hanna à se rétablir complètement. Dès le lendemain de sa conversation avec Felicia, il avait appelé un rickshaw pour se rendre sur les hauteurs de la ville, à l'hôpital Pombal. Il avait parlé à Senhor Vasconcelos, responsable à lui seul de toute l'administration de l'établissement, pourtant borgne et sourd comme un pot.

Pendant des années, Vasconcelos avait fidèlement fréquenté O Paraiso toutes les trois semaines. Il parlait à sa femme de ses longues et complexes parties d'échecs avec Senhor Vaz, alors qu'il savait à peine comment se déplaçaient les pièces sur un échiquier. La seule dame dont il souhaitait les services était la belle Belinda Bonita : celle-ci commençait à prendre de l'âge mais justement, grâce à cette maturité, elle attirait certains clients qui n'auraient pas imaginé coucher avec des femmes plus jeunes.

Senhor Vaz exposa la situation à Senhor Vasconcelos : une femme blanche était arrivée à l'improviste. Pour qu'il comprenne bien, il le lui écrivit sur le bloc de papier jaune quadrillé que le vieil homme avait toujours devant lui.

Sa demande était simple : il cherchait une infirmière de confiance qui puisse habiter chez lui tant que la femme blanche aurait besoin de surveillance. Il souligna qu'il lui fallait une femme assez âgée, qui ne quitte jamais son uniforme d'infirmière. Il ne voulait pas prendre le risque qu'un client aille croire qu'une première putain blanche venait d'arriver en ville. Et qu'elle proposait en plus d'alléchants jeux de rôle, par exemple déguisée en infirmière.

Ou plutôt : la deuxième prostituée blanche en ville. Nul ne savait, et encore moins Senhor Vaz, si c'était une légende ou non. Mais on parlait d'une femme blanche qui attirait des clients dans une des ruelles obscures partant de la rue Bagamoio. D'où venait-elle ? Existait-elle vraiment ? Personne ne pouvait le dire mais de temps en temps des hommes à moitié nus sortaient en titubant des ruelles sombres avec des histoires sur cette belle femme blanche dont l'art surpassait celui des femmes noires.

Senhor Vaz n'y avait jamais cru. Il était convaincu que, dans le monde des Noirs, le mensonge était plus vivace que la vérité. Le mensonge faisait le lit de la crédulité et de la crainte, de la fausseté et de la vantardise. Dès le premier jour où il avait posé le pied sur le quai de Lourenço Marques, il avait été convaincu qu'on ne pouvait jamais faire confiance aux Noirs. Sans leurs maîtres blancs, ils vivraient encore au Moyen Âge.

Senhor Vaz était un défenseur inconditionnel de la mission civilisatrice de la race blanche en Afrique. Il ne maltraitait pas pour autant les filles de son bordel. Certes, il lui arrivait de distribuer quelques gifles quand il n'était pas content. Mais cela n'allait jamais plus loin.

Senhor Vasconcelos réfléchit à ce que lui demandait son ami puis agita une clochette. Sa secrétaire, une femme obèse que Senhor Vaz voyait tous les dimanches à la cathédrale à l'heure de la messe, entra et reçut l'ordre d'aller chercher sœur Ana Dolores, qui travaillait dans le service où étaient soignés les malades mentaux.

Senhor Vaz, interloqué, se demanda si son ami Vasconcelos l'avait bien compris. Il n'avait pas besoin qu'on l'aide à s'occuper d'une folle. Cette femme blanche était arrivée dans son hôtel, avait payé plusieurs nuits d'avance, puis s'était soudain mise à saigner. L'hémorragie avait cessé, mais elle était toujours faible et nécessitait des soins.

Il griffonna ces derniers mots en grandes majuscules enfantines. Senhor Vasconcelos lut de son œil myope, puis écrivit : *Si, entendo*, avant de rallumer un bout de cigare.

Ana Dolores était très maigre, avec un visage taillé au couteau et empreint d'une sourde amertume. Senhor Vaz hésita en la voyant. Pour lui, en plus de s'occuper de la femme blanche alitée chambre 4, il importait aussi qu'elle ne fasse pas fuir ses clients. Mais il décida de faire confiance à son ami.

Ils convinrent d'un salaire, se serrèrent la main. Elle commencerait le soir même. Ana Dolores connaissait-elle ou non O Paraiso ? L'expression de son visage n'en laissa rien transparaître. Mais la rue Bagamoio était la rue chaude la plus connue de toute l'Afrique du Sud, elle pouvait difficilement l'ignorer. Vaz, qui avait une idée de ce que gagnait une infirmière, lui avait aussitôt proposé le double, pour s'épargner tout refus. Il lui avait aussi promis la chambre 2, la plus vaste de l'hôtel, presque une petite suite, en angle, avec une alcôve et une grande fenêtre donnant par-dessus les toits vers le port et la presqu'île de Katembe.

Voilà comment Hanna fit la connaissance d'Ana Dolores. Quand elle se réveilla le lendemain, ce n'était plus Felicia qui était assise dans le fauteuil d'osier près de la fenêtre, ou Laurinda qui de son pas silencieux lui apportait son thé sur un plateau. À présent, c'était une infirmière toute vêtue de blanc qui l'observait, debout près du lit. Sans un mot, elle prit son pouls. Puis, le visage impassible, elle se pencha et écarta ses paupières inférieures pour examiner ses pupilles. Hanna sentit sur cette infirmière étrangère un parfum de fleur ou de fruit qu'elle ne connaissait pas. Après avoir vérifié ses yeux, Anna Dolores écarta la fine couverture d'un geste brusque et lui dénuda le bas-ventre. Si vite que Hanna n'eut pas le temps de se cacher. Elle leva une main, mais l'infirmière la repoussa, comme si elle chassait un insecte, puis écarta ses jambes. Elle examina son sexe, longtemps, pensive. Puis elle rabattit la couverture et quitta la chambre.

Laurinda entra avec le thé sur un plateau. Elle portait un fin chemisier en simple coton blanc et une *capulana* aux couleurs vives nouée autour des hanches.

Hanna désigna la porte. De la main, elle essaya d'esquisser la silhouette de l'étrangère qui venait de sortir.

Laurinda comprit.

– Dona Ana Dolores, dit-elle.

Hanna crut déceler une touche de crainte dans la voix de Laurinda quand elle prononça le nom de l'infirmière.

Mais elle ne pouvait pas en être sûre. Elle n'était sûre de rien.

29

Une infection se déclara soudain, suivie d'un long épisode de fièvre. Deux mois durant, Hanna fut soignée par Ana Dolores. Au premier signe de guérison succéda une période d'épuisement qui la laissa presque paralysée. C'est pendant ce temps qu'Ana Dolores enseigna le portugais à Hanna. Quand elle n'était pas trop fatiguée, elles s'exerçaient à parler.

Hanna apprit aussi pendant cette période comment une Blanche devait traiter les Noirs qui travaillaient dans cet hôtel. Un hôtel qui était avant tout un bordel pour Blancs de passage dans la ville portuaire. Au début, Hanna trouvait désagréable le mépris sans fard, le dénigrement amer affichés par Ana Dolores vis-à-vis des femmes noires qui entraient dans la chambre. Mais sans le vouloir, elle réagit de moins en moins à ce que disait l'infirmière.

Quand Hanna fut assez remise pour quitter le lit et faire des promenades en ville de plus en plus longues en compagnie d'Ana Dolores, elle constata que celle-ci conservait la même attitude : dans la rue, au parc, sur une des longues plages ou un magasin, et pas seulement entre les quatre murs de l'hôtel O Paraiso.

Ana Dolores considérait comme la plus grande évidence que les Noirs étaient des êtres inférieurs. Cela réveillait en Hanna les souvenirs du temps passé chez Forsman. Berta lui avait expliqué que même s'il traitait correctement ses employés, il gardait un profond mépris pour ceux qui étaient au bas de l'échelle. Pas seulement dans sa propre maison, mais dans l'ensemble de la société. Quand Hanna avait tenté de protester en arguant qu'elle était un exemple de la bonté de Forsman, Berta lui avait répondu qu'il n'en allait pas toujours ainsi. Hanna avait elle aussi remarqué à plusieurs occasions le mépris brutal dont Forsman faisait preuve envers des pauvres qui croisaient son chemin.

Ana Dolores lui expliqua :

– Les Noirs ne sont que nos ombres. Ils n'ont pas de couleur. Dieu les a faits noirs pour que nous n'ayons pas à les voir la nuit. Et pour que nous n'oubliions jamais d'où ils viennent.

Même si elle s'habituait, le comportement d'Ana Dolores mettait Hanna mal à l'aise. Quand elle battait des femmes noires qui tardaient à s'écarter de son chemin ou n'hésitait pas à gifler un enfant qui voulait lui vendre des bananes dans la rue, Hanna aurait voulu prendre ses jambes à son cou. Sans cesse, comme si cela faisait partie des soins qu'elle devait lui prodiguer, Ana Dolores discourait sur l'infériorité des Noirs, leur fausseté, la saleté de leur corps comme de leur âme. La résistance de Hanna faiblissait. Elle recevait ce qu'on lui disait comme si c'était vrai, en dépit de ses réticences. Il y avait une différence fondamentale avec son séjour chez Forsman. À l'époque, elle faisait partie des pauvres, travailleurs et domestiques. Ici, de par la couleur de sa peau, elle se situait à un tout autre niveau, au-dessus des Noirs. Ici, c'était elle qui pouvait décider, qui avait le droit de commander et de punir avec l'autorisation divine. Ici, elle était l'égale de Forsman. Alors qu'elle n'était qu'une cuisinière en fuite.

Un jour, à la fin de la période où Ana Dolores s'occupa d'elle, elles allèrent se promener dans le petit jardin botanique situé à quelques pâtés de maisons de la rue Bagamoio, au pied de la colline où était en construction la nouvelle cathédrale, d'une blancheur éclatante. Elles se protégeaient toutes deux du soleil sous des ombrelles. Il faisait très chaud, et elles cherchaient le frais dans les ombrages du parc. Des pancartes fixées aux grilles d'entrée annonçaient que les bancs étaient réservés aux Blancs. Le texte était écrit en termes si menaçants que les Noirs, même s'ils en avaient le droit, hésitaient à venir se promener dans les allées sablonneuses. Il n'y avait pour l'heure que des jardiniers torse nu occupés à arracher les mauvaises herbes, prêts à tout moment à voir des serpents venimeux surgir de sous les feuilles mortes.

Nombre de bancs étaient occupés, cet après-midi-là. Au parc se retrouvaient des fonctionnaires de diverses administrations coloniales, des mères avec leurs filles qui sautaient à la corde et leurs garçons qui couraient après des cerceaux.

Ana Dolores s'arrêta soudain. Devant elle, un vieil homme noir dormait, assis sur un banc. Hanna eut le temps de voir la colère sur son visage avant qu'elle lui touche l'épaule. Il se réveilla lentement, regarda les deux femmes d'un air interloqué et s'apprêta à se rendormir.

Hanna avait déjà vu un vieil homme ouvrir les yeux avec cette lenteur : quand avec Jukka elle avait trouvé, à l'adresse de son oncle, ce vieillard couché dans son lit sale. De la même façon, ce vieux Noir savait à peine où il était. Il semblait affamé, maigre, au bord de la déshydratation. Sa peau se tendait sur ses pommettes.

Avant que Hanna ait le temps de réagir, Ana Dolores attrapa l'homme, le secoua comme un pantin désarticulé et l'envoya d'une puissante gifle rouler dans un massif de rhododendrons en fleur. Il resta étendu là tandis qu'Ana Dolores essuyait le banc avec un mouchoir, avant de faire signe à Hanna de s'asseoir.

Un bref instant, tout s'était arrêté dans le parc. Les cerceaux avaient cessé de rouler, les dames sur les bancs s'étaient tues, les jardiniers à moitié nus, courbés dans les massifs, en sueur, ne bougeaient plus. Une fois tout revenu à la normale, Hanna se demanda si ce brusque silence avait été provoqué par ce qui venait d'avoir lieu ou par ce qui allait se passer.

Allait-il seulement se passer quelque chose ?

Hanna regarda à la dérobée Ana Dolores, qui s'éventait doucement d'une main tout en tenant son ombrelle de l'autre. Le vieil homme était toujours étalé dans les buissons en fleur. Il ne bougeait pas.

Je ne comprends pas, pensa-t-elle. Derrière le banc où je suis assise, un vieil homme est à terre et personne ne fait rien pour lui. Moi non plus.

Combien de temps étaient-elles restées sur ce banc, elle l'ignorait. Mais quand Ana Dolores estima le moment venu de regagner O Paraiso, le vieil homme avait disparu. Peut-être avait-il rampé sous les rhododendrons pour se cacher en compagnie des serpents que tous redoutaient.

Quelques jours plus tard se produisit un événement qui l'éprouva et la fit sérieusement réfléchir à ce qu'elle était en train de devenir. Laurinda laissa tomber une soucoupe en lui servant son thé du matin. Elle se brisa sur le carrelage. Hanna, qui se peignait devant le miroir, se retourna d'un coup et la gifla. Puis elle désigna les tessons et lui ordonna de ramasser.

Laurinda se mit à quatre pattes et fit disparaître les débris de porcelaine. Pendant ce temps, assise au bord du lit, Hanna attendait que son thé tiédisse.

Laurinda se releva. Cela fâcha Hanna.

– Qui t'a dit de te lever ? Il reste des fragments.

Laurinda se remit à genoux. Hanna s'énervait de ne jamais pouvoir lire la moindre réaction sur son visage. Avait-elle peur que Hanna la punisse ? Était-elle indifférente, voire pleine de mépris devant cette femme blanche qu'elle avait autrefois secourue ?

Les yeux de Laurinda étaient très clairs, brillant d'un mystérieux éclat intérieur, que Hanna n'avait jamais vu dans les yeux des Blancs.

– Tu peux partir, dit-elle. Mais je veux entendre tes va-et-vient. Je veux que tu mettes des chaussures pour me servir.

Laurinda se leva et disparut dans la pénombre. Elle réussit à faire claquer ses pieds comme des talons. Hanna supposa qu'elle allait à la cuisine gratter le fond des casseroles du cuisinier Mandrillo.

Hanna resta assise dans le noir. Les ombres dansaient autour du bec de gaz. Elle essaya d'imaginer la maison près du fleuve. Elin, ses frères et sœurs, l'eau brune et claire qui descendait des montagnes.

Mais elle ne voyait rien. Comme s'il fallait traverser une pellicule.

Elle regrettait la façon dont elle avait traité Laurinda. Elle était effrayée de voir avec quelle facilité elle avait humilié cette femme aimable. Elle avait honte.

Hanna dormit mal cette nuit-là. Le lendemain, le chimpanzé monta la voir. Sur un plateau d'argent, une fleur du jacaranda, de la part de Senhor Vaz. Il n'avait rien écrit d'autre que son nom.

30

La fleur bleue du jacaranda était encore vivante, flottant dans un petit bol d'eau, quand survint un événement qui devait de nouveau changer le cours de la vie de Hanna.

Elle descendit tôt ce matin-là, enfin guérie, même si le deuil de Lundmark la tourmentait en permanence.

Un homme blanc, chemise ouverte, pieds nus mais chapeau sur la tête, ronflait dans un canapé. Les filles du bordel n'étaient pas là, elles dormaient dans leurs chambres, seules ou avec des clients qui avaient payé pour rester jusqu'au matin. Le chimpanzé Carlos était le seul réveillé. Il s'était accroupi sur le lustre où il se balançait tout en suivant attentivement ses mouvements.

Senhor Vaz n'était pas là non plus. Malgré les stores remontés et les fenêtres ouvertes, il flottait des relents de cigare et d'alcool. Le gardien noir dormait à l'ombre devant la porte.

Hanna alla sur le seuil regarder la rue, doucement pour ne pas réveiller le gardien. Quelques Noirs qui tiraient des bidons de latrines sur une charrette s'arrêtèrent et la dévisagèrent. Elle rentra. Attendit que le chariot soit parti cahin-caha pour ressortir. La même chose se reproduisit, mais cette fois c'étaient deux Blancs coiffés de chapeaux de paille, serviette en cuir sous le bras, qui s'arrêtèrent net pour la regarder. De nouveau elle rentra à l'intérieur.

Y avait-il un problème avec ses vêtements ? Hanna se plaça devant l'un des nombreux grands miroirs pendus au mur. Elle était habillée en blanc, un châle brun sur les épaules, ses cheveux noués en chignon comme d'habitude. Elle avait maigri, elle était très pâle. Pour la première fois de sa vie, elle avait la même peau couleur de lait que sa mère. Mais le visage de Hanna était celui de son père. Dans le miroir, elle le voyait. C'était comme s'il s'approchait et que sa tête était tout près de la sienne.

Cette pensée l'attrista. Si une porte ne s'était pas ouverte en cet instant dans son dos, elle aurait peut-être fondu en larmes. En se retournant, elle vit entrer un homme bossu, petit, presque nain. Il boitait et son cou tressautait à chaque pas. Elle reconnut l'accordeur, qu'elle n'avait vu jusque-là qu'assis sur le tabouret du piano. Il avança doucement entre les chaises et les fauteuils. Il heurta le pied nu de l'homme endormi, et s'arrêta un instant avant d'atteindre le piano. Là il s'assit, ouvrit le couvercle et laissa glisser sa main sur le clavier, comme s'il caressait une femme ou un enfant. Hanna resta à le regarder, immobile, se souvint du piano de Forsman et songea que, dès que possible, elle rentrerait. Ici, elle n'était pas chez elle et ne le serait jamais.

Soudain, l'homme se tourna vers elle.

Il dit quelques mots qu'elle ne comprit pas. Comme elle ne répondait pas, il répéta.

Hanna se mit alors à parler suédois. Le silence n'était pas une langue. Elle dit son nom, parla du bateau avec lequel elle était arrivée, et d'où elle s'était enfuie.

Elle parla sans s'arrêter, comme si elle avait peur que quelqu'un ne l'interrompe. L'homme au piano demeurait immobile.

Quand Hanna se tut, il hocha lentement la tête. Comme s'il l'avait comprise.

Il se tourna vers le piano, sortit de sa poche une clé d'accord et commença son travail. Hanna avait l'impression qu'il essayait de le faire aussi silencieusement que possible pour ne pas réveiller ceux qui dormaient encore.

L'homme couché sur le canapé se redressa, embrumé de sommeil. En la voyant, il poussa un cri et la dévisagea, incrédule. Puis il lui adressa la parole. Hanna se contenta de secouer la tête et remonta dans sa chambre. Là, elle s'assit sur son lit, sortit les livres sterling cachées parmi ses sous-vêtements et compta les billets. Elle disposait d'une somme qui l'aiderait très certainement à regagner la Suède. Peut-être n'aurait-elle même pas à travailler à bord et pourrait-elle rentrer comme passagère.

On frappa à la porte. Hanna rassembla l'argent en hâte et le cacha sous son oreiller. Quand les coups recommencèrent, elle alla ouvrir. Sans doute Laurinda qui lui apportait déjà son thé. Mais elle se trouva nez à nez avec l'homme qui dormait sur le canapé. Il avait toujours son chapeau sur la tête et était pieds nus. Sa chemise était ouverte, son ventre pendait au-dessus de sa ceinture. Il tenait à la main une bouteille de cognac. Il sourit et se mit à parler à voix basse, comme pour attirer un chien méfiant. Elle allait refermer, mais il glissa un pied dans l'embrasure. Puis la bouscula, la faisant tomber à la renverse sur le lit. Il ferma la porte, posa la bouteille sur la table et tira quelques billets de sa poche. Alors qu'elle se relevait, il beugla et la renvoya bouler sur le lit. Il jeta les billets sur la table, arracha son corsage et commença à remonter sa robe. Comme elle résistait, il la gifla. Elle ne comprenait pas ce qu'il disait, mais elle saisit ce qui était en train de se passer. Elle parvint à se dégager, attrapa la bouteille sur la table et en frappa si violemment son bras qu'elle cassa. En même temps, elle appela au secours de toutes ses forces.

Le coup et ses cris firent hésiter l'homme. Il la lâcha et la regarda. Elle entendit des pas et la porte s'ouvrit.

C'était Senhor Vaz, en robe de chambre de soie rouge. Sur ses épaules, Carlos, qui se jeta sur l'étranger. Une violente morsure à la main eut raison de l'agresseur.

31

Les cheveux de Senhor Vaz n'étaient pas peignés. Les cris de Hanna avaient dû le tirer de son sommeil. Mais il comprit immédiatement la situation. L'homme, un Boer nommé Fredrik Prinsloo, à moitié nu, les ongles longs de ses pieds crochus comme des griffes de chat, causait depuis des années du grabuge lors de ses visites. Il luttait à présent avec l'énergie du désespoir contre un singe furieux qui le mordait et lacérait ses vêtements.

Senhor Vaz lança un ordre. Carlos lâcha prise aussitôt et sauta sur le lit de Hanna. Il tenait un mouchoir dérobé à Prinsloo, qu'il avait laissé sur le carreau, ensanglanté.

Fredrik Prinsloo appartenait à l'une des premières familles européennes à avoir envahi Le Cap. C'était un gros propriétaire terrien du Transvaal, spécialisé en outre dans l'organisation de safaris pour riches chasseurs américains. Il comptait parmi ses clients l'actuel président des États-Unis, Theodore Roosevelt, un très mauvais tireur qui était cependant parvenu, grâce à la discrète assistance de Prinsloo, à abattre un nombre incroyable de buffles, lions, léopards et girafes.

Senhor Vaz avait entendu cette histoire jusqu'à plus soif chaque fois qu'il avait été contraint de converser avec Prinsloo. Malgré sa vantardise, il ne pouvait pas lui manquer de respect. Non seulement Prinsloo était un bon client, mais il recommandait spécialement son établissement à ses amis, quand l'envie leur prenait de s'encanailler avec des femmes noires. Comme il avait remarqué que Prinsloo cherchait toujours querelle aux autres clients, Senhor Vaz avait mis en place un arrangement spécial lorsque Prinsloo s'annonçait. Il allait alors afficher sur la porte d'entrée la pancarte « Soirée privée ». Ce qui signifiait que Vaz contrôlait et filtrait les entrées des clients ce soir-là.

Il courait à ce propos en ville les rumeurs les plus folles sur des orgies inimaginables. Senhor Vaz savait qu'elles nimbaient O Paraiso d'une aura magique qui augmentait l'attractivité du lieu et donc ses recettes.

Mais il savait aussi que Prinsloo pouvait être très violent avec les filles. Pour un homme comme lui, la peau noire n'était qu'une coquille renfermant ignorance et paresse. Mais Vaz ne comprenait pas qu'au mépris s'ajoute une telle haine, qui prenait parfois des formes démesurées. Pourquoi tant de haine ? Personne ne haïssait les animaux, à part les serpents, les cafards et les rats. Les Noirs n'avaient pourtant pas de crocs empoisonnés. Quelquefois, il avait prudemment abordé la question avec Prinsloo, mais vite battu en retraite en le voyant se fâcher et refuser de répondre.

Prinsloo était quelqu'un d'imprévisible. Il pouvait se montrer aimable et généreux, mais il y avait toujours un moment où son humeur changeait. Il traitait serviteurs et prostituées avec une violence qui terrorisait tout le monde. Senhor Vaz avait demandé à être prévenu dès que Prinsloo avait un de ses accès de colère. Parfois, sans raison apparente, le Boer se mettait à frapper ou à fouetter la pute noire avec qui il était en train de coucher. Senhor Vaz intervenait alors avec l'aide de son gardien le plus costaud, qui pour une raison inconnue avait été baptisé Judas. En unissant leurs forces, ils parvenaient à arracher la femme nue et en sang des mains de Prinsloo. Le

Boer n'avait jamais résisté, ni manifesté le moindre regret. Cela ne semblait pas le concerner. Prinsloo ne donnait pas de supplément à la femme maltraitée, et n'hésitait pas non plus à la redemander lors de sa visite suivante.

Mais Senhor Vaz avait tracé là une limite : la victime de ses accès de violence n'était pas obligée de coucher à nouveau avec lui. Il se contentait de lui expliquer que la fille demandée était occupée avec d'autres clients et le serait pendant tout son séjour au Paraiso, qui durait le plus souvent trois ou quatre jours. Il ignorait si Prinsloo était dupe, mais le Boer devait choisir parmi d'autres femmes, et on se tenait prêt à intervenir s'il recommençait à maltraiter celle qui s'efforçait de le satisfaire.

Senhor Vaz s'interrogeait sur toute cette haine. Il ne comprenait pas, ce qui l'effrayait. Comme si cela l'avertissait d'un danger. De quelque chose qu'il ignorait sur lui-même.

Mal réveillé, en avisant, depuis la porte, Prinsloo à moitié nu devant la femme blanche au corsage déchiré, il vit que c'était allé trop loin. Le Boer n'hésitait pas à s'en prendre à une cliente de l'hôtel, une Blanche qui plus est. L'indulgence de Senhor Vaz était épuisée. Il se sentait personnellement blessé.

Il ne connaissait rien de pire. Être blessé signifiait que la mort mettait sa résistance à l'épreuve.

32

Senhor Vaz était de petite taille et plutôt chétif. Dans sa colère, il n'hésita pourtant pas à attraper Prinsloo par le col de sa chemise, à le traîner hors de la chambre et à le pousser dans l'escalier. Les cris avaient réveillé les putains endormies. Beaucoup de ces femmes ne s'aimaient pas. Parfois elles en venaient aux mains. Mais face à une menace extérieure, elles étaient soudées.

Elles étaient toutes là quand Prinsloo roula en bas de l'escalier. Senhor Vaz arriva derrière, suivi de Judas, puis de Carlos, qui mâchonnait le mouchoir blanc du Boer.

Vaz s'arrêta sur la dernière marche et regarda Prinsloo qui avait l'arcade sourcilière et une main en sang.

– Allez-vous-en maintenant. Et ne remettez jamais les pieds ici !

Prinsloo pressa sa main contre son sourcil, l'air de ne pas avoir bien compris. Puis il se leva, mal assuré sur ses jambes, et fit un geste menaçant vers les prostituées qui l'entouraient avant d'avancer d'un pas vers Senhor Vaz.

– Vous savez que je fais venir tous mes amis ici, dit-il. En me chassant, vous les chassez aussi.

– Je me ferai un plaisir de leur expliquer pourquoi je ne veux plus vous voir ici.

Prinsloo ne répondit rien. Il saignait toujours. Il hurla soudain en se pliant en deux, comme frappé par une violente douleur.

– De l'eau ! cria-t-il. De l'eau chaude ! Il faut que je nettoie mes plaies.

Senhor Vaz envoya l'une des femmes en chercher et chassa les autres d'un geste de la main. Elles disparurent en silence dans leurs chambres. Prinsloo s'assit au bord d'un canapé. Un serviteur lui apporta de l'eau dans une cuvette, et il nettoya soigneusement son front et sa main.

– De la glace, dit-il alors.

Senhor Vaz alla lui-même en prendre deux gros morceaux dans la glacière, qu'il entoura dans un torchon. Prinsloo pressa la glace sur ses blessures. L'hémorragie stoppée, il se leva, reboutonna sa chemise, enfila ses chaussettes, ses chaussures, et prit la porte.

Il laissa les glaçons dans le torchon au pied du canapé. Senhor Vaz les rapporta à la cuisine puis monta à l'étage frapper à la porte de la chambre 4. En entendant la voix de Hanna, il ouvrit et entra. Elle avait mis un nouveau corsage pour remplacer celui qui était déchiré et était assise au bord du lit.

Senhor Vaz chercha à savoir si elle avait pleuré, mais n'en vit aucun signe. Il s'assit sur l'unique chaise de la chambre.

Ils se turent. Mais Hanna eut pourtant l'impression qu'il lui demandait pardon pour ce qui s'était passé.

Quand il finit par se lever, s'incliner et quitter la pièce, elle était renforcée dans sa conviction : il lui fallait quitter la ville au plus vite.

L'Afrique la terrorisait. Des gens qu'elle ne comprenait pas et qui ne la comprenaient pas non plus.

Il fallait qu'elle s'en aille. Mais elle ne regrettait pourtant pas d'avoir quitté le navire du capitaine Svartman. Alors, c'était la seule chose à faire. Mais maintenant ?

Elle ne savait pas. Il n'y avait pas de réponse.

33

Le jour même, elle descendit au port. Senhor Vaz, qui ne voulait pas qu'elle se déplace seule en ville, envoya Judas avec elle. Il marchait quelques pas derrière elle, sur ses gardes. Chaque fois qu'elle se retournait, il baissait les yeux. Il n'osait pas croiser son regard.

Comment pourrait-il me protéger, se dit-elle, s'il n'ose même pas me regarder en face ?

De nombreux navires étaient à quai. D'autres mouillaient en rade. C'était marée basse. Dans l'entrée de la lagune, de vieilles épaves affleuraient dans la vase noire. Elle chercha en vain un pavillon suédois. Il n'y en avait pas non plus de danois ni de finlandais : les seuls qu'elle ait appris à reconnaître. Les navires amarrés dans le bassin du port battaient des pavillons inconnus pour elle.

Autour d'elle, on s'affairait à charger et décharger. Elle vit un filet plein de défenses d'éléphants être hissé puis descendu dans une cale. On déchargeait d'un autre navire des pianos brillants et quelques voitures. Dans un des filets qu'on descendait sur le quai, d'élégants sofas et fauteuils.

Les dockers à moitié nus ruisselaient de sueur en courant avec leurs fardeaux sur les passerelles branlantes. Et partout des Blancs avec leurs casques coloniaux qui surveillaient leurs esclaves comme des vautours affamés. Soudain, elle ne supporta plus de voir ces hommes maltraités et leurs tortionnaires. Elle s'en alla.

À peine sortie de la zone portuaire, elle décida de faire un détour. Avec le colosse Judas derrière elle, elle n'avait pas peur.

Mon cinquième compagnon, songea-t-elle : d'abord Elin, puis Forsman, Berta, Lundmark, et maintenant ce géant noir qui n'ose pas me regarder dans les yeux.

Elle se promena longtemps à travers la ville cet après-midi-là. Pour la première fois, il lui semblait la voir nettement, comme si auparavant elle avait été voilée par la violente lumière du soleil. À présent, elle pouvait enfin découvrir la ville qu'elle n'aurait dû visiter que le temps d'une escale pour se ravitailler en eau potable et en nourriture, avant que le *Lovisa* entreprenne sa longue traversée vers l'Australie.

Elle avait débarqué ici, et elle y était restée. Les ténèbres qu'elle avait connues étaient en train de se dissiper. Elle commençait à voir vraiment le monde étranger qui l'entourait.

Elle s'avisa soudain que c'était dimanche. Un des premiers jours d'octobre. Mais les saisons étaient inversées. Ce n'était pas le froid et l'hiver qui se préparaient. Au contraire, la chaleur toujours plus forte annonçait cette année un été long et précoce. Elle avait entendu Senhor Vaz en discuter avec un client du bordel. Le soleil brûle comme le froid, se dit-elle. Mais peut-être ma peau est-elle résistante à la chaleur grâce à mon habitude du froid ?

Elle était arrivée au bout d'une rue s'ouvrant vers une hauteur où se dressait la cathédrale encore inachevée. La lumière vive du soleil se reflétait sur la pierre blanche. Il lui fallait plisser les yeux pour que tout ce qui l'entourait ne se dissolve pas comme un mirage dans une brume lumineuse. Les environs étaient déserts, comme abandonnés. Personne.

Rien que ce colosse derrière elle, toujours immobile quand elle se retournait.

Elle grimpa la côte. Le portail de la cathédrale était ouvert. Elle se plaça dans l'ombre de la grande tour. De la meringue, cette pierre. Ou comme ce gâteau que j'ai vu chez Forsman à l'anniversaire d'un de ses enfants.

Elle s'essuya le visage avec un mouchoir. Judas était resté au soleil. Elle lui fit signe de venir la rejoindre à l'ombre, mais il persista à ne pas bouger, ruisselant de sueur.

Un chant jaillit de l'intérieur sombre de la cathédrale. Des enfants, songea-t-elle, un chœur d'enfants. La musique fut interrompue par une voix sonore, puis recommença au début. C'était une répétition. Elle s'avança prudemment dans la pénombre, se demandant si elle avait vraiment le droit d'entrer. Priait-on ici le même Dieu que dans les églises qu'elle avait fréquentées, dans les montagnes et à Sundsvall ? Elle s'arrêta, hésitante, tandis que ses yeux s'habituaient lentement à l'obscurité qui formait un violent contraste avec la lumière du dehors.

Puis elle vit le chœur. Des enfants en blanc avec une ceinture rouge, garçons et filles, tous noirs. Devant eux, un petit homme blanc aux cheveux en bataille, dont les mains battaient la mesure comme des ailes souples. Ils ne l'avait pas vue. Elle resta là à écouter. Ils recommencèrent encore plusieurs fois avant que le chef ne soit satisfait.

Les enfants en blanc chantaient à présent un psaume. C'en était presque douloureux. Elle écoutait, les larmes aux yeux. Elle n'avait jamais rien entendu d'aussi beau. L'harmonie du chœur se déployait, le psaume était rythmé et puissant. Tous les regards étaient fixés sur les gestes du petit homme. Aucun des enfants ne semblait avoir peur de lui.

Là, au cœur de la pénombre, pour la première fois, elle

ne voyait personne avoir peur. Il n'y avait là rien de ce qui par ailleurs l'effrayait.

Dans l'ombre de cette cathédrale, personne ne mentait. Ici, il n'y avait que vérité dans ce chant et ces mains blanches qui s'agitaient comme des ailes.

Soudain, elle vit qu'une petite fille l'avait remarquée et ne regardait plus du tout le chef, même si elle continuait à chanter.

Hanna avait l'impression de se voir elle-même en cette fillette, comme si elle s'était transformée en cette enfant à la peau sombre et aux grands yeux bruns.

Elles se regardèrent toutes les deux jusqu'à la fin du psaume. Le chef la remarqua alors. Elle sursauta et se dit de nouveau qu'elle n'avait pas le droit d'être là. Mais il hocha la tête en souriant, lui adressa quelques mots qu'elle ne comprit pas puis reprit la répétition.

Elle aurait voulu oser se joindre au chœur. Mais elle manquait d'audace.

Elle attendit que la répétition soit finie, que les enfants soient partis et que le chef ait rangé ses partitions dans une serviette en cuir élimée pour ressortir dans la lumière crue.

34

Judas était toujours là où elle l'avait laissé.

– Pourquoi ne t'es-tu pas mis à l'ombre ? demanda-t-elle sans cacher son agacement.

Son comportement gâchait ce qu'elle avait vécu dans la cathédrale.

Il ne répondit pas, il n'avait pas compris ce qu'elle disait. Il se contenta d'essuyer rapidement la sueur de son front, puis laissa de nouveau son bras pendre le long de son corps.

Elle revint au Paraiso, où elle trouva Senhor Vaz, inquiet, en train de faire les cent pas dans la rue. Il portait un parapluie pour se protéger du soleil. Carlos était juché sur l'enseigne de l'hôtel, d'où il jetait des pierres sur un chien. En les apercevant, Senhor Vaz se répandit en invectives contre le gardien. Il parlait très vite, mais elle comprit qu'il s'était inquiété pour elle.

L'homme noir ne disait toujours rien. Cette explosion de colère qui s'abattait sur lui semblait le laisser indifférent. Et comme Senhor Vaz s'échauffait de plus belle, elle remarqua ce qui lui avait jusqu'alors échappé.

Même si Judas avait peur, Senhor Vaz avait aussi peur que lui. Le colosse noir n'était pas seul en position de faiblesse. Évidemment, il ne pouvait pas se permettre de tenir tête à l'homme blanc qui lui criait dessus. Il risquait d'être jeté en prison ou battu. Mais elle se rendait compte à présent que Senhor Vaz lui aussi avait peur, une autre sorte de peur, mais tout aussi forte. Et n'était-ce pas le même sentiment chez Ana Dolores ? Elle régnait sur les servantes et les prostituées noires, leur donnait des ordres, jamais satisfaite, sans un merci pour leurs services. Mais n'était-elle pas elle aussi submergée par un flot intarissable d'inquiétude et de peur ?

L'explosion cessa aussi vite qu'elle avait commencé. D'un geste, Senhor Vaz chassa Judas, qui alla s'accroupir contre le mur, puis il offrit son bras à Hanna et la conduisit dans la pièce la plus fraîche, qui donnait sur la mer.

Senhor Vaz se laissa lourdement tomber dans un fauteuil, porta la main à son cœur, comme après un gros effort, et la mit en garde en des termes choisis contre les trop longues promenades par forte chaleur. Il lui cita des amis victimes d'insolation, en particulier après être restés dans des endroits où le soleil se reflétait sur des pierres blanches ou le sable des plages. Mais surtout, il la prévenait du danger de s'exposer au regard des Noirs.

Elle ne comprenait pas.

– Le regard des Noirs est donc dangereux ?

Senhor Vaz secoua la tête avec agacement, comme à bout de patience.

– Une femme blanche ne doit pas se promener trop longtemps seule, un point c'est tout.

– Je suis allée à la cathédrale écouter les enfants noirs chanter.

– Ils chantent très bien. Ils ont un curieux don pour accorder leurs voix sans beaucoup répéter. Mais les promenades des dames blanches doivent être brèves. Et si possible être évitées lors des plus fortes chaleurs.

Elle aurait voulu l'interroger plus avant sur le danger invisible auquel elle s'était exposée, mais Senhor Vaz leva la main, coupant court à ses questions. Il resta affaissé dans son fauteuil, son chapeau blanc sur les genoux, sa canne noire en *pau preto* sur une jambe, plongé soudain dans des pensées inconnues.

Au bout d'un moment, Hanna se leva et sortit de la pièce. Il s'était alors endormi avec la bouche à moitié ouverte, des tressautements de paupières et de légers ronflements.

À la porte qui donnait sur la rue, Judas n'était plus là. Elle se demanda où il habitait, s'il était marié, avait des enfants.

Mais aussi, surtout, ce qu'il pensait.

Ce soir-là, elle prit son dîner dans sa chambre. Une des servantes noires dont elle ne connaissait pas le nom le lui apporta. Elle se déplaçait sans bruit, comme Laurinda. Ces mouvements silencieux étaient-ils eux aussi dictés par la peur, cette peur qu'elle commençait à voir partout ?

Elle mangea, du riz, des légumes bouillis dont elle ne reconnaissait pas le goût, et une cuisse de poulet grillée. Beaucoup d'épices inconnues. Mais elle mangea de bon appétit en buvant du thé. Elle garda ce qui restait dans la théière pour le boire froid plus tard dans la soirée et la nuit.

C'était un des derniers conseils de Lundmark avant sa maladie et sa mort : ne jamais boire de l'eau non bouillie.

Elle l'avait suivi. Depuis qu'elle ne portait plus ce qui aurait été leur enfant, son ventre ne lui causait aucun souci.

Elle ne portait plus désormais qu'un grand vide.

35

Elle posa le plateau devant sa porte et tira le loquet. Elle se déshabilla et se coucha nue sur son lit. Les rideaux pendaient, immobiles, devant la fenêtre. Il y avait quelque chose de honteux à se coucher ainsi nue, se dit-elle. Honteux car il n'y a ici aucun homme qui me désire, que je puisse laisser m'approcher. Elle tira le drap à elle pour couvrir son corps, mais se ravisa. Personne ne pouvait la voir. S'il y avait quelque part un Dieu qui voyait tout, il permettrait sûrement qu'on se couche nue par une chaleur aussi étouffante.

Ce soir-là, elle songea longtemps à la peur qu'elle pensait avoir décelée dans les yeux de Senhor Vaz. Jamais elle n'avait vu cette peur chez son père ou sa mère. Ils commandaient, mais sans avoir besoin de terrifier ceux qui leur obéissaient. Ici, c'était différent. Ici, tout le monde avait peur, même si les Blancs essayaient de le cacher derrière un calme de façade, ou des accès de colère peu spontanés.

Elle se demanda : Où est ma peur ? N'en ai-je pas parce que je n'ai personne pour qui m'inquiéter ? Parce que je suis toute seule ?

La solitude. Elle n'apprendrait jamais à la supporter. Elle avait grandi au contact des autres. Dans ce monde-ci, seule, elle ne survivrait pas.

Ce soir-là, elle regretta d'avoir abandonné le navire. Si elle avait poursuivi le voyage jusqu'en Australie, l'intolérable se serait peut-être atténué. À bord, elle faisait partie d'un groupe. Ici, elle n'était qu'un insecte affolé dans un bocal qu'on ne cessait de retourner dans tous les sens.

Mais ce sentiment s'estompa. Elle savait qu'elle avait fait ce qu'il fallait. Restée à bord, elle aurait peut-être fini par se jeter à la mer. La présence fantomatique de Lundmark l'aurait rendue folle.

Elle allait s'endormir, nue sur son lit, quand la pluie commença à tomber sur le toit de tôle. Le bruit enfla lentement jusqu'au fracas de l'averse tropicale. Elle se leva et écarta les rideaux. Cette pluie violente chassait les moustiques, elle pouvait laisser l'air frais entrer dans la chambre.

Dehors, il faisait noir. Pas un feu. La pluie étouffait tous les autres bruits, couvrait le gramophone et les voix du rez-de-chaussée.

Elle tendit la main et laissa la pluie crépiter sur sa peau.

Il faut que je rentre, pensa-t-elle à nouveau. Je ne supporterai pas de vivre ici, avec cette peur et cette solitude qui m'étouffent.

Elle resta à la fenêtre jusqu'à la fin de cette averse violente mais brève.

Elle rabattit alors les rideaux et retourna se coucher, sans se couvrir du drap.

Le lendemain, et bien des jours ensuite, elle descendit au port voir si un bateau battant pavillon suédois n'était pas à quai ou en rade. Toujours accompagnée de Judas, silencieux, sur ses gardes, quelques pas derrière elle.

Octobre 1905. Elle attendait.

36

L'accordeur de piano, prénommé José, toujours appelé Zé, était le frère de Senhor Vaz. Elle fit cette découverte après avoir séjourné un certain temps au bordel. Elle avait beau observer les deux hommes, impossible de leur trouver la moindre ressemblance. Mais Zé lui assura qu'ils avaient les mêmes parents. Même si elle ne devait pas tarder à comprendre que Zé était faible d'esprit, elle n'avait aucune raison de ne pas le croire. Et pourquoi sans cela Senhor Vaz lui permettrait-il de venir ainsi accorder le piano tous les jours ? Senhor Vaz prenait soin de son frère, maintenant que leurs parents étaient morts.

Senhor Vaz l'aimait, tout simplement. Hanna voyait bien l'attention touchante qu'il lui portait. Elle en avait été témoin : si un client venait se plaindre du bruit, Senhor Vaz le renvoyait et ne le laissait plus revenir. Zé était autorisé à accorder le piano ou à astiquer les touches aussi souvent qu'il le voulait.

Bien sûr il y avait des exceptions. Quand des visiteurs importants arrivaient d'Afrique du Sud, hommes d'État ou hommes d'Église, Vaz conduisait doucement son frère dans la pièce derrière la cuisine où Zé avait son lit. De la belle Belinda Bonita, toujours au courant de tout ce qui se passait au bordel, Hanna avait appris qu'il y avait là aussi un vieux piano. Les touches étaient intactes, mais on avait coupé les cordes métalliques.

Dans sa chambre, Zé accordait un piano muet.

Zé vivait dans son monde. Il avait quelques années de plus que son frère, ne parlait que si l'on s'adressait à lui, accordait ses notes ou restait penché en silence sur le piano, comme s'il attendait quelque chose qui n'arrivait jamais. Il est réglé comme une horloge, se dit-elle, une horloge dont aucun événement ne vient interrompre le tic-tac régulier.

Mais ce n'était pas tout à fait vrai, elle le comprit après quelques mois au bordel. Elle était comme d'habitude descendue au port, escortée de son gigantesque garde du corps, pour chercher un bateau suédois. En vain, une fois de plus. Elle avait acheté une longue-vue chez un marchand indien qui vendait aussi des appareils photo et des lunettes. Ainsi, elle pouvait s'assurer qu'aucun des navires en rade ne battait pavillon suédois. Chaque jour, en rentrant bredouille, elle ressentait un mélange de déception et de soulagement. Déception car elle désirait vraiment rentrer, soulagement car l'idée de remonter à bord d'un bateau la minait.

En revenant au Paraiso, elle remarqua aussitôt que Zé n'était pas à sa place assis devant le piano. Avant qu'elle ait eu le temps de demander où il était passé, il fit son entrée. Les femmes désœuvrées sur les canapés ou occupées à pousser mollement les boules du billard éclatèrent de rire et applaudirent en le voyant. Il avait échangé son sempiternel costume noir fripé contre un habit blanc. À la place du béret basque crasseux qui lui tombait sur la nuque, Zé portait un panama comme celui de son frère. Il avait aussi mis une chemise blanche à haut col avec une cravate noire soigneusement nouée. D'une main, il tenait quelques fleurs en papier. Il s'arrêta devant Deolinda, qu'on n'appelait jamais autrement que *A Magrinha*, parce qu'elle était maigre, presque plate, sans formes féminines.

Hanna l'avait parfois observée à la dérobée : comment pouvait-elle bien attirer un homme ? Hanna ne pouvait s'empêcher de la trouver laide. Elle respirait la souffrance et le chagrin. Mais elle avait des clients, Hanna le savait, elle l'avait vu. Elle imaginait avec dégoût A Magrinha au lit avec eux. Elle avait en tout cas quelque chose qui éveillait leur désir.

Zé s'inclina et offrit ses fleurs en papier. Deolinda se leva, lui prit le bras et le conduisit vers sa chambre, tout au fond du couloir où les clients étaient accueillis. De nouveaux rires et applaudissements les accompagnèrent, avant que le désœuvrement ne s'empare à nouveau de la pièce.

Pendant quelques heures, l'après-midi, il ne se passait rien au bordel. Il y avait rarement ou pratiquement pas de clients. Les femmes somnolaient, se vernissaient les ongles, échangeaient peut-être tout bas quelques secrets.

Aucune des femmes noires, à part Felicia, n'adressait jamais la parole à Hanna si elle n'en prenait pas l'initiative pour poser une question ou demander un service. Senhor Vaz lui avait très clairement dit que les femmes n'étaient pas seulement là pour satisfaire ceux qui venaient les voir, mais aussi pour servir les clients de l'hôtel. Elle ne savait toujours pas ce qu'elles pensaient d'elle, elles disaient bonjour, souriaient, mais ne s'approchaient jamais. Elle ne comprenait pas non plus ce que pouvait bien vouloir dire *servir les clients de l'hôtel* : elle était la seule à y louer une chambre.

Elle s'assit sur un coin de canapé à côté d'Esmeralda, une des femmes les plus âgées, avec un visage d'oiseau et les plus longs doigts qu'elle ait jamais vus.

Le silence se fit. Elle réalisa que c'était la première fois qu'elle était assise avec une femme noire.

Elle désigna le couloir où Deolinda et Zé venaient de disparaître.

– Des amoureux ?

Esmeralda hocha la tête.

– Des amoureux. Parfois, un désir s'éveille chez lui et il oublie son piano. Ça arrive peut-être une fois par mois. Il change alors de vêtements, et son désir le pousse toujours vers Deolinda.

Hanna aurait voulu poser d'autres questions, au moins pour s'assurer qu'elle avait bien compris ce qu'avait dit Esmeralda. Mais Esmeralda se leva avec dignité. Pour elle, la conversation était terminée. Elle regagna sa chambre en balançant joliment des hanches.

Hanna remonta à l'étage. Pas besoin de se retourner pour savoir que les neuf femmes du bas la suivaient des yeux. Elles nous regardent quand nous avons le dos tourné. Elles craignent nos yeux comme nous craignons les leurs.

Elle referma la porte derrière elle, la verrouilla et dénuda le haut de son corps. Avec une serviette, elle se lava à l'eau froide. Son aisselle avait le goût salé de sa sueur. Puis elle s'allongea sur le lit et ferma les yeux. Mais presque aussitôt elle se releva. Elle venait de se rappeler une chose à laquelle elle n'avait plus pensé depuis qu'elle avait quitté la Suède, sur ce navire qui devait depuis longtemps avoir atteint l'Australie avec sa cargaison de bois.

Elle sortit le livre de psaumes avec le fermoir en argent où elle cachait les pièces d'or que lui avait offertes Forsman. Entre les pages, elle trouva aussi une photographie de Berta et elle, prise dans l'atelier de Bernard Dunn à Sundsvall.

37

C'était l'idée de Berta. Comme toujours, les idées les plus audacieuses et inattendues venaient d'elle.

– Il faut qu'on fasse une photographie. Avant ton départ. J'ai peur d'oublier à quoi tu ressembles. Peur d'oublier à quoi nous ressemblons toutes les deux.

Hanna s'était aussitôt inquiétée. Elle n'était jamais allée chez un photographe, ne savait pas comment faire. Mais Berta avait balayé ses objections. Et puis Forsman avait donné une petite prime à tous ses employés à l'occasion des vingt-cinq ans de sa maison de commerce.

Elles avaient mis à profit quelques heures de liberté un soir de printemps, quand les jours se rallongeaient. Le photographe Dunn avait son atelier sur la grand-place. Sur leur trente et un, souliers cirés, on les avait placées près d'un guéridon et d'un fauteuil. Derrière elles, une statue de plâtre représentant un saint terrassant un dragon, épée brandie. Le photographe, un Danois qui parlait un suédois difficile à comprendre, avait fait asseoir Berta ; Hanna était debout juste derrière, contre son épaule. Pour compléter la composition de l'image, il avait placé sur le guéridon un vase de fleurs en papier.

Les fleurs offertes par Zé à Deolinda avaient ravivé ce souvenir.

Couchée sur son lit, elle regarda la photographie. Elles en

avaient eu chacune un tirage. Berta souriait au photographe, Hanna avait un air plus sérieux. Elle se demanda ce qu'aurait fait Berta à sa place, sur ce lit, à l'étage d'un bordel africain camouflé en hôtel. Mais l'image se taisait, son amie restait muette.

Elle posa la photographie sur son buste nu qui commençait à sécher. Quand Elin m'a dit qu'il fallait que je descende vers la côte chercher ma subsistance, songea-t-elle, je n'aurais jamais imaginé ce qui allait se passer. Cette réflexion était peut-être la confirmation qu'elle était devenue adulte. Le grand secret n'était-il pas de comprendre qu'on ne savait jamais ce qui vous attendait quand on quittait les sentiers battus ?

Elin ne peut pas me voir, pensa-t-elle. Berta ne peut pas me voir, ni mes frères et sœurs. Je vis dans un monde aussi incompréhensible pour eux que pour moi.

Elle s'assoupit après avoir déverrouillé sa porte. Laurinda lui apporterait bientôt son dîner. C'était convenu : quand Hanna ne se présentait pas à la table séparée que Senhor Vaz lui avait attribuée, Laurinda devait lui monter son plateau. Ce soir-là, c'était ce poisson frit huileux qu'elle s'était déjà forcée à avaler. Elle essaya à nouveau, mais repoussa bientôt l'assiette et ne mangea que le dessert, une demi-noix de coco et des tranches d'ananas.

Quand Laurinda revint chercher le plateau, Hanna tenta de la retenir. Chaque fois qu'elle la voyait, elle regrettait la gifle qu'elle lui avait donnée. Elle se disait qu'elle pourrait un peu se racheter en se montrant aimable avec elle. Elle éprouvait aussi le besoin de parler avec quelqu'un. Au prix de patients efforts, elle avait conduit Laurinda à cesser de répondre à ses questions par des monosyllabes. Parfois, elle lui arrachait même quelques anecdotes.

Mais elle restait debout : impensable de s'asseoir près d'une femme blanche.

Dès le début de son séjour au Paraiso, Hanna avait remarqué un petit tatouage que Laurinda portait au cou, tout près de la clavicule. Beaucoup de marins à bord du *Lovisa* étaient tatoués. Même son mari, Lundmark, avait une ancre et une rose rouge sur le bras droit. Mais elle n'en avait jamais vu à cet endroit et n'aurait jamais pu imaginer une femme tatouée.

Ce que le tatouage figurait, elle n'arrivait pas à le savoir. Peut-être un chien ?

Elle n'attendit pas plus longtemps. Elle fit signe à Laurinda de laisser le plateau sur la table, puis montra le tatouage qui dépassait de son corsage.

– Qu'est-ce que c'est ?

– Une hyène qui allaite, répondit Laurinda.

Quand elle comprit que Hanna ne savait pas ce qu'était une hyène, ni peut-être qu'il s'agissait d'un animal, elle s'approcha d'un tableau pendu au mur de la chambre. Quand elle était alitée, Hanna avait beaucoup regardé cette peinture représentant des animaux de la savane africaine dans une lumière romantique.

Laurinda lui montra.

– La hyène. Elle riait la nuit de ma naissance. Mon père, qui l'a entendue dans le noir, a ensuite raconté à ma mère que la hyène m'avait souhaité la bienvenue et donné mon premier repas avec son rire.

Puis, sans hésiter, comme si elle avait attendu ce moment, elle raconta la nuit de sa naissance. Hanna ne comprenait pas tout et Laurinda dut plusieurs fois répéter en s'aidant de gestes et de sons.

Elle imita aussi le cri de la hyène, semblable à un rire.

– J'étais le premier enfant de mes parents, dit Laurinda. Je ne connais pas mon âge. Mais avant sa mort, mon oncle m'a dit que j'étais née l'année où les crocodiles du fleuve étaient devenus si nombreux qu'ils avaient commencé à s'entre-dévorer. Où les flamants roses avaient perdu leur couleur et étaient devenus tout blancs. Beaucoup de choses inhabituelles ont eu lieu cette année-là. Mes parents vivaient au bord d'un affluent du Zambèze, dans un village où chacun avait son lopin de terre, sa case, ses chèvres et des sourires pour tous ceux qu'il croisait dans la journée. J'ai grandi dans un univers que je pensais immuable. Mais un jour, alors que j'étais déjà assez grande pour aider ma mère aux champs et que j'avais déjà trois frères et sœurs plus petits, des Blancs sont arrivés au village. Ils avaient de longues barbes, des vêtements tachés de sueur, ils avaient l'air de détester la chaleur du soleil et d'être très pressés. Ils portaient des armes, ils ont montré au chef du village un papier avec beaucoup de mots dessus et, quelques semaines plus tard, nous avons été expulsés de notre village par des soldats commandés par les Blancs. Nos lopins de terre devaient être transformés en grand champ de coton. Ceux qui voulaient travailler dans la plantation pouvaient rester. Les autres ont été chassés. Mon père, qui s'appelait Papadiana, n'était pas du genre à se laisser abattre ni à perdre courage. Ces Blancs avec leur plantation de coton étaient une grosse difficulté, mais il ne voulait pas s'avouer vaincu. Il s'adressa aux Blancs et déclara qu'il n'avait pas l'intention de partir, ni de rester ramasser du coton. Peu importait ce qu'il y avait écrit sur ce papier, le nombre des soldats, il ne bougerait pas de chez lui. Il avait parlé très fort et beaucoup des villageois rassemblés autour de lui ont commencé à oser montrer leur colère, en voyant que l'un d'entre eux n'avait pas peur. Ce qui s'est ensuite passé, je l'ignore. Davantage de soldats sont arrivés et, un matin, ma mère m'a dit en pleurant qu'on avait retrouvé mon père flottant dans le fleuve, mort, percé de coups de couteau. C'était l'aube. Elle était penchée au-dessus de ma natte dans la pénombre de la case. Elle m'a dit qu'il fallait que j'aille en ville. Je ne pouvais plus rester au village. Elle partirait avec les petits vers l'intérieur des terres, où vivaient ses parents. Mais moi, je devais gagner la mer et le port. Je ne voulais pas partir, mais elle m'a forcée.

Laurinda se tut d'un coup, comme si ces souvenirs devenaient trop pénibles. Hanna resta sans rien dire. L'histoire de Laurinda ressemblait étrangement à la sienne : des femmes chassées vers les villes, la mer, pour trouver du travail et survivre.

– Je suis arrivée ici, en ville, dit Laurinda quand elle finit par rompre son silence. Depuis toutes ces années, j'ai toujours pensé qu'un jour je repartirais à la recherche de ma mère et de mes frères et sœurs. Parfois, la nuit, je rêve que la hyène tatouée sur ma peau se libère et part en maraude. À l'aube, elle revient se coucher sur moi. Un jour elle trouvera ma mère et mes frères et sœurs.

Laurinda ramassa le plateau et quitta la chambre. Hanna s'étendit sur le lit en songeant à ce qu'elle venait d'entendre. Quel animal avait crié la nuit de sa naissance ?

On frappa faiblement à la porte. En ouvrant, elle vit Senhor Vaz. Bien habillé, en frac, un haut-de-forme sous le bras. À ses côtés Carlos, sur ses pattes cagneuses, lui aussi en frac.

Senhor Vaz s'inclina.

– Je suis venu demander votre main, dit-il.

Elle ne saisit pas tout de suite le sens de ses mots. Puis elle comprit qu'il voulait l'épouser.

– Je ne désire pas de réponse immédiate, continua-t-il. Mais voilà, j'ai fait ma demande.

Il s'inclina à nouveau, tourna les talons et se dirigea vers l'escalier. Carlos commença soudain à sauter et crier, puis il grimpa au lustre après avoir arraché son haut-de-forme à Senhor Vaz.

Hanna referma la porte et la pagaille provoquée par Carlos

s'estompa. Ces crises de rébellion étaient rares : après, il était toujours puni, enfermé quelques jours dans une cage. Comme il détestait la cage plus que tout, il se montrait très docile quand on le relâchait.

Elle se coucha sur le lit en songeant aux paroles de Senhor Vaz.

Elle avait l'impression de tomber dans un piège. Mais elle pouvait encore s'en extraire et s'enfuir.

Le lendemain, dès l'aube, elle alla au port voir quels navires étaient à quai ou mouillaient dans la rade. Dans la rue, elle découvrit le haut-de-forme en lambeaux sur la tête du gardien endormi.

Le temps manquait. Elle était pressée.

38

Quelques jours après la demande en mariage de Senhor Vaz, un bruit se répandit en ville : un énorme iceberg avait été vu près de la côte, plus au nord, et dérivait à présent vers le sud. Hanna l'entendit de la bouche de Felicia qui, tout excitée, avait échangé son déshabillé de travail contre une décente robe de ville. Son client, un conducteur de locomotive, venait deux fois par an de la lointaine Salisbury visiter le bordel. Il était aussi excité que Felicia et tous les autres par cette rumeur de banquise. Senhor Vaz était déjà parti pour le port quand Hanna arriva en bas de l'escalier. Judas, désormais coiffé du haut-de-forme déchiré, l'attendait.

Les rues étaient pleines d'une foule qui se dirigeait vers la mer ou gagnait les hauteurs de la ville, dans l'espoir d'apercevoir l'iceberg avant les autres.

Mais aucun iceberg n'apparut à l'horizon. La journée était chaude et étouffante. Les gens attendaient sous leurs parasols, la sueur coulant sur leurs visages. Certains, déçus, soupçonnaient l'iceberg d'avoir déjà fondu dans cette forte chaleur. Les plus âgés disaient que ce n'était qu'une invention, comme toutes les autres fois. Personne n'avait jamais vu d'iceberg. Mais tous les dix ans environ, une rumeur circulait et toute la ville accourait.

En descendant au port, Hanna avait remarqué un phénomène

nouveau. Noirs et Blancs marchaient côte à côte sur les trottoirs. Nul ne semblait s'en soucier. Mais à présent qu'avait disparu l'espoir commun de l'iceberg, tout était redevenu comme avant. Sur les trottoirs, les Blancs bousculaient les Noirs qui menaçaient de trop s'approcher.

Pendant quelques brefs instants, Hanna avait eu l'impression de voir naître une société tout autre, comme à l'essai, avant de disparaître aussi vite.

Le soir même, alors que le mystérieux iceberg s'était transformé en souvenir déçu, bientôt estompé, il se mit à pleuvoir sur la ville. D'abord quelques gouttes, puis de plus en plus fort. À trois heures du matin, Hanna fut réveillée par un fracas. La pluie violente crépitait sur la tôle.

Elle se leva et gagna la fenêtre. Les gouttes d'eau formaient un mur gris clair devant les ténèbres. En tendant la main pour que la pluie fouette sa peau, elle sentit qu'elle était très chaude, presque bouillante.

Elle réussit bientôt à se rendormir. Mais à son réveil, à l'aube, la pluie était toujours aussi violente. Elle vit que les rues étaient déjà submergées.

Il plut quatre jours durant. Quand cela cessa brusquement, le rez-de-chaussée du bordel était inondé, malgré les sacs de toile remplis de terreau et de gravier que tout le monde avait aidé à coudre pour faire barrage à la brusque montée des eaux. Comme toutes les liaisons vers l'intérieur des terres étaient coupées, seuls des marins venaient au bordel. Senhor Vaz les refoulait. C'était l'état d'urgence, l'établissement restait fermé. Un jeune homme trempé, revêtu de l'uniforme de la marine française, fit remarquer qu'il se trouvait lui aussi dans un état d'urgence. Senhor Vaz et Esmeralda eurent pitié de lui et le laissèrent entrer.

Quand la pluie eut cessé et qu'un brouillard humide l'eut remplacée, l'air s'emplit d'insectes bourdonnants. On ferma toutes les fenêtres, on calfeutra toutes les ouvertures. Chaque fois que le gardien entrait chercher quelque chose, Carlos se jetait sur lui et gobait tous les insectes qui s'étaient collés à son corps. Leurs ailes blanches formaient comme une couronne de fleurs autour de sa tête noire. Et Carlos les mangeait. Ces insectes étaient pour lui un mets délicieux.

Tout revint lentement à la normale. Engourdis, les gens émergeaient. Leurs corps fumaient comme s'ils étaient gorgés d'eau. Pendant l'agitation causée par l'iceberg et la longue pluie, Senhor Vaz n'avait pas importuné Hanna avec sa demande en mariage. Elle avait eu le temps de réfléchir et ne doutait pas de la sincérité de Senhor Vaz. Mais qui était-il, ce petit homme dont les cheveux, la moustache et les ongles étaient toujours impeccablement propres, les vêtements bien repassés, et qui pouvait s'emporter violemment contre lui-même quand il lui arrivait de renverser son café ? C'est un homme gentil, pensait-elle, qui a sans doute deux fois mon âge. Je ne ressens rien de ce qu'il y avait entre Lundmark et moi. Il me rassure dans ce monde étranger, mais l'aimer, le laisser entrer dans mon lit est impensable.

Elle avait donc décidé de refuser sa proposition lorsque la pluie cessa, les insectes disparurent et le bordel rouvrit.

C'est alors que Carlos s'enfuit. Un matin, le singe avait disparu.

Il était déjà arrivé qu'il s'en aille quelques heures, en visite dans un monde secret dont personne ne savait rien. Il n'y avait pas d'autre chimpanzé en ville. Mais il était fréquent que des babouins se risquent dans les jardins publics à la recherche de nourriture. C'était peut-être eux que Carlos allait voir ?

Cette fois, le singe ne revint pas. Trois jours plus tard, Carlos n'était toujours pas rentré. Les femmes du bordel partirent à sa recherche. Senhor Vaz envoya tous ceux qu'il put sur la trace de Carlos. Il promit une récompense, mais personne n'avait vu le singe.

Senhor Vaz avait du chagrin. Pour la première fois, son masque se fissurait et il montrait son inquiétude et sa peine. Hanna en fut saisie et songea que l'homme qui avait demandé sa main était lui aussi très seul. Entouré de filles, mais avant tout attaché à un singe égaré tombé entre ses mains quand un client n'avait pu payer son dû.

Peut-être est-ce pour cela que Carlos s'est enfui, pensa-t-elle. Pour que je puisse voir le vrai visage de Senhor Vaz ?

Il lui rappelait son père. Elin veillait à ce qu'il soit toujours propre sur lui, comme Senhor Vaz, qui soignait sa toilette et son apparence. Dans une des pièces à l'arrière de la maison, où elle n'était encore jamais allée, Hanna savait que Vaz avait une salle de bains, mais qu'il ne laissait jamais personne le voir quand il était dans sa baignoire émaillée.

Lundmark n'était pas toujours propre. Hanna en avait parfois souffert, quand il se couchait près d'elle sans s'être correctement lavé.

Pendant l'absence de Carlos, elle commença à regarder Senhor Vaz d'une autre façon. Il n'était peut-être pas celui qu'elle avait d'abord cru.

Un jour, le chimpanzé revint. Hanna fut réveillée à l'aube par un cri de joie poussé au rez-de-chaussée. Habillée en hâte, elle trouva Carlos et Senhor Vaz étroitement enlacés.

À son retour, Carlos avait un foulard bleu attaché autour du cou. Où l'avait-il eu ? Qui le lui avait attaché ? Personne ne le savait. La fuite soudaine du singe et son retour demeurèrent son secret.

Carlos semblait étonné par l'agitation qui l'entourait. Tout le monde voulait le toucher, si bien qu'il se mit à crier, à se débattre et à déchirer les rideaux pour qu'on le laisse tranquille.

Il ne s'apaisa enfin que lorsqu'on ne s'occupa plus de lui.

39

Après le retour de Carlos, Senhor Vaz recommença à lui faire la cour. Hanna avait songé à lui dire la vérité : qu'elle était veuve depuis peu, n'avait pas fini son deuil. Mais Senhor Vaz ne posa aucune question. Il continua à la courtiser, en silence, parfois presque absent. Un jour, il l'emmena à bord d'une des rares voitures de la ville, qui appartenait à un colonel d'artillerie de la garnison portugaise. Ils roulèrent sur la route étroite qui longeait la plage. On était en train d'aménager une longue promenade en bord de mer. Hanna vit les ouvriers noirs peiner à casser des pierres sous le soleil. Mais Senhor Vaz, à côté d'elle, ne paraissait pas les remarquer. Il jouissait du paysage et lui montra un petit voilier qui se balançait dans la houle.

Ils s'éloignèrent de la mer et la voiture grimpa vers les hauteurs de la ville. Des maisons de pierre étaient en construction le long de deux larges esplanades. Des chevaux traînaient des tombereaux sur des rails.

La voiture s'arrêta devant une maison qui paraissait toute neuve. Sa façade était d'un blanc éclatant, son jardin foisonnait de rhododendrons et d'acacias. Senhor Vaz ouvrit la portière et l'aida à descendre. Elle le regarda, interloquée. Pourquoi s'étaient-ils arrêtés ici ?

Une domestique ouvrit la porte. Ils entrèrent. Les pièces

n'avaient pas de meubles. Hanna sentit l'odeur de la peinture fraîche, du parquet sombre qu'on venait de huiler.

– Cette maison est à vous, dit soudain Senhor Vaz.

Sa voix était douce, presque voilée, comme celle d'une femme. Elle devina qu'il était très fier de ce cadeau.

– Je veux que nous habitions ici, dit-il. Le jour où vous serez prête à m'épouser, nous quitterons mes appartements de l'hôtel pour nous installer ici.

Hanna ne répondit pas. Elle se contenta de visiter en silence la maison vide, Vaz sur ses talons.

Il ne lui demanda pas la réponse qu'il devait attendre avec tant d'impatience.

En revenant à l'hôtel, Hanna pensa à nouveau qu'elle ne pourrait jamais raconter à quiconque son séjour en Afrique. Et surtout pas qu'un homme qui lui arrivait à peine aux épaules et possédait un bordel lui avait demandé sa main et avait voulu lui donner une grande maison de pierre avec jardin et vue sur la mer.

Personne ne la croirait. Tout le monde la prendrait pour une menteuse ou une affabulatrice.

Hanna décida d'en parler à Felicia. Peut-être pourrait-elle la conseiller ?

Quelques jours plus tard, alors que Felicia venait de prendre congé d'un de ses clients réguliers, un banquier de Pretoria, qui voulait qu'elle le brutalise et le fasse souffrir, Hanna monta dans sa chambre. Hanna lui exposa la situation : Senhor Vaz lui avait demandé sa main.

– Je sais, dit Felicia. Tout le monde le sait. Je crois que même Carlos comprend ce qui se passe. Même si ce n'est qu'un chimpanzé. Mais il est malin. Il comprend plus qu'on ne le croit.

Sa réponse étonna Hanna. Elle pensait que Senhor Vaz se serait montré plus discret.

– Il en a parlé ? À qui ?

– Il ne dit jamais rien. Mais ce n'est pas la peine. Nous comprenons quand même. Même si naturellement il l'ignore.

Soudain, Hanna hésita. Leur conversation avait pris un tour inattendu.

– Senhor Vaz est un homme gentil, dit Felicia. Il lui arrive d'être brutal mais il le regrette toujours. Et puis il nous laisse garder presque la moitié de ce que nous gagnons. Il y a des bordels dans cette ville où les femmes en gardent à peine un dixième.

– Pourquoi n'est-il pas marié ?

– Je ne sais pas.

– Il ne l'a jamais été ?

– Je ne sais pas non plus. Il est arrivé de Lisbonne il y a plus de vingt ans avec son frère et ses parents. Son père était commerçant et travaillait beaucoup trop dur au soleil. Il est mort très vite après son arrivée. Sa mère est alors rentrée au Portugal mais les deux frères sont restés ici. Quelques années plus tard, Senhor Vaz a ouvert ce bordel. Avec l'argent gagné à la vente de l'affaire de son père. C'est tout ce que je sais.

– Il n'y a donc jamais eu de femme dans sa vie ?

Felicia sourit.

– Parfois je ne comprends pas les questions des Blancs, dit-elle. Naturellement, il y a eu des femmes dans sa vie. Combien et qui, je ne le sais qu'en partie. Il fait comme les autres propriétaires de bordel : il ne touche jamais à ses filles, mais va chez ses collègues.

– Mais pourquoi veut-il m'épouser, moi ?

– Parce que vous êtes blanche. Je crois aussi qu'il est impressionné que vous ayez les moyens de vivre ici, de payer cette chambre. Et puis il souffre sûrement de solitude, comme tous les Blancs dans ce pays.

– Mon argent est bientôt épuisé.

Felicia la regarda, soudain pensive.

– Vous n'êtes plus malade, finit-elle par dire. Vous avez à présent la force de continuer votre voyage. Mais vous choisissez de rester ici. Quelque chose vous retient. Est-ce parce que vous n'avez pas de but, ni rien qui vous pousse à rentrer, je l'ignore. Mais voilà, Senhor Vaz vous a demandé votre main. Vous pourriez épouser pire. Il vous traitera avec respect. Il vous donne une grande maison. Ce que mon mari ne pourra jamais m'offrir. Il est pêcheur, il s'appelle Ateme. Nous avons deux enfants, et je suis contente chaque fois que nous nous revoyons.

– Mais qui s'occupe de tes enfants quand tu es ici ?

– Leur mère.

Hanna secoua la tête. Elle ne comprenait pas.

– Leur mère ?

– Ma sœur. Elle est aussi leur mère. Comme je suis la mère de ses enfants. Ou des enfants de mes autres sœurs.

– Combien de sœurs as-tu ?

– Quatre.

Hanna réfléchit. Une autre question lui brûlait la langue.

– Que dit ton mari de te voir travailler ici ?

– Rien, répondit simplement Felicia. Il sait que je lui suis fidèle.

– Fidèle ? Ici ?

– Mais je ne vais qu'avec des Blancs. Contre de l'argent. Il s'en fiche.

Hanna resta bouche bée. La distance ne faisait que croître entre elle et ce monde incompréhensible.

Elle repensa à Carlos. Qui peut-être ne voulait plus être singe, mais ne pouvait pas non plus être un homme.

Le chimpanzé solitaire transformé en coquille vide sous sa livrée de domestique.

Et elle, qu'était-elle en train de devenir ?

40

Ce soir-là, Hanna décida d'accepter la demande en mariage de Senhor Vaz. Elle avait compris qu'elle n'avait plus la force de rester veuve. C'était ce qui avait fait pencher la balance. Et puis, un jour, peut-être, ressentirait-elle pour lui la même chose que pour Lundmark ?

Le lendemain, elle lui donna sa réponse. Senhor Vaz ne parut pas étonné, et la reçut comme une formalité.

Trois semaines plus tard, ils se marièrent, une cérémonie simple au presbytère, adossé à la cathédrale. Les témoins étaient des inconnus pour Hanna. Senhor Vaz avait également emmené Carlos, en frac, mais le prêtre avait refusé de le laisser entrer. Indigné, il considérait la présence du singe comme un blasphème. Senhor Vaz avait dû céder. Pendant la cérémonie, le chimpanzé attendit dehors, grimpé en haut du clocher. Après, ils dînèrent dans l'hôtel le plus chic de la ville, sur une hauteur avec vue sur la mer. Carlos en était, car ils avaient une salle privée.

Ils passèrent la nuit de noces dans une suite de l'hôtel. Quand Hanna entra, la chambre sentait la lavande.

La lumière éteinte, elle sentit l'haleine chaude de son nouveau mari près de son visage. Un court instant de confusion, elle crut que Lundmark était revenu. Mais elle huma alors l'odeur de pommade dans les cheveux noirs, et sut que c'était un autre homme qui était couché près d'elle.

Elle attendit. Elle s'offrit, se prépara. Mais Senhor Vaz, de son prénom Attimilio, ne parvint pas à la pénétrer. Il essaya, encore et encore. Mais il était impuissant, son membre pareil à une branche cassée.

Il finit par se détourner et se recroquevilla, comme s'il avait honte.

Hanna se demanda si elle avait mal fait. Mais quand le lendemain elle prit son courage à deux mains et interrogea Felicia, elle apprit que ce qui s'était passé n'avait rien d'inhabituel chez les hommes. Senhor Vaz finirait par montrer qu'il possédait lui aussi cette force qui était son fonds de commerce. Que tous les hommes deviennent soudain impuissants était bien la plus grande menace qui pouvait peser sur un bordel.

Hanna ne comprit pas tout ce que Felicia avait dit. Mais en tout cas elle avait retenu que ce n'était pas sa faute.

Quelques jours plus tard, ils emménagèrent dans la grande maison de pierre qui avait été meublée. Il y avait un grand piano brillant dans une pièce qui sentait le mimosa et d'autres herbes que Hanna ne connaissait pas.

Un soir, quelques semaines après le mariage, alors que Hanna était seule avec la servante, elle fit sonner une touche du piano et la laissa résonner en appuyant sur une des pédales. Dans la pénombre de la pièce, il lui sembla voir ceux qu'elle avait laissés derrière elle. Jonathan Forsman, Berta, Elin, ses frères et sœurs et le second qu'elle avait accompagné jusqu'à sa tombe six mois plus tôt.

Mais elle ne ressentit ni mélancolie ni manque. Une fois la note estompée, un vent d'effroi souffla, glacé, venu de nulle part. Qu'avait-elle fait en se liant à un homme qu'elle connaissait à peine ?

Elle ne savait pas. Mais elle se força aussi à penser : Je ne peux pas faire demi-tour. Je suis là.

Nulle part ailleurs.

41

Chaque matin, elle sortait sur la terrasse qui courait à l'étage. De là, elle voyait la ville qui grimpait le long des collines, au-delà le port avec ses grues brillantes dans le soleil, et enfin la mer bleue couverte de navires attendant la marée. Elle avait acheté une longue-vue plus puissante que celle qu'elle possédait auparavant. Senhor Vaz avait payé un menuisier noir pour lui fabriquer un pied.

Elle continuait à surveiller les navires. Mais elle n'espérait plus découvrir un jour en rade un navire battant pavillon suédois. À présent, c'était le contraire. Chaque matin, elle redoutait de trouver un navire qui aurait pu la ramener chez elle. Elle craignait de se dire alors que le navire était arrivé trop tard.

Attimilio – elle avait encore du mal à l'appeler ainsi – quittait la maison chaque matin à huit heures. Il empruntait un fiacre qui l'emmenait dans le quartier du port. Il revenait en milieu de journée, ils déjeunaient ensemble puis il faisait la sieste avant de partir retrouver ses femmes.

Hanna découvrit très vite que son nouveau mariage se distinguait sur un point décisif de ce qu'elle avait vécu auprès de Lundmark. Elle était seule presque toute la journée. Lundmark était toujours près d'elle à bord du navire. Son nouveau mari la traitait avec respect, amabilité, mais il était rarement à la maison. Il mangeait, il dormait et, la nuit, il continuait ses tentatives ratées de réaliser ce que Hanna, à son grand étonnement, avait elle aussi commencé à désirer. À part cela, ils ne partageaient quasiment rien. Elle essayait parfois de lui poser des questions sur sa vie antérieure. Mais ses réponses étaient évasives ou inexistantes. Il ne s'énervait pas, ne paraissait pas fâché par ses questions. Il ne voulait tout simplement rien dire. Hanna avait l'impression d'avoir épousé un homme sans passé.

Plus tard, Hanna devait songer à cette époque comme à celle d'un grand désœuvrement. Elle n'avait presque rien à faire, ne devait s'occuper de rien. Le jardin était entretenu par un vieux Noir complètement sourd. Il s'appelait Rumigo et se faisait aider par un de ses nombreux fils. Hanna le regardait parfois soigner les fleurs, les arbres et les buissons de ses mains délicates. Dans la maison il y avait Anaka, qui servait déjà les parents d'Attimilio. Elle commençait à être âgée, mais travaillait toujours aussi dur, et semblait ne jamais dormir. Elle vivait seule dans une petite baraque à l'arrière de la maison. Hanna l'y voyait parfois fumer sa pipe avant d'aller se reposer. Dès quatre heures, Anaka était à nouveau debout, à six heures elle leur servait leur petit déjeuner.

Quand Hanna adressait la parole à Anaka, celle-ci tombait aussitôt à genoux devant elle. Attimilio avait expliqué à Hanna que c'était moins un signe d'infériorité et de soumission qu'une tradition, une façon de montrer son respect. Hanna avait du mal à supporter ces génuflexions et essaya de les faire cesser. En vain. Quand Attimilio lui dit qu'Anaka le ferait aussi devant un Noir qui lui serait supérieur, elle abandonna. Les génuflexions continuèrent.

Il y avait une autre femme dans la maison ; Attimilio lui expliqua qu'elle était la fille de la couturière de sa mère. Elle avait un prénom portugais, Julietta, et aidait Anaka pour les tâches qu'elle n'avait pas le temps ou la force d'accomplir. Julietta avait quatorze ou quinze ans.

Hanna avait l'impression d'être dans un état permanent de quasi-somnolence. La chaleur était écrasante, de loin en loin interrompue par de brèves averses. Elle passait le plus clair de son temps à s'éventer dans une des pièces où la brise marine entrait par les fenêtres ouvertes. Elle attendait, mais au fond elle ne savait pas quoi. Parfois, elle était prise d'un entêtant malaise à l'idée de ne servir à rien. Tout dans cette grande maison était fait par les domestiques noirs. Sa mission était de ne toucher à rien.

Attimilio lui avait recommandé de ne pas hésiter à signaler si elle n'était pas satisfaite du travail des domestiques. De temps en temps, elle devait enfiler ses gants blancs et faire le tour de la maison en passant un doigt sur les cadres des tableaux et des portes pour s'assurer qu'ils avaient été bien astiqués.

– Si on n'est pas après eux, ils trichent, dit Attimilio.

– Mais pourtant, c'est toujours propre ici !

– Parce que tu contrôles. Le jour où tu arrêteras, ils cesseront aussitôt de faire attention.

Hanna n'arrivait ni à comprendre ni à se retrouver dans les continuelles sorties d'Attimilio contre les Noirs. Elle percevait la peur cachée derrière ses mots sévères. La présence de Hanna dans la maison n'avait pas changé sa façon d'être.

Un soir, il rentra après un événement bouleversant au bordel. Un client avait vidé son revolver et blessé superficiellement une des femmes au bras. Attimilio se lança alors dans une violente tirade contre le pays où il vivait.

– Ce serait un beau continent, s'écria-t-il, si seulement il n'y avait pas tous ces Noirs !

– Mais ce n'est pas un Blanc qui a tiré ? objecta prudemment Hanna.

Senhor Vaz ne répondit pas. Il s'excusa et se retira dans son bureau. À travers la porte fermée, elle l'entendit passer des marches militaires portugaises sur son gramophone. En se penchant pour regarder par le trou de la serrure, elle le vit aller et venir dans la pièce, en colère, agitant un sabre. Elle pouffa de rire. Cet homme qui était à présent son mari ressemblait à un soldat de plomb. Un de ces soldats de plomb avec lesquels elle avait vu jouer les fils de Jonathan Forsman.

Puis l'inquiétude l'envahit à nouveau. Elle était devenue comme les autres femmes blanches de la ville : désœuvrée, paresseuse, toujours à agiter un éventail.

42

Après avoir quelques nuits encore tenté en vain d'accomplir l'acte conjugal, Attimilio plongea dans un désespoir sans fond. Hanna s'adressa de nouveau à Felicia, mais en secret, un jour où Senhor Vaz était parti à Pretoria, où il investissait une partie des bénéfices du bordel. Une fois par mois, un avocat lui rendait visite. Ils s'enfermaient alors dans son bureau, et elle n'avait aucune idée des affaires qu'ils traitaient. L'avocat, qui boitait et s'appelait Andrade, parlait si bas que Hanna ne comprenait jamais ce qu'il disait.

Felicia lui conseilla de chercher l'aide d'un *feticheiro*.

– On peut manger des herbes, boire des infusions, dit-elle. Pour soigner les hommes incapables de faire ce qu'ils désirent le plus.

– Mais je ne connais pas de *feticheiro*, dit Hanna.

Felicia tendit la main.

– Ça coûte de l'argent. Donnez-m'en et je me procurerai ce dont vous avez besoin. Puis vous mélangerez ça à sa nourriture ou à sa boisson. Je n'y connais rien. Mais je sais en tout cas qu'il faut le faire quand le vent souffle de l'ouest.

Hanna réfléchit.

– Le vent souffle rarement de l'ouest, dit-elle.

Felicia resta songeuse.

– Vous avez raison, dit-elle. Mieux vaut alors attendre la

pleine lune. C'est aussi une bonne période. J'oublie toujours qu'ici le vent ne vient jamais des terres, seulement de la mer ou des glaces, loin au sud. Nous qui vivons ici dans la baia da Boa Morte ignorons tout des vents de la savane.

Hanna n'avait encore jamais entendu le nom de la baie. Elle savait que la ville s'appelait Lourenço Marques. Attimilio lui avait expliqué un soir que c'était le nom d'un général portugais dont la ruse et l'audace auraient pu se mesurer à celles de Bonaparte. Hanna ne savait pas qui était ce Bonaparte, ni que la baie elle-même avait un nom si curieux.

Mais avait-elle bien entendu ? « La baie de la Bonne Mort » ? Était-ce ainsi que Felicia avait appelé le golfe qui tous les jours miroitait au soleil ?

– Pourquoi la baie s'appelle-t-elle ainsi ?

– Parce que c'est un beau nom. Je trouve que l'eau bleue, avec ses dauphins, ressemble à un cimetière pour ceux qui ont une bonne mort. C'est bien ce que nous espérons tous ?

– Qu'est-ce qu'une bonne mort ?

Felicia la regarda, interloquée. Elle avait une expression du visage particulière chaque fois qu'elle s'étonnait d'une question qui ne pouvait venir que d'une personne blanche.

– Chacun se représente sa mort, dit Felicia. Ne m'avez-vous pas raconté que l'homme avec lequel vous viviez, le marin avec ce nom que je n'arrive pas à prononcer, lui aussi a été enterré au fond de la mer ?

– Sa mort était tout, sauf bonne, dit Hanna. Il ne voulait pas mourir.

– Moi, quand la mort viendra, je n'ai pas l'intention de résister, dit Felicia. Sauf si quelqu'un essaye de m'assassiner. Je veux mourir tranquillement. La bonne mort n'est jamais agitée.

Hanna ne savait que dire de la mort de Lundmark, ni de la façon inquiète dont elle-même se représentait sa dernière heure. Elle donna à Felicia l'argent qu'elle demandait. Quelques jours plus tard, Felicia se pointa à l'improviste, un matin, après le départ d'Attimilio. Emballée dans un sac de toile qu'elle maniait avec respect et peut-être un certain effroi, une poudre verte, presque scintillante. Elle avait une forte odeur qui rappelait à Hanna le goudron des navires, dans le port de Sundsvall.

– Il faut mélanger la poudre à ce que Senhor Vaz boit avant d'aller se coucher.

– Il ne boit rien le soir. Il ne veut pas être réveillé par sa vessie.

– Il ne mange rien non plus ?

– Une mangue.

– Vous devez ouvrir doucement le fruit, saupoudrer puis le refermer.

Hanna appela Anaka et lui demanda d'apporter une mangue. Elles effectuèrent l'opération et vérifièrent qu'il était possible de cacher toutes les traces.

– C'est tout ? demanda Hanna.

– Sur votre entrejambe, vous devrez mettre quelques gouttes de citron. Alors vous serez prête à le recevoir.

Hanna rougit en entendant Felicia parler de citron. Sa capacité à parler avec le plus grand naturel de ce qui pour Hanna était encore tabou la mettait mal à l'aise.

– C'est tout, dit Felicia. Le *feticheiro* que j'ai consulté a guéri beaucoup d'hommes de leur impuissance. On vient le voir de loin. Certains sont venus d'Inde pour retrouver leur virilité. Mais si ça ne marche pas, ce qui peut parfois arriver, il existe des remèdes plus forts.

La lune étant descendante, Hanna dut attendre. Attimilio essaya encore plusieurs fois de consommer le mariage, sans y parvenir. Après, quand il se couchait sur le côté, découragé, Hanna caressait doucement ses cheveux noirs qui chaque matin laissaient une trace grasse de pommade sur l'oreiller. Je ne l'aime pas, se disait-elle. Je ressens pourtant de la tendresse pour lui. Il me veut du bien. Il ne remplacera jamais Lundmark dans mon lit. Mais peut-être qu'avec l'aide de Felicia il pourra redevenir un homme.

43

Quand arriva la pleine lune, la ville avait subi une période de violentes tempêtes. Carlos s'était de nouveau enfui puis était revenu tout aussi mystérieusement, cette fois avec un foulard rouge autour du cou. Senhor Vaz décida d'enchaîner le chimpanzé. Mais les femmes protestèrent et il abandonna l'idée. Carlos reprit son rôle de serviteur et continua d'allumer les cigares des clients contre une banane ou une pomme. Felicia trouvait qu'une lueur nouvelle brillait dans ses yeux. Quelque chose était en train de lui arriver.

Ce fut la pleine lune, les vents s'étaient calmés, et Senhor Vaz rentra à la maison après une longue journée au bordel. Hanna avait préparé la mangue et resta près de lui tandis qu'il la mastiquait pensivement dans la salle à manger. Hanna alla à la salle de bains verser quelques gouttes de citron sur son entrejambe puis se coucha près de lui. Comme il semblait s'endormir, elle lui caressa doucement un bras. Quelques instants plus tard, il se tourna vers elle. Toujours animé du même désir acharné, il tenta de la pénétrer. Mais il n'y parvint pas cette fois non plus, bien que Hanna le sente plus endurant et vigoureux que jamais.

Quand il abandonna, ils étaient tous les deux en sueur. Hanna décida de demander dès le lendemain à Felicia de se procurer des remèdes plus forts pour tirer Attimilio de son marasme.

Elle l'entendit s'endormir avec sa respiration rapide habituelle. Comme s'il n'avait pas le temps de dormir.

Quand elle se réveilla le lendemain matin, il était mort. Il était couché près d'elle, blanc et déjà froid. Dès qu'elle ouvrit les yeux, juste avant qu'Anaka n'apporte leur petit déjeuner, elle sut qu'il s'était passé quelque chose. Rarement ou jamais elle ne le trouvait au lit à son réveil. D'habitude, il était déjà dans la salle de bains en train de se raser.

Il était dans la position où il s'était endormi. Hanna se leva, jambes tremblantes. Elle était veuve pour la seconde fois. À l'arrivée d'Anaka, assise sur une chaise, elle désigna l'homme dans le lit.

– *Morto*, dit-elle seulement. *Senhor Vaz e morto.*

Anaka posa le plateau, tomba à genoux, marmonna une sorte de prière, puis s'en fut rapidement. Attimilio était parti dans le plus grand silence. Il n'avait pas crié comme Lundmark.

Comme s'il était mort de honte pour avoir échoué encore une fois, la dernière, à faire l'amour à sa femme.

Deux jours après l'enterrement chaotique au nouveau cimetière de la ville, où Carlos était présent lui aussi, en costume noir, avec un nouveau haut-de-forme, Hanna reçut la visite d'Andrade, l'avocat d'Attimilio. Il s'inclina, présenta à nouveau ses condoléances, puis s'assit en face d'elle sur un des fauteuils en velours rouge que Senhor Vaz avait fait fabriquer spécialement au Cap. Cette fois, il parla à haute et intelligible voix. Elle avait cessé de n'être qu'une annexe de Senhor Vaz.

L'avocat Andrade alla droit au fait :

– Il y a un testament. Signé sous mes yeux et ceux de mon collègue Petrus Sabodini. Sa teneur est simple et claire, aucun doute possible.

Hanna écoutait, sans parvenir à se sentir concernée.

– Il y a donc un testament, répéta Andrade. Il en ressort que vous héritez de tous les biens d'Attimilio. En sus de son hôtel et de l'activité qui y est rattachée, vous héritez aussi de ses affaires, entre autres d'un entrepôt de tissus et de neuf ânes dans des pâturages aux environs de la ville. Il y a également d'importants revenus à Pretoria et Johannesburg.

Andrade posa des documents sur la table et se leva. Il s'inclina de nouveau.

– Ce sera pour moi une grande joie d'être votre avocat à l'avenir, Senhora Vaz.

Hanna ne réalisa qu'après son départ. Elle resta immobile sur son fauteuil, retenant son souffle. Elle était devenue la propriétaire d'un bordel. Plus quelques ânes et un singe qui fuguait de temps en temps, quand il n'allumait pas les cigares des clients.

Elle se leva et sortit sur la terrasse. Dans sa longue-vue, elle voyait le toit de l'hôtel. Elle devinait aussi les contours de la fenêtre qui avait été la sienne, quand elle était malade.

Quelques navires se balançaient en rade. Mais elle s'en désintéressait pour le moment. Elle installa Carlos chez elle le jour même, car elle ne voulait pas vivre seule. Elle emporta également le grand lustre du bordel, puisque c'était là que le singe avait l'habitude de dormir.

Carlos partagerait désormais avec elle la grande maison de pierre. Tant qu'elle resterait dans cette ville qui s'étendait là, blanche et fumante, au bord de la baie de la Bonne Mort.

TROISIÈME PARTIE

Le ténia dans la bouche du chimpanzé

44

À son réveil, Hanna trouva Carlos assis dans le lit, tournant vers elle son dos poilu. Elle n'aimait pas le voir là, craignant qu'il n'attire dans son lit des insectes suceurs de sang. Elle le chassa et ferma la porte de sa chambre puis se recoucha et éteignit la lampe à pétrole. Mais Carlos ouvrait la porte ou passait par la fenêtre restée ouverte. Chaque matin il était là. C'était elle qui vivait en cage, pas Carlos.

Hanna finit par comprendre qu'il se sentait seul, comme elle. Les chimpanzés étaient des animaux sociaux, ils se faisaient épouiller par un autre membre du groupe. Cette pensée l'attrista. Un instant elle reconnut sa propre solitude dans celle du singe, alla s'asseoir tout contre lui et commença à inspecter sa peau à la recherche de parasites. Elle vit combien il aimait ça. Quand Carlos voulut lui rendre la pareille en inspectant ses cheveux, elle le laissa faire.

Ils formaient un couple étrange, où le respect mutuel ne cessait de croître, sans qu'ils aient pourtant autre chose en commun que ces rituels du matin qui pouvaient durer des heures.

Pendant les premiers temps de son nouveau veuvage, Hanna songea que, pour la deuxième fois dans sa courte vie, elle avait changé de nom. Lors d'une cérémonie expédiée dans la lointaine Alger, elle était passée de Renström à Lundmark.

Ce dernier nom avait à présent été remplacé par Vaz. Sur tous les papiers que l'avocat Andrade lui donnait à signer, elle apparaissait désormais sous le nom de Hanna Vaz, avec le titre de *Viuva*, veuve. Mais ce n'était pas tant son soudain veuvage qui la troublait que le fait d'être devenue une femme très riche. L'avocat lui présentait des comptes et les sommes lui donnaient le vertige quand elle convertissait péniblement les livres anglaises, les escudos portugais ou les dollars américains en couronnes suédoises. Elle perdit pied en comprenant qu'elle disposait sans doute de plus de liquidités que Jonathan Forsman. Il lui arrivait de se réveiller en pleine nuit avec l'impression qu'argent, espèces sonnantes et trébuchantes, billets neufs pleuvaient sur son lit. Après plusieurs mois, cette richesse demeurait irréelle. Et l'argent continuait à affluer. Chaque matin, Eber, le petit et maigre caissier descendant d'une famille allemande immigrée en Afrique du Sud, venait la trouver avec une sacoche pleine. Elle lui donnait un reçu, lui rendait la sacoche vide de la veille, puis s'enfermait dans le bureau. Contre un mur, il y avait un coffre-fort qui s'ouvrait avec deux clés qu'elle portait à un ruban autour de son cou. Elle notait la somme dans un livre de comptes puis enfermait les billets et les pièces avant de verrouiller le coffre. Même Carlos n'avait pas le droit de rester quand elle comptait l'argent du bordel. Une fois par mois, elle préparait aussi, en suivant les instructions du caissier, les salaires qui devaient être versés. Ce jour-là, Eber venait accompagné de quelques soldats portugais qui l'escortaient jusqu'au bordel avec sa sacoche bourrée d'argent.

Après son départ de l'hôtel, sa chambre était restée vide ou avait parfois été utilisée par les prostituées quand leur propre chambre était en travaux pour réparer les dégâts causés par quelque client énervé. Elle se demanda s'il y avait jamais eu avant elle d'autre client ordinaire, ou si l'hôtel avait toujours été une sorte de devanture convenable.

Un jour qu'elle était en train de ranger de l'argent dans le coffre-fort, elle découvrit sur l'étagère du bas un petit carnet, couvert d'une poussière qui, de façon surprenante, parvenait à pénétrer l'hermétique porte d'acier. En le regardant de plus près, elle vit qu'il était vierge. Aucun mot n'y était écrit. C'était le cadeau d'un armateur japonais rattaché au port de Yokohama. Il arrivait que des marins japonais viennent au bordel. Ils étaient propres et polis, mais pas spécialement appréciés des femmes, qui redoutaient leur appétit sexuel. Hanna avait entendu parler d'un second japonais qui avait payé pour toute une nuit et qui aurait accompli dix-neuf fois l'acte sexuel. Vrai ou non, les Japonais étaient endurants et Senhor Vaz devait avoir reçu ce carnet en cadeau ou en souvenir, ou peut-être même pour excuser des excès érotiques trop furieux.

La couverture, teinte en noir, sentait le cuir de veau. Les pages blanches étaient d'un papier épais, mais souple. En écrivant son nom, Hanna vit qu'il buvait l'encre bleu sombre. Pas besoin de buvard.

Elle écrivit la date. « 26 mars 1905. » Prudemment, comme si chaque mot pouvait représenter un danger, elle rédigea une phrase. « Rêvé cette nuit de ce qui n'est plus. »

« Rêvé cette nuit de ce qui n'est plus. » C'était tout. Elle se dit pourtant qu'elle avait initié un nouveau rituel auquel elle se tiendrait. Elle ne se contenterait plus de remplir ses livres de comptes, elle tiendrait aussi un journal auquel personne n'aurait accès.

Chaque jour désormais elle écrivait quelques phrases après la visite d'Eber, une fois la recette de la nuit enfermée dans le coffre-fort. Chaque jour, elle s'aventurait un peu plus loin des sentiers battus, où les mots ne parlaient que de ce qu'elle avait rêvé, de ce que Carlos avait fait ou du temps qu'il faisait. Elle commença à écrire sur les femmes qui travaillaient pour elle, au bordel et dans la maison qu'elle habitait.

Au bout d'un mois, elle écrivit quelques lignes au sujet de Senhor Vaz et de ses tentatives désespérées pour les satisfaire, elle et lui. Son ton devenait plus tranchant, ses jugements sur les gens de moins en moins indulgents.

Ce qu'elle écrivait n'influençait pourtant en rien ses rapports avec ses subordonnés. Elle se montrait toujours aussi attentionnée et aimable. Mais, dans son journal, elle disait ce qu'elle pensait vraiment. Là était la vérité, et elle la cachait.

Quelqu'un d'autre connaissait l'existence du journal. La jeune Julietta qui aidait au ménage. Un jour, par l'embrasure de la porte, elle avait vu Hanna penchée sur le carnet. Hanna lui avait dit d'approcher et lui avait montré ce qu'elle notait, sachant bien que Julietta était analphabète. Elle avait demandé ce que Hanna écrivait.

– Des mots. Des mots sur le pays d'où je viens.

Curieuse, Julietta avait continué à lui poser des questions, mais elle n'en avait pas dit plus. Par la suite, Hanna s'était demandé pourquoi elle lui avait menti. Il n'y avait rien dans ce journal au sujet de sa vie dans les montagnes près du fleuve glacé. En revanche, à plusieurs reprises, elle y avait consigné des commentaires méprisants sur Julietta elle-même.

Pourquoi n'avait-elle pas dit la vérité ? Commençait-elle à ressembler à tous ceux qui l'entouraient dans cette ville ? Qui semblaient ne jamais parler franchement ? Au début, elle avait pensé que Senhor Vaz avait raison d'affirmer que tous les Noirs mentaient. Puis elle avait compris qu'il en allait de même avec les Blancs, les Indiens ou les Arabes. Tous mentaient, même s'ils le faisaient différemment. Elle se trouvait dans un pays bâti sur un socle de mensonges et d'hypocrisie.

Elle fit signe à Julietta de quitter la pièce. Puis écrivit ce qu'elle venait de penser : « Les Noirs mentent pour éviter de souffrir inutilement. Les Blancs mentent pour se défausser des agressions qu'ils commettent. Et les autres, les Arabes et les Indiens, mentent car il n'y a plus de place pour la vérité dans cette ville où nous vivons. »

Elle pensa aussi, sans l'écrire, qu'elle regrettait d'avoir montré son carnet à Julietta. Peut-être avait-elle commis une imprudence dont elle se mordrait les doigts ?

Elle enferma le carnet dans le coffre-fort et gagna la fenêtre qui donnait vers la mer. Elle tourna sa longue-vue vers l'île d'Inhaca où, à « l'époque du désœuvrement », elle s'était rendue en bateau avec Senhor Vaz et l'avocat Andrade.

Elle tourna la longue-vue vers la ville, le quartier du port. En se mettant sur la pointe des pieds, elle pouvait voir le gardien du bordel et peut-être une des femmes attendant paresseusement dans l'ombre la venue d'un client.

Une réflexion qu'elle s'était souvent faite revint. Je les vois. Mais me voient-ils ? Et s'ils me voient, qui suis-je pour eux ?

Elle reposa le pied de la longue-vue sur le bord en marbre de la fenêtre et ferma les yeux. Malgré la chaleur, elle se revoyait dans le traîneau, emmitouflée dans les fourrures de Jonathan Forsman qui sentaient le suif et le chien.

En rouvrant les yeux, elle se dit qu'il fallait qu'elle prenne vite une décision. Rester ici ou rentrer.

Mais ce jour-là, après qu'elle eut montré à Julietta son carnet, un autre sentiment s'empara d'elle.

Elle avait peur. Comme si un danger approchait. Il était tout près d'elle mais elle ne l'avait pas encore découvert.

Une menace qui grandissait. Qu'elle ne voyait pas. Mais Hanna savait qu'elle s'approchait rapidement, comme un traîneau lancé sur de la neige gelée.

45

Peu après avoir commencé à écrire sur Senhor Vaz dans son journal, elle rassembla les filles et tous les employés du bordel. Elle le fit tôt le matin, à l'heure où il n'y avait personne, quand tout le monde dormait après le départ des derniers clients. La plupart partis en fiacre, quelques-uns dans des voitures astiquées pendant la nuit par des Noirs, violant ainsi le couvre-feu qui leur était imposé en ville. La police laissait faire, en échange de faveurs dans les bordels de la rue Bagamoio.

Pour Hanna, ces voitures astiquées de frais qui partaient à l'aube vers la frontière sud-africaine étaient le signe que les clients voulaient effacer toute trace de leur visite. Comme si leur véhicule lui aussi était sali par ce qui se passait au bordel. Ces hommes rentraient avec leurs voitures étincelantes dans un pays où, pour un homme blanc, il était moralement condamnable et à deux doigts d'être passible de prison de fréquenter des femmes noires.

Hanna rassembla les filles et les gardiens dans la cour, autour du jacaranda. Elle avait également prié Andrade d'être présent et emmené Carlos, vêtu de sa livrée blanche. Elle le laissait désormais être ce qu'il était, un chimpanzé arraché à sa horde, quelque part dans l'immensité africaine inconnue. Carlos parut d'abord inquiet de revenir au bordel. Après avoir tambouriné sur le couvercle du piano, il se calma pourtant et alla s'asseoir sur les genoux de Zé, comme il en avait l'habitude.

Zé paraissait ne pas avoir remarqué le départ soudain de son frère. Il avait assisté à l'enterrement, sans jamais montrer le moindre signe de chagrin ou de douleur. Il continuait à accorder son piano, qui semblait ne jamais devoir atteindre l'harmonie à laquelle il aspirait.

Hanna commença en assurant que rien ne changerait : dans l'ensemble, tout continuerait comme avant. Veuve de Senhor Vaz, elle avait l'intention de s'en tenir aux règles, devoirs et avantages instaurés par son mari et qui avaient fait la réputation de leur lieu de travail. Elle continuerait à accorder généreusement des congés et ne tolérerait pas plus que son mari les comportements brutaux ou déplacés des clients.

Bien sûr, tout ne pourrait pas être comme avant, dit-elle à la fin du petit discours qu'elle avait appris par cœur en portugais, pour ne pas perdre le fil. Elle était une femme. Elle n'avait pas la force physique de son mari. Elle ne pouvait pas intervenir elle-même si nécessaire. Pour cette raison, deux nouveaux gardiens seraient engagés pour garantir leur sécurité.

Autre chose aussi serait forcément différent, puisqu'elle n'était pas un homme. Elle aurait plus de facilité que son mari à parler de certains sujets. Elles seraient plus proches les unes des autres. Et ce changement ne saurait être que bénéfique, conclut-elle.

Suivit un long silence. Une fleur de jacaranda tomba lentement, légère comme une plume. Ce silence inquiétait Hanna. Elle ne s'attendait pas à ce que quiconque prenne la parole, mais ce n'était pas le silence habituel entre Noirs et Blancs, il avait une signification qu'elle ne comprenait pas.

D'un geste, elle indiqua qu'elle avait fini. Les femmes prirent leurs chaises et disparurent, Judas entreprit de balayer la cour, mais elle le chassa lui aussi de la main. Zé retourna à son piano, Carlos à moitié endormi dans ses bras.

Soudain, Hanna comprit le sens de ce silence. Personne ne voulait de cette proximité qu'elle proposait. Ce silence était plein d'une réticence invisible. En même temps, ne comprenaient-elles donc pas qu'en tant que femme, elle serait vraiment proche d'elles ? Qu'elle avait parlé vrai, au milieu de ce monde d'hypocrisie et de mensonges ?

Elle sortit son carnet et écrivit, d'une main hésitante, comme si elle doutait de sa capacité à traduire ses propres pensées : « Celui qui vole à autrui sa liberté ne peut jamais s'attendre à être proche de lui. »

Elle relut. Reposa le carnet dans son panier d'osier avec le châle et la gourde qu'elle avait toujours avec elle. Elle contenait de l'eau bouillie.

Les femmes avaient regagné leurs chambres. Aucune n'était assise sur un des canapés où, bientôt, elles reviendraient accueillir les clients. Hanna comprit qu'elles s'étaient retirées pour ne pas risquer qu'elle leur adresse la parole et se mette à leur prodiguer cette proximité dont elle avait parlé.

Proximité, songea-t-elle. Pour elles, ce n'est qu'une menace à éviter.

Elle resta debout là, son panier à la main, ne sachant pas bien si elle était en colère ou déçue. Ou au fond soulagée de ne pas avoir à mettre à exécution ce projet hasardeux.

L'avocat Andrade apparut soudain. Malgré l'heure matinale, il avait déjà le visage ruisselant de sueur. Une goutte qui lui pendait au bout du nez l'impatienta et l'emplit de dégoût. Elle se retint de le gifler avec le mouchoir qu'elle fourrait dans son corsage.

– Aviez-vous encore besoin de moi ce matin ?

– Non, Andrade. Juste de votre opinion.

L'avocat sursauta. D'autres gouttes de sueur s'assemblèrent

sous son nez. Hanna avait remarqué qu'il n'aimait pas qu'elle l'appelle par son nom. Il devait y voir un manque de respect. Mais elle savait qu'il se payait grassement pour ses services et ne voudrait pas qu'elle le remplace par un de ces avocats faméliques qui accouraient en masse du Portugal pour chercher fortune aux colonies.

– Mon opinion à quel sujet ?

– Mon discours ? Cette réunion ? Le silence ?

Son dégoût s'accrut. Les gouttes de sueur sur son visage bouffi lui donnaient la nausée.

– C'était un bon exposé de la situation, dit pensivement Andrade.

– Vous n'êtes pas au tribunal. Dites ce que vous pensez. Leur réaction ?

– Les putes ? Que peut-on leur demander d'autre que le silence ? Ce n'est pas leur bouche qu'elles doivent ouvrir.

Hanna sentit que l'insolence d'Andrade la faisait rougir. Elle était redevenue la fille du bord du fleuve, osant à peine regarder un étranger dans les yeux. En même temps, il avait raison, elle le voyait bien. Pourquoi croyait-elle pouvoir solliciter autre chose que le silence ? Elle avait plusieurs fois vu Senhor Vaz convoquer les filles pour leur parler, et jamais aucune n'avait posé de question ou demandé des explications – et encore moins exprimé un désaccord.

Andrade s'éloigna sous le soleil brûlant pour rejoindre sa voiture, que conduisait un chauffeur noir. Hanna avait convenu qu'il viendrait la chercher une heure plus tard.

Elle monta dans la chambre où elle avait dormi les premières nuits après s'être enfuie du bateau de Svartman. Elle se coucha sur le lit et ferma les yeux. Mais c'était sans retour, elle n'avait plus même accès au souvenir des premières nuits, de son hémorragie, de Laurinda qui venait la voir sans bruit.

Elle quitta la chambre sans savoir ce qu'elle était venue

y faire. Elle s'assit dans un des fauteuils de velours pour attendre la voiture. Carlos s'était réveillé et avait grimpé dans le jacaranda. Il l'observait de là-haut, comme s'il s'attendait à ce qu'elle y grimpe à son tour et s'accroche aux branches.

Elle regarda toutes ces portes closes. Songea qu'au fond elle ne savait rien de ce que ces femmes avaient en tête. Les conversations qu'elle avait eues jadis avec Felicia ne seraient jamais plus possibles. Dès lors qu'elle était devenue la propriétaire du bordel, un abîme s'était creusé entre elle et ces femmes dont elle était auparavant aussi proche que le permettaient les frontières de la race.

L'inquiétude la fit soudain suffoquer. Elle s'accrocha à l'accoudoir du fauteuil pour ne pas tomber. Je ne peux pas rester, pensa-t-elle. Je n'ai rien à faire ici. Sur ce continent étranger dont les habitants me haïssent ou me craignent.

Ses idées n'étaient pas encore bien claires, mais elle devinait ce qu'elle aurait à faire. Dès le lendemain, elle devrait convoquer Andrade et lui demander de trouver un acheteur pour le bordel. Il y aurait sans aucun doute des spéculateurs prêts à payer pour la bonne réputation de l'établissement. Puis elle s'en irait aussi vite que possible. Avec l'argent qu'elle avait et celui qu'elle tirerait de la vente, son avenir était assuré. C'était une femme riche qui laisserait l'Afrique derrière elle. Cela aurait été une visite rapide. Deux brefs mariages, deux décès inattendus et rien d'autre.

Au fond, je n'ai qu'un problème, songea-t-elle. Que deviendra Carlos ? Je ne peux pas rentrer avec lui, il gèlerait en Suède. Mais qui prendra soin de lui, qui refuse de retourner dans sa forêt d'origine ? Qui ne veut même plus être un singe ?

Elle n'avait pas de réponse. Quand la voiture arriva, elle appela Carlos, qui descendit aussitôt du jacaranda.

Mais à peine descendu, il sursauta, comme s'il s'était brûlé sur la terre battue. Carlos flaira plusieurs fois le sol puis se dépêcha de partir.

Elle le regarda, interloquée. Pourquoi avait-il eu peur de la terre au pied de l'arbre ? Mais Carlos resta impénétrable. Il se contenta de s'asseoir à côté d'elle dans la voiture, et grimaça quand le vent marin fouetta son visage.

46

Peu avant sa mort, comme s'il avait eu le pressentiment de sa fin imminente, Senhor Vaz avait dit à Hanna que, si un jour elle avait besoin d'un conseil et qu'il n'était pas là, elle devait en tout premier lieu s'adresser à Senhor Pedro Pimenta.

« Pourquoi lui ? Je sais à peine qui c'est.

– Je ne connais pas d'homme plus sincère, avait-il répondu. C'est la seule personne de ce pays que je n'ai jamais vue mentir. Va parler à Pedro Pimenta si tu as besoin d'un conseil. Et fais confiance à Eber, il s'occupe de notre argent sans jamais voler un escudo. Il croit que Dieu l'a particulièrement à l'œil. On ne peut pas trouver meilleur caissier. Dieu l'empêche de céder à la tentation malhonnête qu'il porte peut-être au fond de lui. »

Pedro Pimenta, originaire de Coimbra, avait fait une carrière fulgurante aux colonies. Assistant d'un tailleur, il aurait voulu aller à Luanda, en Angola, où, disait-on, il aurait facilement trouvé à s'employer auprès de la population blanche. Mais le destin avait voulu que le maître tailleur, qui avait payé son billet, décide de s'installer en Afrique orientale portugaise, comme on disait alors. Durant les trois premiers mois, Pedro Pimenta, âgé de dix-sept ans, resta terrorisé par toutes les nouveautés de ce continent étranger. Il avait peur de la nuit obscure, des chuchotements des Noirs, des serpents et des araignées qui se cachaient dans le noir. Même si les fauves ne s'aventuraient plus en ville depuis des années, il craignait toujours qu'un lion ne s'introduise par la fenêtre entrouverte et ne lui déchire la gorge. Pedro Pimenta passa ces trois premiers mois solidement barricadé. Comme il ne dormait pas la nuit, il n'arrivait pas à travailler pendant la journée. Le maître tailleur le renvoya et l'expulsa de la petite maison près du port où il avait ouvert son atelier.

Se retrouver sans travail, loin de provoquer sa perte, força Pedro Pimenta à maîtriser sa peur et à prendre sa vie en main. Grâce à de faux certificats, il travailla chez un homme d'affaires indien, apprit les rudiments du commerce et, bientôt, ouvrit une petite boutique où il pratiquait des prix plus bas que tous ses concurrents. En moins de dix ans, il devint riche. Il bâtit une maison sur les hauteurs de la ville, fut un des premiers à avoir une voiture et un chauffeur, et devint l'un des colons les plus en vue.

Personne ne savait que Pedro Pimenta était analphabète. Tous les chiffres qu'il devait absolument connaître pour contrôler ses affaires, il les gardait en tête. Devenu riche, il fit venir du Portugal un jeune frère qui savait lire et écrire. Il s'occupait de la correspondance nécessaire, et personne ne se doutait que les mots et les lettres dansaient sous les yeux de Pedro.

Pedro avait fait fortune en vendant des chiens. Il en avait eu l'idée un soir qu'il était en visite au bordel de son cher ami Senhor Vaz. Felicia venait alors juste d'arriver. Pedro devint vite son habitué, avec une visite par semaine, toujours le mardi soir.

L'un de ces mardis, un homme de son âge était en train d'attendre la femme qu'il avait demandée. Il espérait qu'elle en aurait bientôt fini avec son client. Pedro et lui nouèrent conversation. L'homme, qui venait d'Afrique du Sud, lui expliqua qu'il vendait des chiens de garde.

– La peur est un formidable employeur, surtout en Afrique du Sud, où les Blancs s'enferment derrière de hautes grilles et ont un besoin infini de chiens de garde. S'ils pouvaient, ils préféreraient des loups assoiffés de sang. Mais je leur fournis des bergers allemands entraînés en Belgique et dans certains chenils d'Allemagne du Sud. Quand ils sont prêts et entraînés à attaquer les Noirs, ils arrivent par bateau à Durban ou Port Elizabeth. Mes acheteurs font la queue, prêts à débourser une petite fortune pour les bêtes les plus robustes et les plus agressives.

L'homme se tut, fit tomber la cendre de son cigare et éclata de rire.

– Leur seul défaut est de ne pas être blancs. Cela doublerait sûrement leur valeur.

Pedro ne comprit pas tout de suite.

– Des bergers allemands blancs ?

– Ce serait parfait de pouvoir en élever des blancs, comme des albinos. Des chiens blancs, aussi blancs que leurs propriétaires. Cela terroriserait encore plus les Noirs. Et leurs maîtres seraient d'autant plus rassurés.

Pedro hocha la tête : oui, c'était une idée fascinante. Mais il se garda de dire qu'il connaissait un vétérinaire portugais qui avait un couple de bergers allemands blancs dans son jardin.

Le lendemain, Pedro alla trouver le vétérinaire, un sexagénaire qui envisageait de rentrer au Portugal avant d'être trop vieux. Il avait passé plus de quarante ans dans le pays, avait subi plusieurs graves attaques de malaria qui avaient manqué de le tuer, et savait ses organes truffés de bactéries, de vers et d'amibes. Aucun médecin ne savait bien de quoi il s'agissait, ni ne considérait que cela vaudrait la peine d'essayer de le soigner. Pedro lui proposa de prendre ses deux chiens, et leur nouvelle portée de chiots tout aussi blancs qu'eux, en échange d'une somme qui l'aiderait à prendre une décision concernant son retour. Ils tombèrent d'accord et, quelques mois plus tard, Pedro lui faisait ses adieux sur le quai du port de Lourenço Marques, tandis que son paquebot appareillait pour Durban, Port Elizabeth, Le Cap et Lisbonne.

Pedro avait alors en secret acheté un terrain en périphérie de la ville pour y installer un grand chenil. Son frère en serait le responsable. En deux ans, il produisit une trentaine de bergers blancs. Son frère, qui ne supportait plus la chaleur africaine, rentra au Portugal. Dès lors, Pedro s'occupa seul de tout. Un major renvoyé de l'armée portugaise avait dressé les chiens pour passer immédiatement à l'attaque à l'approche d'un Noir. Pedro avait payé le commandant du fort pour qu'il laisse ses chiens s'entraîner sur des détenus noirs. Pour ne pas sembler trop brutal, Pedro avait équipé les prisonniers d'épaisses protections de cuir que les bergers allemands ne pouvaient pas percer.

Puis Pedro était parti à Johannesburg annoncer dans les plus grands journaux la mise en vente, en nombre encore limité, d'incroyables bergers blancs.

Il avait loué une suite dans le meilleur hôtel de la ville. Le directeur, désespéré, avait dû avoir recours à du personnel supplémentaire pour canaliser la foule des spéculateurs.

Pedro avait avec lui deux jeunes chiens, un mâle et une femelle. Ils faisaient partie des plus intelligents de son élevage. Pour faire la démonstration de leur agressivité, il appela dans la chambre un groom noir. Les chiens se mirent aussitôt à tirer furieusement sur leur laisse.

Il vendit ses chiens à prix d'or. Il rentra avec des commandes payées d'avance pour cinquante chiens, riche comme un

47

Le lendemain de la réunion au bordel, Hanna loua à Andrade sa voiture et son chauffeur et se fit conduire chez Pedro Pimenta, à l'extérieur de la ville.

Pedro Pimenta avait fait construire une immense villa à côté de son chenil. Là, il avait fait aménager un vaste jardin et creuser plusieurs bassins où il élevait des crocodiles, dont il vendait les peaux à des tanneurs parisiens pour la confection de sacs et de chaussures. Les œufs de crocodile étaient récoltés en amont du fleuve Komati. Il avait même engagé des rameurs pour capturer des nouveau-nés près des bancs de sable où les femelles montaient la garde. Elles n'hésitaient pas à attaquer quand on s'en prenait aux œufs ou à leurs petits qu'elles avaient délicatement portés entre leurs mâchoires jusqu'au fleuve. Un jour, un gros crocodile avait réussi à renverser une pirogue. Ses deux occupants étaient tombés à l'eau et, avec l'énergie du désespoir, avaient essayé de nager jusqu'à la rive. L'un des deux avait réussi. Mais il avait vu son camarade, à peine arrivé au bord, agrippé au sable mouillé pour se hisser hors de l'eau, se faire happer par la jambe. Sa tête n'était réapparue qu'une fois, avant que le crocodile ne l'entraîne par le fond pour le coincer sous des racines où le corps pourrirait avant d'être mangé.

Hanna avait écouté avec horreur l'histoire racontée par

Felicia, la croyant sur parole. Impossible que ce soit une de ces anecdotes douteuses que les clients du bordel racontaient par milliers sur l'oreiller.

Pedro Pimenta était pieux. Felicia avait montré à Hanna la pierre tombale qu'il avait fait ériger au cimetière pour l'homme dévoré par les crocodiles. Il n'y avait pas de corps. Les vêtements du malheureux avaient été placés dans une jolie boîte en bois sculpté. Sur la pierre, on avait juste gravé le prénom Walibamgu, car Pedro avait toujours ignoré son nom de famille. Il s'était présenté un jour près des bassins aux crocodiles pour demander du travail, et Pedro l'avait embauché sur-le-champ. Peu importait qu'il n'ait pas de nom ni de passé. Il était venu de l'intérieur des terres, sans autre existence qu'ici et maintenant, un Walibamgu, sans date de naissance, mais avec une date de mort gravée sur la pierre, le jour où le crocodile l'avait emporté dans les profondeurs du fleuve.

Pedro Pimenta croyait donc en Dieu, et se rendait régulièrement à la cathédrale. Il avait donné de l'argent pour l'achat de nouveaux chandeliers et financé la restauration des bancs rongés par les termites.

Il était à présent assis à l'ombre sur sa véranda donnant sur le fleuve et, au loin, les montagnes perdues dans une brume immobile. Hanna savait que Pedro Pimenta sortait rarement de chez lui, à part pour se rendre au bordel ou à la cathédrale. Il déclinait toutes les invitations. Même le gouverneur portugais ne parvenait pas à le faire venir à ses dîners, où se pressait la haute société coloniale. Pedro Pimenta préférait rester à surveiller ses crocodiles qui grandissaient dans leurs bassins et ses bergers allemands blancs dont on exerçait l'agressivité dans le chenil. Dans un bassin proche de la véranda, il avait quelques petits crocodiles qu'il nourrissait lui-même de poissons et de grenouilles.

Pedro Pimenta portait un costume de lin blanc, un casque tropical et une serviette autour du cou. Il était curieusement bâti : un corps tout maigre avec un ventre proéminent, qui débordait comme une tumeur au-dessus de la ceinture. Sa peau était grêlée de piqûres d'insectes et de pustules, une de ses paupières pendait, comme si la moitié de sa personne devait lutter contre une grande fatigue. Bien qu'encore jeune, il avait vieilli prématurément, comme il arrivait souvent aux jeunes Blancs installés sous les tropiques et travaillant trop dur.

Pedro Pimenta vivait depuis plusieurs années avec une femme noire, Isabel, qui lui avait donné deux enfants, un fils et une fille. Ils avaient été baptisés à la cathédrale Joanna et Rogerio.

Qu'il ait une maîtresse noire, presque personne en ville n'y trouvait à redire. Mais qu'il vive comme marié avec elle et qu'il élève ses enfants en recourant aux services d'un précepteur, cela suscitait la réprobation générale. Certains le considéraient pour cette raison avec mépris, d'autres avec ce qui ressemblait plutôt à une inquiétude indéfinissable.

Pedro lui serra la main à sa descente de voiture et l'invita sous la véranda, où l'on trouvait un semblant de fraîcheur, apporté par la brise montant du fleuve. Isabel sortit la saluer. Elle était vêtue comme une femme blanche, les cheveux ramenés en chignon sur la nuque. Hanna se dit que c'était la première femme noire qui la regardait dans les yeux en la saluant. Il lui sembla pouvoir deviner à quoi ressemblaient les hommes d'ici, avant que n'arrivent sur leurs navires les Blancs à la recherche d'esclaves, de diamants et d'ivoire.

Isabel alla chercher les enfants pour qu'ils lui disent bonjour. Tous deux d'une rare beauté, pensa Hanna.

– Mes enfants, dit Pedro. Ma grande joie. Souvent d'ailleurs ma seule joie.

Hanna se demanda d'où venait ce découragement soudain.

Un frisson la parcourut, qui ne montait pas du fleuve mais d'elle-même. Comment pouvait-il parler de joie avec des mots qui respiraient l'affliction ?

Quelque chose la troublait, sans qu'elle comprenne quoi.

Il l'emmena visiter le chenil.

– La demande continue d'augmenter, dit Pedro. Je pensais avoir le monopole de ces chiens blancs pendant quatre ans tout au plus. Puis que d'autres chenils prendraient le relais pour répondre aux besoins du marché. Mais c'était sans compter sur le fait que les gens préfèrent l'original à la copie. Et l'original se trouve ici, nulle part ailleurs.

– Combien coûtent ces chiens ? demanda Hanna.

– Quelqu'un qui demande le prix n'a certainement pas les moyens d'en acheter.

– Je ne demandais pas pour moi.

– Je sais. Vous auriez les moyens.

Hanna comprit qu'il refusait de dévoiler le prix qu'il demandait. Ou bien il n'avait pas de tarif et se faisait payer à la tête du client.

Ils continuèrent vers les bassins des crocodiles. Pedro lui expliqua que ces animaux, qui grandissaient lentement, devaient être isolés pour ne pas être mangés par les plus gros. Dans l'eau vert sombre, à l'écart des autres, un énorme crocodile était couché sur un rocher plat. Il faisait presque cinq mètres de long. Personne ne connaissait son âge. Pedro ne laissait nul autre que lui le nourrir. Une fois par semaine, il lui jetait de quoi manger dans le bassin.

C'était justement ce jour-là qu'il devait nourrir le crocodile, baptisé Noé. Il demanda à Hanna si elle souhaitait y assister. Elle aurait voulu dire non, mais elle hocha la tête. Il appela un des Noirs qui s'occupaient de l'élevage. Une grosse brebis laineuse fut tirée d'une cage. L'homme donna à Pedro la corde où elle était attachée et se dépêcha de s'éloigner. La brebis sembla deviner ce qui l'attendait, comme un animal à l'abattoir sent l'odeur du sang de ceux qui le précèdent.

Pedro ôta sa veste, qu'il pendit à un portemanteau placé pour son usage exclusif près du bassin. Il déboutonna sa chemise tendue sur son gros ventre, retroussa ses manches et détacha la corde, tout en saisissant fermement la brebis par le cou. La bête bêla. Le crocodile restait immobile. En un tournemain, Pedro renversa la brebis pattes en l'air et la jeta dans le bassin. D'un mouvement si rapide que Hanna eut à peine le temps de le saisir, le crocodile quitta son rocher et plongea. Sous l'eau, il mordit la brebis et secoua le corps dans tous les sens. Puis il remonta à la surface, avec la tête de la brebis arrachée au reste du corps.

Hanna ne voulait pas en voir davantage. Elle tourna les talons et se dirigea vers la véranda.

– J'arrive dès que la fête est terminée ! cria Pedro derrière elle.

On dirait qu'il participe lui-même au dîner, songea-t-elle, indignée. Comment cet homme pourrait-il me donner le moindre conseil ?

Elle fut tentée de remonter dans la voiture qui l'attendait et de rentrer en ville. Elle resta pourtant sur la véranda, et s'était déplacée dans un coin ombragé quand Pedro revint. De ce qui venait de se passer au bassin, son visage ne montrait aucune trace. Il lui sourit, agita une petite cloche argentée pour commander du thé au domestique et lui demanda pourquoi elle qui ne faisait jamais de mondanités venait ainsi le voir à l'improviste.

– Je me réveille la nuit, dit-elle. Je ne sais pas ce qui me retient ici, en Afrique. Mais je ne sais pas non plus pour quoi partir. Ni où.

Il ne parut pas étonné. Il s'éventa doucement avec son casque colonial.

– Nous passons tous par là. C'est une question inévitable. Rester ou ne pas rester. Même nés ici, nous sommes en terre étrangère. Ou plutôt devrais-je dire en territoire ennemi.

– Est-ce que c'est cela que je ressens ? Toute cette haine dirigée vers nous autres, les Blancs ?

– Il n'y a pas vraiment de quoi s'en faire. Qu'est-ce que les Noirs pourraient contre nous ? Rien.

– Ils ont quelque chose de plus que nous.

Pour la première fois, il parut interloqué.

– Et quoi ?

– Le nombre.

Il sembla déçu de cette réponse, comme s'il avait espéré qu'elle le surprenne.

– Une menace du fait de leur nombre ? Billevesées pour neurasthéniques. Un cauchemar qui ne se réalisera jamais. Leur nombre ne fait qu'augmenter leur confusion.

– Je ne me considère pas comme neurasthénique. Mais j'ai des yeux pour voir et des oreilles pour entendre.

– Et qu'entendez-vous ?

– Un silence. Qui n'est pas naturel.

Avant que Pedro ait eu le temps de répondre, Isabel les rejoignit sur la véranda et s'assit sur un des fauteuils de rotin. Elle souriait.

Hanna se douta qu'elle les avait écoutés en cachette. Mais pourquoi être entrée à cet instant précis ? Pour mettre fin à la conversation ? Ou y avait-il une autre raison ?

Soudain, elle imagina Pedro attrapant Isabel par la jambe et la jetant aux crocodiles. Elle sursauta et lâcha sa tasse. De là à imaginer qu'il la pousse elle aussi dans le bassin, toute femme blanche qu'elle était, il n'y avait qu'un pas.

Pedro agita la clochette argentée. Un domestique vint ramasser les morceaux et essuyer par terre.

Elle se souvint alors de Berta. Jonathan Forsman avait par

erreur fait tomber une tasse de café. Elle revoyait la scène : Berta balayant, puis passant la serpillière. Forsman n'avait même pas regardé dans sa direction.

Et moi, dans quelle direction suis-je en train de regarder ? Et pourquoi imaginer ainsi Pedro Pimenta ?

La brise rafraîchissante avait disparu. La chaleur était immobile sur la véranda. Au loin, on entendit un rire isolé.

Ils se taisaient. Hanna les regarda. La belle Isabel et Pedro Pimenta, lèvres pincées.

Je n'ai pas de miroir, songea-t-elle. Mais je sais que c'est à lui que je commence à ressembler. Et je ne veux pas.

48

Un instant plus tard : Isabel était rentrée. Pedro Pimenta en avait assez de s'éventer avec son casque. Il alla s'installer sur une balancelle, ôta sa chaussure droite et passa son gros orteil dans la boucle d'une corde qui actionnait un grand éventail transparent au-dessus de sa tête. Le courant d'air arrivait jusqu'à Hanna, qui sur l'injonction de Pedro avait rapproché son fauteuil. De loin, on aurait pu croire qu'ils se chuchotaient des confidences. Mais ce n'était que la fragile fraîcheur de l'éventail qui les avait poussés à s'asseoir si près que leurs jambes se frôlaient.

– Nous ne savons rien l'un de l'autre, dit Pedro Pimenta. Nous nous rencontrons ici, et nous vivons sans rien révéler de notre passé. J'imagine parfois qu'une nuit noire, sur le bateau, sans que personne nous voie, nous avons jeté notre passé par-dessus bord, bien lesté. Par exemple, je ne sais rien de vous. Du jour au lendemain, vous voilà installée dans l'une des chambres du bordel que je fréquente. Une mystérieuse cliente. Puis vous voilà mariée à Senhor Vaz. À sa mort, vous vous retrouvez propriétaire de la plus lucrative maison de joie de ce coin d'Afrique. Mais je ne sais toujours rien de vous. Et vous me demandez un conseil que je ne peux pas vous donner.

– C'est mon mari qui m'a suggéré de m'adresser à vous, si j'avais besoin d'un conseil et qu'il n'était pas là.

Il la dévisagea en plissant les yeux.

– Étrange…

– Qu'il m'ait dit d'aller vous voir ?

– Non. Mais qu'il ait pensé qu'on puisse dans l'absolu donner un conseil à quelqu'un. Ce n'était pas son genre.

– C'est pourtant ce qu'il m'a dit.

– Je ne dis pas le contraire. Pourquoi me mentiriez-vous ? Je suis juste étonné qu'il me surprenne après sa mort. Je n'aime pas que les morts me surprennent.

La conversation s'acheva. Isabel vint s'accroupir près de son mari. Du bout des doigts, elle lui caressa le cou et la joue. Hanna s'étonna qu'il la laisse manifester une telle tendresse en sa présence.

J'ai un chimpanzé à qui j'enlève les tiques. Il a une femme noire qui lui caresse la joue. D'une certaine façon, cela se ressemble.

Elle se demanda comment ce serait d'avoir un homme noir accroupi près d'elle qui lui caresse la joue. Elle frissonna. Elle se souvint alors des mains de Lundmark, grosses, mais bien soignées, et le chagrin l'envahit.

Isabel se releva et quitta la véranda. Elle sourit à Hanna en partant. Pedro Pimenta l'observa, les yeux plissés.

– Je peux vous acheter le bordel, dit-il soudain. Si vous décidez de quitter la ville. Je peux vous payer en monnaie portugaise, en or ou en pierres précieuses. Mais je suis un homme d'affaires, j'essaierai d'obtenir le prix le plus bas possible.

L'idée d'une bonne affaire l'avait tant excité qu'il tira trop fort sur la corde qui tout à coup se détacha. Il hurla pour appeler son serviteur, Harri, qui arriva aussitôt en courant et répara la corde. Hanna comprit que ce n'était pas la première fois.

– Pourquoi s'appelle-t-il Harri ? demanda-t-elle quand ils furent à nouveau seuls. Ce n'est pas un prénom portugais, n'est-ce pas ?

– Il vient du Matabeleland, la colonie anglaise. Il prétend avoir vu un jour Cecil Rhodes dîner en smoking en plein bush, avec table, service en argent et tapis persan transportés à dos de cheval. Qu'il l'ait vu de ses propres yeux, j'ai quelques doutes. Mais il est certain que Cecil Rhodes se faisait servir dans tous les campements comme au Savoy Hotel de Londres. Cet homme était fou. Harri est entré à mon service, et désormais il est encore plus fidèle que mes chiens. Et comme les chiens sont très importants pour moi, les Noirs qui se comportent comme eux ont toute ma sympathie.

– Que se passerait-il si je vous vendais le bordel ?

– Je ferais prospérer son nom et sa bonne réputation. Je soignerais bien les clients.

– Et les femmes ?

Il sembla soudain agacé par sa question. Les femmes ? Son pied se mit à tirer plus fort sur la corde de l'éventail.

– Vous voulez dire les putes ?

– Oui ?

– Eh bien ?

– Si elles vieillissent, tombent malades ? Si plus personne ne veut payer pour elles ?

– Alors elles dégagent, naturellement.

– Donnez-leur de quoi acheter un étal au marché. Ou construisez-leur une maison si elles en ont besoin. C'est une exigence que j'imposerai à l'acheteur, pour l'avenir.

Il secoua presque imperceptiblement la tête, et réfléchit avant de répondre. Son pied ne bougeait plus.

– Je maintiendrai les routines en vigueur. Pourquoi les changer ?

– Vous savez certainement que beaucoup de propriétaires de bordel en ville brutalisent leurs filles. Nous avons toujours été une exception.

Ce « nous » était exagéré. Tout venait de Senhor Vaz. Elle s'était contentée de ne rien bouger.

– Ce sera comme je dis : je ne changerai rien. Pourquoi changer ?

Ils n'en parlèrent pas davantage. Hanna fut conviée à un repas composé d'une soupe glacée et d'une coupe de compote. Elle but deux verres de vin, même si elle savait qu'elle aurait mal à la tête. Isabel mangea avec eux, mais ne dit mot. Pedro Pimenta énuméra sans cacher sa satisfaction les familles sud-africaines qui avaient acheté ses bergers allemands blancs. Avec fierté, il raconta que deux de ces chiens avaient égorgé des Noirs qui tentaient de cambrioler les villas aux allures de forteresse dont ils assuraient la garde. Isabel écouta son récit sans broncher. Elle arborait un sourire figé qui semblait immuable.

En fin d'après-midi, Hanna revint en ville. Le soleil avait disparu derrière un front orageux qui menaçait derrière les montagnes, vers le Swaziland.

L'entretien avec Pedro Pimenta avait augmenté sa confusion. Elle était plus que jamais hésitante. Elle ne pouvait pas le croire quand il prétendait ne rien vouloir changer : pourquoi croire qu'il traiterait les femmes autrement que ses chiens blancs ou les crocodiles qui attendaient dans leurs bassins d'être tués et dépecés ? Pedro Pimenta était homme à jouir en jetant une brebis vivante à des crocodiles affamés.

Elle ouvrit sa fenêtre pendant le trajet. Le vent battait le châle dont elle se protégeait la bouche contre la poussière rouge qui tourbillonnait le long de la route.

Un bref instant, elle eut la tentation de crier au chauffeur de la conduire à la frontière sud-africaine.

Mais elle ne dit rien, se contenta de fermer les yeux et rêva à l'eau brune translucide du fleuve de son enfance.

À sa descente de voiture, Julietta vint aussitôt lui ouvrir la porte et prendre son chapeau. Elle comprit alors que sa rencontre avec Pedro Pimenta lui avait malgré tout donné un début de réponse. Elle avait la responsabilité des femmes que son mari lui avait laissées.

Elle pourrait l'assumer si elle parvenait déjà à être responsable de sa propre vie.

49

Après une violente pluie nocturne qui une fois de plus inonda les rues de la ville, un homme se présenta en frissonnant à la porte du bordel et demanda à voir la propriétaire. Comment savait-il qu'une femme était propriétaire de l'établissement, alors qu'il n'était visiblement pas un client ? L'inconnu inquiétait de plus en plus Hanna, en particulier les gens dont elle ne savait pas ce qu'ils lui voulaient.

Ce matin-là, elle avait examiné avec Eber le coût des réparations des dégâts causés par deux marins finlandais. Dans un accès de colère, ils avaient démoli la plupart des meubles de la salle où les prostituées attendaient les clients sur des canapés. Des soldats de la garnison portugaise appelés à la rescousse étaient parvenus à leur passer les menottes. Personne ne savait ce qui avait provoqué leur fureur. Et encore moins les deux marins eux-mêmes, ivres, qui ne connaissaient pas un seul mot d'une autre langue que leur finnois aux accents étranges. Lors d'un incident analogue, Felicia avait expliqué qu'à l'origine de ces accès de fureur il y avait toujours l'impuissance. Incapables d'arriver à leurs fins, les hommes s'en prenaient au mobilier du bordel, comme si c'était lui qu'il fallait punir.

Le capitaine finlandais avait payé la caution de ses deux marins et s'était dépêché de repartir vers Goa, sa destination finale. L'argent qu'il avait versé couvrait tout juste les frais. Hanna prévoyait d'établir un tarif très précis en cas de détériorations futures.

Judas entra et murmura en s'inclinant qu'un visiteur attendait dehors. Hanna n'avait jamais entendu son nom, Emanuel Roberto. Elle ordonna à Judas de le faire attendre, le temps qu'elle finisse son travail avec Eber, qui était méticuleux, mais lent. Parfois, son écriture appliquée de gratte-papier somnambule poussait sa patience à bout. Mais elle se maîtrisait toujours. Elle dépendait de lui pour veiller à ses affaires.

Eber sortit en la saluant bien bas, elle fit entrer Emanuel Roberto. Il titubait presque et son visage était secoué d'étranges tics. Hanna se demanda s'il était ivre et songea à le renvoyer sans même l'écouter. Mais quand d'une main tremblante il lui tendit sa carte, elle vit qu'il s'agissait du vice-directeur de l'administration fiscale et comprit qu'il fallait bien le traiter. Elle l'invita à s'asseoir, fit venir du café et une corbeille de fruits. Son corps dégageait une forte odeur, comme s'il fermentait. Discrètement, elle se mit à respirer par la bouche.

Emanuel Roberto ne levait pas sa tasse pour boire, mais se penchait vers elle, comme un animal à l'abreuvoir.

À l'inverse de son corps inquiet, sa voix était ferme et assurée.

– J'ai eu l'honneur de m'occuper des affaires fiscales de Senhor Vaz toutes les années où il était propriétaire de ce bordel, commença-t-il.

Elle tiqua en l'entendant utiliser le mot « bordel », comme si ce n'était pas convenable dans sa bouche.

– D'après ce que m'a dit Andrade, continua-t-il, Senhora Vaz est désormais la propriétaire en titre. Si j'ai bien compris, c'est l'avocat Andrade qui gère le tout, comme au temps du précédent propriétaire ?

Il se tut et la regarda, semblant attendre une réponse de

sa part. Hanna avait du mal à se retenir de rire. Les tics qui secouaient son visage contrastaient trop avec sa voix solennelle. L'homme qu'elle avait en face d'elle semblait mal assemblé.

Comme elle ne disait rien, il sortit de sa serviette quelques documents rédigés d'une plume enjolivée sur papier vergé agrémenté de sceaux et de tampons.

– Voici votre avis d'imposition définitif pour l'année passée. Comme le propriétaire et donc le responsable durant la plus grande partie de l'année fiscale était votre mari, nous ne vous présentons ces comptes qu'à titre informatif. Mais je puis constater que cette année encore, ce bordel est le plus gros contribuable de la colonie. Il est sans doute pénible pour un fonctionnaire d'admettre qu'un bordel soit l'activité la plus rentable de ce pays. On s'en émeut à Lisbonne. Voilà pourquoi votre établissement est décrit comme un complexe hôtelier. Mais la conclusion reste la même : votre contribution fiscale dépasse celle de toutes les autres entreprises du pays. Je ne peux que vous en féliciter.

Il lui tendit les documents. Le portugais administratif et le style ampoulé firent qu'elle devina plus qu'elle ne comprit. Mais les chiffres étaient clairs. Elle convertit rapidement en couronnes suédoises la somme gigantesque qu'elle payait en impôts.

C'était vertigineux. Pour la première fois, elle réalisa que son mariage avec Senhor Vaz n'avait pas juste fait d'elle une femme aisée. Elle était riche comme Crésus. Et pas seulement dans cette lointaine colonie. De retour en Suède, elle serait à la tête d'une petite fortune.

Emanuel Roberto se leva et la salua.

– Je vous laisse ces papiers. Si la senhora a des remarques, il vous suffira de me les signaler d'ici quatorze jours. Mais je crois pouvoir vous assurer que tout est comme il faut, en ordre, correctement compté et consigné.

Il s'inclina à nouveau et sortit. Hanna resta longtemps assise. Quand elle se leva, ce fut pour regagner sa maison sur les hauteurs et réfléchir à ce que cette richesse impliquait pour son avenir.

En traversant la grande salle aux canapés, elle vit une des femmes disparaître dans sa chambre avec un client matinal.

Elle n'aperçut l'homme qu'un court instant, de dos.

Pourtant, elle en était certaine. C'était le capitaine Svartman qui était entré dans cette chambre, dont la porte était à présent close.

50

Le paon cria. Il était au milieu de la rue déserte, dans un rayon de soleil qui s'était frayé un passage entre deux maisons. Des vérandas couraient à l'étage, tandis qu'au rez-de-chaussée des marchands indiens indolents ouvraient lentement leurs boutiques. Autour du paon, tout demeurait dans l'ombre. Il était comme sur une scène, éclairé par un projecteur.

Il cria à nouveau, puis se mit à picorer d'invisibles graines que seul un œil de paon pouvait voir.

Hanna s'était arrêtée net. Figée de savoir le capitaine Svartman dans son bordel. Ressentait-elle de la joie à revoir quelqu'un surgi de son passé, ou redoutait-elle de le rencontrer ? Elle ne savait pas.

Elle était surtout étonnée. Le capitaine Svartman n'avait jamais été pour elle qu'un marin déterminé dont l'unique passion était les pots de fleurs de sa cabine, qu'il était le seul à soigner. Elle ne l'aurait jamais imaginé allant voir des prostituées dans un port africain. Peut-être venait-il si tôt pour ne pas risquer d'y rencontrer un membre de son équipage.

Penser au bateau la fit agir. Elle quitta l'hôtel en emmenant l'un des gardiens qui dormaient accroupis devant l'entrée et descendit vite au port. Les commerçants indiens occupés à remonter leurs stores la regardaient avec curiosité, à la dérobée. Hanna avait compris depuis longtemps que la plupart savaient qui elle était. Elle ressentait une joie presque gênante à ne plus être une inconnue. Aussi apportait-elle un grand soin à ses tenues vestimentaires pour ses trajets entre sa maison et le bordel.

Pendant la courte durée de son mariage avec Senhor Vaz, elle avait déjà deux couturières qui lui faisaient des vêtements. Elle s'en était procuré une autre encore, qui par des voies mystérieuses avait échoué en Afrique après une longue vie à Paris dans les cercles les plus chics de la mode. On invoquait des malversations financières, pire peut-être. Mais elle était une excellente couturière, et Hanna n'hésitait pas à la payer ce qu'elle demandait.

Hanna était essoufflée en arrivant au port. Amarré à l'un des quais extérieurs, le bateau qu'elle connaissait si bien. Elle s'arrêta à l'ombre d'une des grandes grues récemment installées sur le port. Des dockers noirs pieds nus, aux pantalons déchirés, entouraient un contremaître blanc qui distribuait les tâches. On aurait dit un prêtre qui prêchait la religion esclavagiste.

Mais elle ne quittait pas le bateau des yeux, emplie de sentiments contradictoires. Comme on était en train de décharger toute sa cargaison de bois, Hanna supposa qu'il allait repartir vers la Suède. Elle pourrait revenir en payant sa place, tout laisser derrière elle, vendre le bordel aujourd'hui même. Certes, elle y perdrait beaucoup. Mais elle serait encore une femme riche.

La vue du navire lui faisait aussi considérer sa fuite d'un autre angle. Vers quoi pouvait-elle revenir ? Sa vie n'avait-elle pas connu une transformation dont elle n'aurait même pas pu rêver ?

Elle regagna le bordel, plus indécise que jamais. En franchissant le porche, elle ne savait pas si elle allait révéler sa présence au capitaine Svartman. Mais avant qu'elle n'atteigne le banc sous le jacaranda, la porte de la chambre de Felicia s'ouvrit et Svartman se trouva soudain nez à nez avec elle.

Il parut d'abord ne pas la reconnaître. Une seconde d'hésitation. Puis il fut certain.

– Vous, ici ?

– Je pourrais dire de même, répondit-elle. Le capitaine Svartman, ici ?

Ils se regardèrent. Hanna sentit qu'elle avait un vague avantage, car il ne pouvait pas savoir à coup sûr ce qu'elle faisait au bordel. Il pensait probablement la seule chose vraisemblable : qu'elle s'y prostituait. Mais il devait avoir du mal à le croire.

Hanna jugea bon de s'en défendre. Elle secoua la tête.

– Ce n'est pas ce que vous pensez.

Elle l'invita d'un geste à la suivre sur le banc, sous le jacaranda. Zé était arrivé en silence et s'était installé au piano. Il exprimait sans mots combien lui manquait Carlos, sans doute son seul ami depuis que le cœur de Senhor Vaz s'était arrêté. Il la considérait sans doute comme une créature maléfique qui lui avait arraché son frère et le singe auquel il avait toujours pu se confier.

Hanna et le capitaine prirent le thé sous l'arbre.

– Je ne sais pas qui de nous deux est le plus étonné, capitaine Svartman ? Vous de me voir, ou moi de vous voir ?

– Bien entendu, je me suis demandé ce qui s'était passé, dit Svartman. Nous vous avons cherchée une journée entière. Puis nous avons été obligés de continuer le voyage.

– J'avais l'impression que Lundmark était encore à bord, dit-elle. Je devais m'enfuir. Je n'avais pas d'autre issue.

Svartman hocha pensivement la tête. Puis il sourit.

– Je suis bien sûr content de vous revoir en vie.

– Une amie était mariée au propriétaire de ce bordel, dit-elle. Il est mort. Elle-même est malade. Je m'occupe des comptes. J'ai cet endroit en horreur, je ne fais cela que pour mon amie.

La croyait-il ? Impossible de le dire. L'alliance qu'elle portait à la main gauche pouvait être un souvenir de son mariage avec Lundmark.

– Que s'est-il passé ? demanda le capitaine Svartman après avoir réfléchi à ce qu'il venait d'entendre – il semblait ne pas avoir encore bien réalisé.

– Je me suis d'abord installée à l'hôtel. J'avais de l'argent. Puis j'ai été la gouvernante d'un vieux monsieur. Mais j'ai toujours espéré le moment de pouvoir rentrer.

– Qu'est-ce qui vous en empêche ?

– Le chagrin d'avoir perdu Lundmark. La peur de la mer.

– Je crois que je comprends, hésita Svartman.

Comme rien de ce qu'elle avait dit n'était vrai, elle chercha à changer de sujet. Elle revint au moment où, à la faveur de la nuit, elle avait quitté le navire.

– Qu'avez-vous pensé ?

– Que vous vous étiez peut-être noyée.

– Volontairement, ou non ?

– Je devais bien craindre les deux. Mais d'autres, à bord, échafaudaient des théories plus audacieuses. Ils vous imaginaient entre les mains de marchands d'esclaves. Ou mordue par un serpent s'étant glissé à bord, et tombée à l'eau avant que le venin n'agisse.

– Personne ne pensait donc que j'avais pu volontairement quitter le bateau ?

Svartman répondit, l'air abattu :

– J'avoue que moi-même je n'avais pas envisagé cette possibilité. Et pourtant, dans toutes mes années en mer, j'en ai vu, des marins disparaître dans les ports.

Elle l'interrogea sur le voyage du retour. S'étaient-ils arrêtés à Lourenço Marques ? Mais Svartman lui dit qu'ils étaient allés directement à Port Elizabeth charger des marchandises pour Rouen.

Elle prit des nouvelles de Halvorsen et des autres marins. Et de Forsman et Berta. Il répondit laconiquement, soudain pressé. Il ne souhaitait pas s'attarder au bordel plus que nécessaire. Sa visite chez Felicia avait eu lieu en secret, aucun membre à bord ne devait l'apprendre.

Hanna, déçue, se dit que le capitaine Svartman était comme tous les autres hommes. Ils se faufilaient en cachette à la faveur de la nuit ou au petit matin.

Mais valait-elle mieux ? Ne se dissimulait-elle pas, elle aussi ? Assis sous le jacaranda, ils ne se confiaient que des demi-vérités.

– Combien de temps restez-vous ?

– Jusqu'à demain.

– J'aimerais bien visiter le bateau. Bien sûr, je ne dirai pas un mot de l'endroit où nous nous sommes rencontrés.

Elle devina une hésitation dans son regard : allait-il la croire, ou non ? Mais elle le regarda fixement dans les yeux. À présent elle était son égale, plus une cuisinière effarouchée qui, un an plus tôt, lui faisait des courbettes.

Elle se leva. La conversation était finie, elle le relâchait.

Ils se séparèrent sur la rue.

– Cet après-midi, dit Svartman. Ce matin j'ai à faire, le ravitaillement à surveiller.

Le paon était parti. La rue était tout à fait déserte, écrasée sous le soleil. Elle lui tendit la main.

– Je viendrai cet après-midi. Si cela vous convient.

– J'y serai.

Il s'inclina et sembla hésiter.

– Peltonen est mort, dit-il. Il est tombé à la mer une nuit devant la côte égyptienne. Personne n'a remarqué son absence avant le matin.

– C'est Peltonen qui a mesuré la profondeur de la tombe de Lundmark, dit Hanna. 1 935 mètres.

Svartman hocha la tête. Puis tourna les talons et s'en fut. Il disparut au coin de la rue.

Il n'a pas choisi le chemin le plus court pour regagner le port, songea-t-elle. Il a tourné pour être plus vite débarrassé de mon regard dans son dos.

Soudain, elle se demanda s'ils avaient rencontré un iceberg.

Puis elle regagna sa maison de pierre.

Là, elle entreprit d'écrire les lettres qui ne pouvaient attendre.

51

Ce fut un choc pour elle, quand elle relut la lettre qu'elle avait écrite à Elin. Au lieu de lui parler de son voyage, elle avait inventé une sorte de conte. La seule chose qui avait à voir avec la réalité, c'était sa rencontre avec Lundmark, son mariage, puis les funérailles en mer. Mais elle avait entièrement éludé ce qui s'était passé ensuite, sa fuite et sa rencontre avec Vaz, propriétaire de bordel. Pour expliquer pourquoi elle n'avait pas continué jusqu'en Australie avant de rentrer en Suède avec le *Lovisa*, elle avait argué d'une maladie grave mais de courte durée, dont elle était depuis longtemps guérie.

Elle repoussa la lettre avec dégoût. Elle réalisait à présent ce qu'impliquaient les paroles du capitaine Svartman. Ce qu'avait appris Forsman quand le bateau avait accosté à Sundsvall, de retour d'Australie. Et ce dont Elin avait dû être informée par la suite, dans ses lointaines montagnes.

Sa fille était morte. Tout ce temps, Elin avait vécu en deuil de Hanna, morte à l'étranger. Personne ne savait ce qui lui était arrivé, ni où elle était enterrée. Si seulement elle l'était.

À cette idée, Hanna se mit à pleurer. Soudain elle découvrit Julietta, qui l'épiait par l'embrasure de la porte. Hanna saisit le vieux presse-papiers de Senhor Vaz et le lança rageusement dans sa direction. Julietta l'esquiva et se dépêcha de refermer la porte.

Hanna voulait qu'on la laisse pleurer tranquille. Mais elle n'en avait même pas le temps. Elle déchira la lettre et en écrivit une autre, d'une main tremblante.

Je vis. C'était l'essentiel. *Je vis*. Elle répéta la phrase presque à chaque ligne. Comme une litanie pour qu'on la prenne au mot. Elle n'était pas morte, comme l'avait cru le capitaine Svartman. Elle avait débarqué, malade de chagrin, et était restée à terre quand le bateau avait poursuivi sa route vers l'Australie. Mais elle allait bientôt rentrer. Et elle était vivante. C'était le plus important, elle était encore en vie.

Voilà la lettre qu'elle voulait écrire à Elin. Et elle répéta la même chose, mais en s'épanchant moins, dans les deux autres lettres qu'elle rédigea le même jour. L'une était pour Forsman, l'autre pour Berta. Elle était vivante, elle allait bientôt rentrer.

Les trois lettres étaient devant elle, dans des enveloppes cachetées avec, de sa plus belle écriture, les noms des destinataires. Elle avait appris avec Berta à lire et à écrire, péniblement, mais c'était une étape décisive pour échapper à la pauvreté. Pourtant, elle hésitait encore souvent sur l'orthographe ou l'ordre des mots. Mais peu importait. Pour Elin, ce serait une nouvelle incroyable : sa fille aînée était revenue de chez les morts.

Dans l'après-midi, elle fit venir la voiture d'Andrade pour qu'on la conduise au port. Elle s'était bien habillée, avait passé du temps devant le grand miroir de l'entrée. En route, elle eut une idée et demanda au chauffeur de faire un détour par l'atelier du photographe Picard, un Français établi à Lourenço Marques au début des années 1890. Son atelier était fréquenté par les habitants aisés de la ville. Picard avait été défiguré par un éclat d'obus durant la guerre de 1870. Malgré son visage rebutant, sa gentillesse et son talent étaient appréciés de tous. Il refusait cependant de photographier les Noirs, sinon en tant que serviteurs ou porteurs, ou en toile de fond derrière les Blancs dont il devait tirer le portrait.

Picard la reçut avec des courbettes et lui proposa de la photographier sur-le-champ. Un couple venait juste de se décommander suite à la rupture des fiançailles. Hanna voulait être prise debout, avec son grand chapeau sur la tête, ses gants longs et son parapluie replié à côté d'elle.

Picard lui demanda respectueusement pour qui était la photographie. Il savait très bien à qui il avait affaire, était au courant de son bref mariage avec Senhor Vaz. Hanna savait quant à elle que, pour une raison quelconque, il réservait ses propres visites au bordel à l'un de ses concurrents.

– C'est pour ma mère, dit-elle.

– Je comprends. Un portrait digne, qui montre que tout va bien en Afrique, que la vie vous a offert succès et richesse.

Il la plaça près d'un grand miroir et d'un magnifique fauteuil. Après des essais, il ôta de la composition un bouquet de fleurs posé sur un guéridon. Il prit ensuite la photo et promit de la développer aussitôt et d'en faire trois tirages. Hanna paya le double de ce que Picard lui demanda. Ils convinrent que le boy livrerait les photos au capitaine Svartman dès qu'elles seraient sèches.

Au port, Svartman l'attendait en haut de la passerelle. Hanna vit qu'il avait brossé son uniforme et astiqué sa casquette. En montant sur la passerelle, elle se souvint un bref instant vertigineux de ce qu'elle avait ressenti en quittant le navire. Elle salua le capitaine. Quelques marins étaient en train d'épisser des cordages, d'autres réparaient une écoutille. Elle n'en reconnut aucun. Svartman suivit son regard et comprit qu'elle cherchait un visage connu.

– L'équipage est entièrement renouvelé, dit-il. Après la

mort de Lundmark, on s'est mis à murmurer que j'avais le mauvais œil. La disparition de Peltonen n'a rien arrangé. Mais mon équipage actuel est très compétent. Un capitaine ne peut pas passer son temps à regretter les disparus. Je navigue avec les vivants, pas avec les morts.

Il la conduisit jusqu'à sa cabine. En chemin, elle aperçut le nouveau cuisinier qui sortait de la cambuse, un jeune homme aux cheveux blonds.

– Un Estonien, dit le capitaine. Il cuisine bien, le plus souvent. Taciturne et propre.

Ils s'installèrent dans la cabine, où un jeune garçon hésitant en veste blanche vint leur servir du thé. Hanna vit que les pots de fleurs étaient bien soignés, près des hublots cerclés de laiton.

– Il faut que je sache ce que vous avez dit à Jonathan Forsman.

Svartman hocha la tête. Il s'attendait à cette question.

– Je ne pouvais pas lui dire autre chose que la vérité. Que vous aviez disparu lors de notre dernière escale avant l'Australie. Que nous vous avions cherchée une journée entière. Mais que nous avions dû continuer notre voyage. Et que je ne savais pas ce qui vous était arrivé. Morte ou vivante, je ne savais pas.

– Et Forsman ?

– Il était choqué. Il tremblait. J'ai eu peur qu'il fasse une attaque. Ce n'était pas contre moi qu'il était en colère, mais contre le destin. Parce que vous n'étiez pas revenue. Je crois qu'il se sentait très responsable.

– Savez-vous ce qu'il a raconté à ma mère ?

Le capitaine secoua la tête.

– Je suppose qu'il a essayé de lui donner du courage. Mais elle pense sans doute que sa fille est morte et enterrée en terre étrangère.

Le ventre de Hanna se serra, elle était au bord des larmes. Mais elle ne voulait pas pleurer devant le capitaine. Elle prit sur elle pour ne pas éclater en sanglots.

Ils burent le thé que leur servit le mousse d'une main tremblante. Hanna reconnut les tasses en porcelaine.

– Quel continent terrible, dit soudain le capitaine. J'essaie de comprendre comment vous avez pu y vivre si longtemps.

– Tout n'est pas si terrible, répondit-elle. La chaleur peut être pénible mais, la plupart du temps, elle est agréable. Ici, on ne souffre jamais du froid. J'ai essayé d'expliquer à des Noirs ce qu'était la neige. Comme de la glace, mais léger comme du duvet qui tombe du ciel. Impossible de leur faire comprendre.

– Mais les gens ? Les Noirs ? J'ai des frissons à voir comment ils vivent.

– Je ne sais pas grand-chose d'eux. Ils vivent leur vie à l'écart de la ville. Ils arrivent le matin avec le soleil levant pour travailler comme domestiques ou ouvriers. Puis disparaissent.

– J'entends parler de violences, de vols. Il y a toujours deux gardes pour surveiller la passerelle quand nous mouillons dans des ports africains. Des capitaines m'ont parlé de voleurs montant à bord à la nage.

– Je n'ai rien vu de tout ça depuis que je suis ici. Les Noirs ne sont pas comme nous. Mais sont-ils plus dangereux ? Je l'ignore. J'ai peine à le croire.

– Peut-on leur faire confiance ?

– Non, dit Hanna – surtout pour aller dans le sens du capitaine.

Ce qu'elle en pensait vraiment, elle réalisa qu'elle n'en savait rien.

Le capitaine regarda ses mains en silence.

– Ça n'arrive pas souvent, dit-il alors. Que j'aille voir ces femmes noires.

– Naturellement, dit Hanna. J'ai déjà oublié où nous nous sommes rencontrés.

Le capitaine sembla soulagé. Hanna profita de son avantage.

– Je n'étais allée au bordel que pour savoir pourquoi le caissier n'était pas venu me voir hier soir. D'habitude, je n'y vais jamais. Je travaille à bonne distance. J'habite une maison de pierre qui n'a rien à envier à celle de Jonathan Forsman.

Le capitaine hocha la tête. Hanna vit qu'il paraissait impressionné, tout en ne la croyant pas vraiment. Nous ne nous faisons pas confiance, pensa-t-elle. C'était différent pendant notre voyage.

Soudain, elle eut hâte de quitter le navire. Elle posa ses trois lettres sur la tablette vissée à la paroi.

– Une photo va arriver. En trois exemplaires. Je veux que Forsman et Berta en aient chacun un. Le dernier devra être envoyé à ma mère.

Elle ouvrit sa bourse et sortit quelques gros billets portugais. Le capitaine les refusa. Hanna se demanda un instant en quelles devises il avait payé Felicia pour ses services. L'idée du capitaine nu sur le beau corps de Felicia lui donna la nausée.

Il la raccompagna sur le pont.

– Je vais bientôt rentrer en Suède, dit-elle. D'autres navires suédois viennent de temps à autre mouiller ici. Mais je ne peux pas voyager tout de suite. J'ai endossé une responsabilité tant que la propriétaire du bordel est malade. Je ne peux pas quitter cette ville avant qu'elle soit guérie.

– Naturellement, dit le capitaine.

Il ne me croit pas, songea Hanna. Ou du moins il se méfie. Et pourquoi en serait-il autrement ?

Ils firent le tour du navire. Un gros chat norvégien monté à Sundsvall dormait en boule dans des cordages.

– Et Berta ? demanda soudain Hanna. Elle est toujours chez Forsman ?

– Elle a eu un enfant, dit le capitaine. Je ne sais pas bien qui en est le père. Mais Forsman lui a permis de rester.

Aussitôt, Hanna supposa que Forsman était le père. Sinon il n'aurait jamais laissé Berta rester sous son toit.

La solitude de Berta. La mienne. Quelle différence ?

Un Noir arriva en courant sur le quai. Il tenait un paquet. Les photographies de Picard. Le capitaine et Hanna les déballèrent. Le portrait en noir et blanc la montrait, vraiment ressemblante. Une jeune femme, qui regarde droit vers l'objectif d'un air franc et décidé.

– Forsman et votre mère vont être très contents. Forsman sans doute plutôt soulagé de vous savoir en vie.

Il posa une dernière question avant qu'ils ne se séparent en haut de la passerelle :

– Où dois-je dire que vous travaillez ?

– Dans un hôtel, dit-elle. L'hôtel Paradis.

Ils se serrèrent la main. Elle quitta le navire sans se retourner.

Le lendemain, quand elle retourna au port, il avait disparu.

52

Quelques jours plus tard. Mer d'huile, nulle brise pour rafraîchir les rues poussiéreuses.

Une nuit, Hanna se réveilla comme si on l'avait frappée. Carlos avait poussé un cri et sauté de son lustre dans le lit. Hanna savait que les singes avaient un cri particulier pour avertir les autres membres de la horde d'un serpent ou d'un autre danger. Elle alluma la lampe à pétrole sur sa table de nuit. Quand la lumière vacillante se répandit dans la chambre, Carlos parut aussitôt se calmer. Elle se dit qu'il avait dû faire un cauchemar, comme d'autres fois quand, après avoir poussé des gémissements inquiets dans son sommeil, il semblait le lendemain renfrogné et absent.

Quelque chose inquiétait le singe. Carlos avait grimpé sur le rebord de la fenêtre. Hanna écarta les rideaux : c'était l'aube. Elle vit de la fumée et des flammes s'élever en ville, non loin du bordel. En ouvrant la fenêtre, elle entendit des cris et des clameurs. Carlos s'enfuit sur le toit et refusa d'en redescendre quand elle l'appela.

Hanna dirigea sa longue-vue vers les flammes. La lueur du jour était encore faible, mais elle devina qu'il ne s'agissait pas d'un incendie ordinaire. Des Noirs couraient partout avec des gourdins et des piques. Ils jetaient des pierres et des fagots enflammés sur les soldats de la garnison portugaise qui s'étaient rassemblés. Hanna aperçut des corps gisant dans la rue. Impossible de savoir si c'étaient des Noirs ou des Blancs.

Elle baissa sa longue-vue et essaya de comprendre ce qui se passait. Puis elle tira la sonnette, bien fort, pour qu'il soit bien clair qu'on devait venir sur-le-champ, même si tous les domestiques, sauf Anaka, dormaient sûrement encore.

Julietta se présenta, à moitié habillée, les cheveux en désordre. Mais elle semblait tout à fait réveillée. Les autres domestiques avaient sans doute déjà remarqué les troubles en ville et laissé la plus jeune répondre à la sonnette.

Hanna entraîna Julietta sur la véranda.

– Que se passe-t-il ? demanda-t-elle.

– Les gens sont en colère.

– Qui est en colère ?

– Nous sommes en colère.

En disant ces derniers mots, Julietta fit quelque chose dont elle n'avait pas l'habitude : elle regarda Hanna droit dans les yeux. Comme piquée au vif, pensa Hanna. Ce qui se passe dans la rue me concerne aussi.

– Et pourquoi êtes-vous en colère ? demanda Hanna. Allez, réponds-moi, sans m'obliger à te tirer les vers du nez.

– Un Blanc a cassé la cruche d'une femme.

Hanna s'irrita de cette réponse sans queue ni tête. Fâchée, elle envoya Julietta chercher Anaka. Mais cette dernière se montra encore plus laconique.

Hanna s'habilla. Par chance, elle attendait ce matin-là la visite d'Andrade, qui devait lui faire signer des papiers. Personne mieux que lui n'était au fait de ce qui se passait en ville. Tandis qu'elle prenait son petit déjeuner, elle alla de temps à autre sur la véranda regarder dans sa longue-vue. L'incendie continuait, d'autres foyers semblaient même s'être déclenchés, mais derrière des façades qui empêchaient de les voir. Elle entendait des cris lointains et les claquements secs de coups de feu. Du toit, Carlos suivait les événements, inquiet.

Andrade arriva, le visage rouge et excité comme elle ne l'avait jamais vu. Avant qu'elle ait eu le temps de poser la moindre question, il commença à lui expliquer ce qui s'était passé ce matin-là. Elle remarqua qu'il rudoyait ses domestiques. Il jeta bruyamment un revolver sur la table avant de s'asseoir. L'émeute avait éclaté quelques heures plus tôt, lorsqu'un groupe de Noirs était arrivé en cortège des bidonvilles. Ils avaient soigneusement évité d'emprunter les voies où les soldats surveillaient l'application du couvre-feu. Une fois en ville, ils avaient attaqué un poste de police, qu'ils avaient incendié en jetant des bouteilles de pétrole enflammées. Les soldats tirés du lit avaient ouvert le feu sur les émeutiers et depuis c'était le chaos, un véritable bain de sang.

– C'est donc une révolte, dit Hanna. Il doit y avoir une raison.

– Vraiment ? ironisa Andrade. Ces sauvages n'ont pas besoin d'autre raison que leur soif de sang ancestrale pour déclencher une émeute qui causera leur perte.

Hanna avait peine à le croire. Cela ne pouvait être aussi simple. Le jour où le bateau du capitaine Svartman était au port, elle avait déjà remarqué hostilité et tristesse dans les yeux des Noirs. Elle vivait sur un continent triste, où les seuls à rire, et souvent bien trop fort, étaient les Blancs. Mais ce rire, elle le savait, n'était souvent qu'une façon de cacher une peur qui se transformait facilement en terreur. À cause de l'obscurité, de ceux qui s'y cachaient, invisibles.

Hanna insista. Quelque chose devait bien avoir provoqué la fureur des Noirs. Andrade haussa les épaules avec impatience.

– Quelqu'un doit s'estimer victime d'une injustice et veut mourir pour se venger. Mais ce sera bientôt fini. S'il y a une chose que je sais à propos de ces Noirs, c'est qu'ils sont lâches. Ils filent comme des lapins dès que ça se gâte.

Il ramassa son revolver.

– Je préférerais remettre notre rendez-vous à demain. Le calme sera revenu, les principaux meneurs tués, les autres emprisonnés au fort. Pour le moment, je préférerais descendre en ville, là où ça brûle. Je fais partie de la milice qui doit prêter main-forte aux soldats en cas de menace contre la sécurité. Avec ce revolver, je peux sûrement me rendre utile.

Le ton triomphal d'Andrade effraya Hanna. En même temps, elle voulait savoir ce qui se passait vraiment dans les rues voisines du bordel.

– Je vous accompagne, dit-elle en se levant. C'est plus important que nos papiers à signer.

– Pour votre sécurité, il vaudrait mieux rester chez vous. Les nègres qui perdent les pédales sont dangereux.

– Je dois m'occuper du bordel, dit Hanna. Je suis responsable de mon personnel.

Elle jeta un châle sur ses épaules, coiffa son chapeau à plume de paon et prit son parapluie. Andrade vit qu'elle ne changerait pas d'avis.

Ils traversèrent une ville étrangement calme. Les seuls Noirs présents dans les rues rasaient les murs. Partout, des soldats. Les pompiers municipaux étaient armés, comme beaucoup de civils qui formaient des petits groupes, prêts à défendre leurs quartiers si l'émeute venait à se propager. Pendant le trajet vers le centre des troubles, Andrade n'arrêtait pas de raconter ce qu'il comptait faire. Hanna était dégoûtée de le voir se réjouir de la perspective de pouvoir vider son revolver sur un émeutier.

Mais rien ne se passa comme Andrade l'avait prévu. Quand le chauffeur s'engagea dans une rue adjacente au bordel, ils tombèrent au milieu d'un violent affrontement entre les soldats et une foule furieuse de Noirs : baïonnettes et fusils contre piques et machettes, peur contre colère déchaînée. La voiture fut entourée d'Africains en furie qui se mirent à la secouer pour tenter de la renverser. Il y avait dans l'air une fumée d'essence. Hanna était terrorisée à l'idée de brûler vive dans la voiture. Elle tenta de forcer l'ouverture de la portière, en vain. Heureusement, la capote n'avait pas été mise ce matin-là. Des coups de feu retentirent soudain tout près. Une tête noire qui, un instant plus tôt, se pressait contre le pare-brise éclata en sang et en bouts d'os. Hanna cria à Andrade d'utiliser son revolver. Mais lorsqu'elle se tourna vers lui, elle s'aperçut qu'il était livide, son pantalon de lin trempé d'une flaque d'urine. Le chauffeur parvint à ouvrir sa portière et fut aussitôt avalé par la foule. Hanna avait à présent si peur qu'elle crut perdre connaissance. Mais la terreur d'être brûlée vive était plus forte. Elle se fit violence pour enjamber le siège avant et sortir par le même chemin que le chauffeur.

Elle fut entourée par les Noirs, leurs visages, leurs yeux, leurs odeurs, gourdins et couteaux. Hanna se souvint de ce que lui avait dit Senhor Vaz : face à un lion, la pire attitude était de s'enfuir en courant. Cela ne faisait qu'exciter le lion, et sa proie finissait la nuque brisée d'un coup de dents.

Hanna savait aussi qu'il ne fallait pas regarder le lion dans les yeux. Aussi détourna-t-elle le regard en commençant à fendre la foule compacte. À chaque instant, elle s'attendait à recevoir un coup de couteau ou de gourdin. Mais un chemin s'ouvrit devant elle. Elle refréna son envie de courir, continua à marcher sans se hâter, le cœur battant sous son corsage. Des coups de feu continuaient d'éclater alentour. À chaque détonation, elle sursautait. Elle trébucha sur un cadavre à la poitrine déchiquetée, et s'arrêta net. Mais elle se força à repartir aussitôt.

Un détachement de cavalerie fit irruption sur des chevaux inquiets, en sueur. En quelques instants, la foule qui se serrait autour d'elle se dissipa. La rue ressemblait à un champ de bataille, tapissée de haillons brûlés, de gourdins brisés et de douilles. De nombreux corps noirs, tordus, certains presque nus, jonchaient la rue et les trottoirs. Un homme hurlait de douleur ou de rage. Les soldats en uniforme bleu gardaient l'arme au poing, comme s'ils redoutaient que les morts ne se relèvent pour les attaquer. Au loin, des Blancs se rassemblaient. Un râle montait de leurs rangs, comme si leur haine ne se satisfaisait pas de voir ces morts, qu'elle voulait continuer à les punir.

L'homme qui hurlait s'arrêta soudain. Hanna retraversa lentement le champ de bataille et regagna la voiture d'Andrade. Le chauffeur était revenu. Il tenait le volant et regardait droit devant lui, à travers elle.

Andrade était recroquevillé sur la banquette arrière. La flaque d'urine avait commencé à sécher sur son pantalon clair. Il tenait son revolver comme un crucifix.

Hanna le regarda en songeant qu'elle le détestait pour sa lâcheté. En même temps, elle ne pouvait s'empêcher de se réjouir qu'il soit indemne. Tout est contradictoire, se dit-elle, rien n'est aussi simple que je le souhaiterais.

Face aux cadavres des Noirs tout autour d'elle, elle ne ressentait rien, à son grand étonnement.

Des essaims de mouches commençaient à couvrir les morts. Des chevaux et des charrettes réquisitionnés s'arrêtèrent à l'ombre. Les soldats, des mouchoirs blancs sur le visage, se mirent à empiler les corps.

Comme des animaux, se dit Hanna. Tout juste abattus, pas encore dépecés.

Elle se dépêcha de partir. Andrade lui cria quelque chose, qu'elle ne comprit pas.

53

Leur silence la chassa, mais aussi le fait qu'elles la regardaient dans les yeux. Tout ce qu'elle avait vécu ce matin-là était si effrayant et bouleversant que c'était à son tour de détourner le regard. Elle ressortit dehors, où un officier distribuait des munitions aux soldats qui montaient la garde au coin de la rue. Comme elle le reconnaissait, elle lui adressa la parole. Il fréquentait régulièrement le bordel, et lui promit de la raccompagner aussitôt les munitions distribuées. Elle s'assit dans sa voiture et attendit. Comme elle n'avait pas de toit, elle déplia son parapluie pour se protéger du soleil brûlant. Des essaims de mouches s'acharnaient autour de sa tête, comme si elle était morte elle aussi. Elle les chassait de la main en se disant que tout cela n'était qu'un mauvais rêve dont elle n'arrivait pas à se réveiller.

Le jeune officier s'installa au volant. À côté de lui, un soldat prêt à tirer. En la déposant chez elle, l'officier demanda si elle voulait un garde armé devant sa porte. Mais dans sa maison, Hanna se sentait en sécurité. Elle déclina son offre et rentra chez elle. Julietta la débarrassa de son chapeau, de ses gants et de son parapluie.

Hanna lui demanda de l'accompagner sur la véranda. On sentait toujours l'odeur des incendies. Anaka lui apporta une carafe d'eau. Julietta attendait à quelques mètres du canapé où Hanna avait pris place. Elle lui indiqua une chaise, au bord de laquelle Julietta s'assit, hésitante.

– Que s'est-il passé ? dit Hanna. N'invente rien. Dis-moi ce dont tu es sûre.

Julietta raconta lentement, car elle savait que Hanna avait du mal à la comprendre. Hanna dut souvent la faire répéter. Mais cette matinée-là, sur la véranda, Julietta lui parla plus clairement que jamais. Peut-être parce que ce qu'elle avait à lui dire lui tenait à cœur.

Une jeune fille, Nausica, était allée chercher de l'eau à un puits des faubourgs de Xhipamanhine, l'un des plus vastes quartiers noirs de la ville. Comme toutes les autres femmes, elle portait sa cruche sur la tête. Une grosse cruche de vingt litres, qu'elle portait en équilibre en longeant le sentier. En rentrant chez elle, Nausica avait rencontré trois jeunes Blancs, armés de fusils à plomb pour tirer les mouettes du côté des grandes décharges qui s'élevaient en bord de mer. C'était une zone marécageuse où n'habitait personne, à part les moustiques porteurs de la malaria, qui y avaient l'un de leurs principaux foyers. Nausica avait tenté de céder le passage aux trois hommes sans faire tomber sa lourde cruche. Mais l'un d'eux en avait profité pour frapper celle-ci de la crosse de sa carabine, et la cruche s'était brisée, répandant son eau sur la jeune fille. Nausica s'était effondrée, les bras serrés autour des genoux. Dans son dos, les hommes riaient. Quelques femmes qui travaillaient leurs maigres lopins de terre avaient tout vu. Elles avaient attendu le départ des trois Blancs pour porter secours à Nausica.

Mais quelqu'un d'autre avait assisté à la scène. Akatapande, le père de Nausica, qui était accouru sur le sentier. Il était conducteur de locomotive sur la ligne qui reliait la ville à Ressano Garcia, à la frontière sud-africaine. Il avait justement ses deux jours de congé mensuels. Lorsqu'il avait constaté que Nausica n'était pas blessée, il avait voulu courir après ses trois agresseurs. Nausica et les autres femmes avaient essayé de l'en empêcher. Il risquait d'être assomme ou abattu par ces Blancs qui n'avaient que faire des protestations d'un père contre l'humiliation de sa fille. Mais elles n'avaient pas réussi à le retenir. Il avait rattrapé en courant les trois hommes qui riaient encore du spectacle de cette jeune fille trempée.

Akatapande avait commencé à leur crier des invectives. Ils avaient d'abord continué vers la ville, sans s'en soucier. Mais Akatapande leur avait barré la route et avait frappé l'un d'eux à la poitrine avec indignation. L'un des deux autres l'avait alors mis à terre d'un coup de crosse. Quand Akatapande avait tenté de se relever, il avait reçu un autre coup. Le premier homme avait ensuite braqué son arme sur sa tête et avait tiré. Puis ils s'en étaient allés, calmement, comme si de rien n'était.

Le bruit de la mort d'Akatapande s'était répandu comme une traînée de poudre. Lorsque l'officier appelé sur les lieux avait décidé de ne pas entamer de poursuite car l'un des trois hommes était le fils du plus proche collaborateur du gouverneur, le mécontentement à Xhipamanhine s'était transformé en rage et, au petit matin, l'émeute avait débuté.

Hanna ne douta pas du récit de Julietta.

Elle avait à présent compris : ce qui indignait le plus les Noirs, c'était l'indifférence de ces jeunes gens.

Un Noir mort ne comptait pas.

Julietta se leva, mais resta sur la véranda. Hanna lui demanda si elle avait autre chose à lui dire.

– Je veux travailler à l'hôtel, dit-elle.

– Tu ne te plais pas ici ?

Pas de réponse.

– Nous n'avons pas besoin d'employés à l'hôtel. Plus personne n'y dort.

– Ce n'était pas ce que je voulais dire.

Hanna comprit alors avec stupéfaction que Julietta voulait travailler comme prostituée. Elle voulait rejoindre les autres femmes noires qui attendaient les clients sur les canapés. Hanna était choquée. Julietta n'était encore qu'une enfant. Elle était plus jeune qu'elle quand on l'avait chargée parmi les fourrures grasses de Forsman dans le traîneau qui l'avait conduite sur la côte à travers des paysages enneigés.

– Es-tu seulement déjà allée avec un homme ? se fâcha Hanna.

– Oui.

– Qui ? Et quand ?

À nouveau aucune réponse. Hanna savait qu'elle n'en aurait pas. Mais elle n'avait pas de raison de douter de Julietta.

Je ne sais rien de ces Noirs, pensa-t-elle. Leur vie est pour moi un mystère dont je n'entrevois même pas la moindre explication. Comme tout ce continent.

– Il n'en est pas question. Tu es trop jeune.

– Felicia avait seize ans quand elle a commencé.

– Comment le sais-tu ?

– Elle me l'a dit.

– Je ne savais pas que tu parlais avec ces femmes.

– Je parle avec tout le monde, et tout le monde me parle.

Cette conversation tournait en rond.

– Bon, c'est moi qui décide. Et pour la dernière fois, je dis que tu es trop jeune.

– Mais Esmeralda est grosse et vieille. Plus aucun homme ne veut d'elle. Je veux la remplacer.

– Comment sais-tu que personne ne veut d'elle ?

– C'est elle qui me l'a dit.

– Esmeralda ?

– Oui.

Hanna ne savait plus si Julietta lui disait la vérité. Mais

au sujet d'Esmeralda, Julietta avait hélas tout à fait raison. Ces derniers temps, la vieille prostituée se laissait aller. Elle buvait en cachette, s'empiffrait de poulets gras et ne contrôlait plus son poids. Un matin, Eber avait tristement informé Hanna qu'Esmeralda ne faisait presque plus entrer d'argent. Elle passait le plus clair de son temps assise sur un canapé. Seul quelque marin ivre arrivé tard dans la nuit finissait parfois dans ses bras, où il s'endormait avant d'être évacué par les gardiens – non sans avoir d'abord payé la passe dont il n'avait aucun souvenir.

Hanna n'avait pas envie de discuter avec Julietta de la situation d'Esmeralda. Elle était toujours indignée par sa demande d'aller travailler au bordel. Elle la renvoya de la véranda sans rien ajouter.

L'après-midi même, Hanna envoya un courrier à Felicia. C'était un court message dans une enveloppe cachetée. Hanna ne voulait pas qu'il tombe entre de mauvaises mains. « Il faut que je te parle au sujet d'Esmeralda. »

Felicia se présenta dans la soirée. Il y avait encore dans l'air une odeur de brûlé. Felicia lui raconta que les cadavres avaient été ramassés. L'émeute était retombée. Les soldats gardaient toujours les grands axes, prêts à tirer, mais rien n'allait plus se passer. Par contre, le bordel était presque vide.

Felicia s'assit dans le bureau de Hanna. Celle-ci lui remit une enveloppe, elle aussi cachetée.

– Je veux que tu donnes cette lettre à Nausica.

– Nausica est une fille de seize ans, qui ne sait pas lire.

– Il n'y a rien d'écrit. Je lui donne juste de l'argent. Pour l'enterrement de son père et une nouvelle cruche.

Felicia hésita avant de glisser la lettre dans son décolleté. Elle croyait peut-être que Hanna mettait son honnêteté à l'épreuve.

Mais sans faire de commentaire, elle se mit à parler d'Esmeralda. Esmeralda était entrée au bordel à vingt ans. Felicia ne savait pas où Senhor Vaz l'avait trouvée. À l'époque, c'était l'une des favorites des clients, la plus demandée pendant des années.

Hanna voulait connaître la vie d'Esmeralda hors du bordel.

– Elle est mariée et a cinq enfants. Deux autres sont morts. Il lui reste quatre filles et un garçon. C'est le benjamin, Ultimo. Son mari, Pecado, vit en vendant les oiseaux qu'il attrape dans ses filets.

– Où habitent-ils ?

– Une maison à Jardim.

– Comment est leur maison ?

– Comme toutes les autres.

– C'est-à-dire ?

– Branlante, rafistolée de bric et de broc.

– Tu y as été ?

– Jamais. Mais je sais.

Hanna réfléchit. Tout restait pour elle étrange, insaisissable.

– Que me conseilles-tu ? finit-elle par dire.

Felicia s'attendait visiblement à cette question. Elle sortit d'une poche de sa jupe quelques petits bocaux de verre. Pleins d'eau où nageait un ver blanc.

– Esmeralda mérite qu'on l'aide à se débarrasser de sa graisse pour être à nouveau demandée. Elle y arrivera. Elle sait qu'elle est sur la sellette.

Felicia tendit les bocaux à Hanna. Au même instant, Carlos entra sans un bruit dans la pièce. Il grimpa sur la grande armoire où Senhor Vaz rangeait ses costumes, chemises et cravates. Inquiet, il observa les deux femmes et les bocaux.

– Ce sont des ténias, dit Felicia. Je me les suis procurés chez une *feticheira* qui sait mieux que personne comment maigrir. Il suffit à Esmeralda d'avaler un seul de ces vers dans un verre de lait. Il grandira ensuite dans son corps, jusqu'à atteindre cinq mètres de long, en se nourrissant de ce qu'elle mange. En peu de temps, elle aura maigri. La plupart des vers mettent des années à se développer, mais pas cette sorte.

Hanna regarda les vers blancs avec un haut-le-cœur. Mais elle savait qu'elle suivrait le conseil de Felicia. Surtout, elle ne voulait pas voir Julietta jetée en pâture à tous ces hommes blancs hautains qui considéraient les femmes du bordel avec mépris.

Le lendemain, les derniers soubresauts de l'émeute matés, les rues nettoyées et les douilles ramassées, Hanna eut un entretien avec Eber. Elle échangea ensuite quelques mots avec Felicia, qui l'informa qu'Esmeralda avait bu le lait avec le ver dans la soirée.

En sortant, Hanna jeta un œil dans la cour intérieure, vers le jacaranda. Elle découvrit Esmeralda agenouillée près de l'arbre.

Hanna se dit qu'il se passait près de cet arbre quelque chose qu'elle ne comprenait pas. Inutile de demander. Ses amis blancs n'y comprendraient pas davantage. Les Noirs lui donneraient des réponses évasives.

Les réponses ne manqueraient pas. Mais aucune ne l'éclairerait vraiment.

54

Au début, Hanna n'en crut pas ses yeux. Mais Esmeralda commença vraiment à maigrir.

Chaque fois que Hanna la voyait, elle avait changé. Eber lui présentait les factures toujours plus nombreuses des couturières chargées d'ajuster les vêtements d'Esmeralda. Hanna songeait avec dégoût au ver blanc dans son bocal. Visiblement, il profitait de la nourriture qui auparavant ne cessait d'engraisser Esmeralda.

Hanna avait rangé les autres bocaux dans la garde-robe de Senhor Vaz. Malgré son dégoût, elle ne pouvait s'empêcher certains soirs de prendre l'un des bocaux et, à la lumière de la lampe à pétrole, d'observer le ver blanc qui bougeait derrière la paroi de verre. Elle n'arrivait pas à concevoir comment cette bestiole pouvait se développer jusqu'à atteindre cinq mètres dans le tube digestif d'un être humain. Elle reposa le bocal en frissonnant.

Carlos la regardait du haut de l'armoire.

– Qu'est-ce que tu vois ?

Carlos ne répondit pas avec son babil coutumier. Il se contenta de bâiller en se grattant distraitement le ventre.

Deux jours plus tard, Esmeralda disparut. Elle était partie pendant la nuit. Tard dans la soirée, Felicia l'avait vue aller se coucher. Aucun gardien ne l'avait vue sortir. À la question directe de Hanna qui voulait savoir s'il y avait lieu de s'inquiéter, Felicia avait secoué la tête. Hanna crut déceler chez elle une légère hésitation, sans pouvoir en être certaine.

On sut pourtant bientôt qu'elle n'était pas rentrée voir sa famille, ce qui augmenta l'inquiétude générale.

Ce jour-là, contrairement à son habitude, Hanna resta au bordel. Assise seule sur l'un des canapés rouges. Les seuls clients étaient quelques marins russes. On attendait en fin d'après-midi un train en provenance de Johannesburg. Des Anglais et des Boers qui venaient spécialement pour les femmes noires de Hanna.

Peu après trois heures, des cris arrivèrent de la rue. Hanna s'était assoupie sur le canapé. Un inconnu parlait avec l'un des gardes dans une langue qu'elle ne comprenait pas. Felicia sortit en peignoir de sa chambre et se mêla à la conversation.

Soudain, le silence se fit. Felicia revint annoncer en tremblant qu'Esmeralda était morte. Son corps avait été retrouvé flottant dans l'un des bassins du port. On avait appelé les *bombeiros* pour le repêcher. Accompagnée d'un gardien et de Felicia, toujours vêtue de son léger peignoir rose, Hanna descendit au port. De loin, on voyait un petit attroupement au bout du quai. À leur arrivée, le corps venait d'être remonté. Esmeralda était nue. Elle avait beau avoir beaucoup maigri depuis qu'elle avait avalé le ténia, son corps restait gonflé et couvert de plis de graisse. Hanna trouva honteux de la sortir ainsi nue de l'eau.

C'était comme un enterrement inversé. J'ai vu Lundmark mis à la mer. Voilà à présent qu'on en sort Esmeralda.

Le gouverneur avait décidé que toutes les morts suspectes devaient donner lieu à une autopsie. Felicia et Hanna suivirent les pompiers jusqu'à la morgue, derrière l'hôpital. La puanteur y était violente. Le médecin chargé de l'autopsie fumait dehors.

Hanna regarda ses mains sales et son col élimé. Il se présenta comme le docteur Meandros. Originaire de Grèce, il parlait portugais avec un fort accent. On ne savait pas comment il avait atterri là, mais il disait qu'il était venu avec un bateau échoué près de Durban. C'était un bon légiste. Il était rare qu'il ne trouve pas la cause d'un décès.

Le docteur Meandros retroussa ses manches, écrasa sa cigarette et disparut dans le bâtiment malodorant. Hanna et Felicia regagnèrent le bordel dans un rickshaw tiré par un homme aux grandes oreilles.

– Pourquoi était-elle nue ? demanda Hanna.

– Je crois qu'elle voulait montrer qui elle était, dit Felicia.

Hanna se demanda en vain ce qu'elle voulait dire.

– Je ne comprends pas ta réponse. Explique-moi ce qui la pousse à se suicider dans l'eau sale du port, et pourquoi elle commence par se déshabiller.

– On n'a pas trouvé ses vêtements.

– Et donc ? Ils se sont volatilisés ? Ou quelqu'un les a volés ?

– Je sais juste qu'ils n'étaient pas sur le quai. Personne ne l'a vue arriver nue. Personne ne l'a vue sauter. Peut-être qu'elle s'était lestée avec de grosses pierres pour couler ?

– Mais pourquoi nue ?

– Peut-être avait-elle ses vêtements quand elle a plongé ? Puis elle les a enlevés avant de mourir.

– Pourquoi ?

– Elle voulait peut-être mourir comme elle avait vécu.

Sans tout à fait comprendre ce que voulait dire Felicia, Hanna devinait son interprétation de la mort d'Esmeralda. Mourir comme elle avait vécu. Sans vêtements, nue à la face du monde ?

Hanna ne posa pas d'autres questions. Après avoir laissé Felicia devant la porte gardée par Judas, Hanna demanda au rickshaw de la conduire jusqu'à chez elle, sur les hauteurs de la ville. Il arriva en nage. Elle lui donna le double de ce qu'il demandait, une somme dérisoire.

Julietta la guettait à la porte. Ses yeux brillaient de curiosité. Mais Hanna se contenta de lui donner son chapeau et son parapluie, et l'ordre de faire entrer le docteur Meandros dès qu'il arriverait. Julietta et les autres domestiques devaient déjà être au courant de la mort d'Esmeralda. Des messages invisibles circulaient à toute vitesse parmi la population noire.

Dans son bureau, elle trouva Carlos assis dans son fauteuil, en train de mâcher une carotte. Elle le laissa tranquille, s'assit à la place du visiteur et ferma les yeux.

Elle se réveilla après avoir dormi plusieurs heures d'un sommeil profond et long comme une nuit entière. Carlos avait disparu. Elle alla s'asseoir dans son fauteuil. Elle avait rêvé. Des fragments indistincts remontaient lentement à la surface. Lundmark était là. Assis devant le piano du bordel, il avait effleuré les touches. Le jacaranda était abattu. Senhor Vaz se promenait en smoking et fumait un cigare qui sentait comme les incendies de l'émeute. Mais elle ne se retrouvait pas elle-même dans ce rêve. Elle n'était qu'une simple spectatrice extérieure, invisible.

Elle appela Julietta, demanda du thé. Puis renvoya sans ménagement la jeune fille, pour lui rappeler qu'elle n'avait pas oublié sa requête éhontée d'entrer au bordel.

Elle venait de finir son thé quand le docteur Meandros se présenta. Ses mains étaient encore sales. Sur sa cravate élimée, ce qui ressemblait à du sang séché.

Il s'assit et voulut un verre de vin. Julietta lui en apporta un sur un plateau, qu'il vida d'un coup. Il reposa le verre et refusa qu'on le remplisse à nouveau.

– Le suicide de cette femme ne fait aucun doute, dit-il. Ses poumons étaient pleins de l'eau sale du bassin. Cela aurait suffi pour établir la noyade, mais je me suis livré à un examen approfondi de son corps. C'est parfois une aventure de plonger dans les entrailles d'une personne. J'ai constaté qu'elle avait sans doute mis au monde de nombreux enfants. Son obésité avait laissé des dépôts de graisse dans ses artères et son cerveau. Elle était pour ainsi dire déjà vieille pour son âge.

Hanna prit cette dernière phrase pour une question.

– Elle avait à peu près trente-huit ans. Personne ne sait exactement.

– Tant mieux pour les Noirs, dit Meandros, songeur. Nous autres connaissons exactement le jour et même l'heure de notre naissance. À la longue cela peut devenir pénible de se voir rappeler cet instant exact. À bien des égards, une certaine imprécision est préférable.

Meandros se perdit en silence dans ses pensées avant de poursuivre :

– Le plus intéressant était cependant qu'elle avait un gros ténia en pleine forme dans le système digestif. Je l'ai enroulé autour d'une canne pour le mesurer : quatre mètres soixante-cinq.

Hanna fit une grimace de dégoût. Meandros remarqua sa réaction et leva la main pour s'excuser.

– Je vous passe les détails. À présent, elle peut être enterrée. J'ai signé le certificat de décès en indiquant qu'il s'agissait clairement d'un suicide.

– Je prendrai en charge les frais de l'enterrement.

Meandros se leva, vacilla, pris de vertige, puis lui serra la main. Elle le raccompagna.

– De quoi meurent-ils ? demanda-t-elle.

– Les Africains ? Les cas de diabète sont rares. On ne rencontre pas non plus très souvent d'attaques cérébrales ou de crises cardiaques. Le plus souvent, ce sont des infections causées par des moustiques porteurs de la malaria, l'eau sale, la malnutrition, le travail trop pénible. Il y a un abîme entre nos façons de vivre, et donc aussi entre nos façons de mourir. Mais les ténias frappent aussi les Blancs.

– Comment les attrape-t-on ?

– On les mange.

– On les mange ?

– Involontairement, bien sûr. Mais une fois qu'ils sont entrés, ils restent dans votre corps. Jusqu'à ce qu'ils décident un beau jour d'en sortir. On en a, paraît-il, vu sortir par le canal lacrymal. Mais le plus courant, c'est par les voies naturelles.

Hanna en avait assez entendu. Elle ne croyait pas non plus à cette histoire de canal lacrymal. Elle ouvrit sa bourse pour payer sa visite au docteur. Mais il refusa catégoriquement. Il leva son chapeau et redescendit vers l'hôpital, où il était autant responsable des morts que des vivants.

Le lendemain, Felicia alla voir la famille d'Esmeralda. Hanna avait décidé de fermer le bordel l'après-midi de l'enterrement. C'était la première fois, alors que plusieurs femmes étaient mortes du temps de Senhor Vaz. Hanna veilla aussi à fournir à toutes des vêtements noirs décents. Une fois prêtes, alignées avec leurs chapeaux et leurs voilettes sombres, elles avaient l'air d'une assemblée de spectres. Comme si elles étaient déjà mortes.

Un cortège funèbre. Des mortes qui pleurent une morte. Et là-dessus l'image de ce ténia de presque cinq mètres. La nausée s'emparait d'elle par vagues.

Hanna avait loué une voiture à cheval équipée de bancs. Au cimetière attendait déjà Felicia, avec le mari et les enfants d'Esmeralda. Il y avait aussi son vieux père, lui chuchota Felicia. Ils s'assemblèrent autour de la tombe ouverte, au-dessus de laquelle le cercueil reposait sur deux rondins grossiers.

Le cimetière était divisé comme la ville. Près de l'entrée principale, les tombes des Blancs, avec leurs catafalques de marbre et leurs imposants mausolées. Puis une zone de tombes plus simples et, derrière, le champ où on enterrait les Noirs. Sur leurs tombes, des croix de bois branlantes, ou rien du tout. Hanna décida qu'Esmeralda aurait une pierre tombale correcte, avec son nom dessus.

Le prêtre noir, revêtu d'une aube blanche, parlait dans une des langues qu'elle ne comprenait pas. Elle distinguait parfois le nom d'Esmeralda, mais rien d'autre. Elle se dit que c'était normal. De son vivant, elle n'avait rien su d'elle. Dans la mort également elle resterait une inconnue.

C'est nous qui les forçons à cela, s'indigna-t-elle. C'est nous qui avons transformé leurs vies à notre convenance, pas l'inverse.

Elle regarda les enfants d'Esmeralda et son mari qui fixait le prêtre en serrant les mâchoires. Quand tout fut fini, elle appela Felicia et la pria de dire au mari d'Esmeralda que sa famille recevrait régulièrement de l'argent. L'homme s'approcha et la remercia. Sa main était moite, sa poigne molle, comme s'il craignait de serrer trop fort.

Hanna rentra. Eber, présent lui aussi à l'enterrement, avait été chargé de rouvrir le bordel et de récupérer les habits de deuil.

En quittant le cimetière, elle découvrit Julietta en grande conversation avec Felicia près du mausolée d'un vieux capitaine portugais. Un instant, elle eut envie d'aller gifler Julietta. Mais elle s'abstint et s'éloigna. Derrière elle, on comblait déjà la tombe.

Arrivée chez elle, elle se mit au lit et resta plusieurs heures couchée, immobile. Elle commença à manger la nourriture qu'on lui servit. Mais elle repensa au ténia et elle repoussa son assiette.

La lampe à pétrole à la main, elle gagna son bureau pour noter la mort et l'enterrement d'Esmeralda dans son journal. Quand la lumière dissipa les ombres de la pièce, elle découvrit Carlos installé dans son fauteuil. Il tenait un bocal qu'il avait pris dans l'armoire. Il avait dévissé le couvercle. Seulement alors, elle remarqua que le bocal était vide. Puis elle vit le ver blanc bouger à la commissure des lèvres de Carlos. Elle poussa un cri et tenta de l'attraper mais Carlos l'avala. Elle se retint de le frapper. Elle lui ouvrit de force les mâchoires et lui enfonça des doigts dans la gorge. Carlos cria et se débattit. Il était fort, elle ne parvenait pas à le maîtriser. Anaka et Julietta accoururent en entendant le vacarme. Hanna n'arriva pas à leur expliquer ce qu'il avait avalé, juste qu'il fallait qu'il le rende. Elles attrapèrent Carlos et, cette fois, ce fut Anaka qui enfonça sa main si profond dans sa gorge qu'il se mit à vomir. Une bouillie jaune de carottes se répandit sur le bureau.

Hanna ne savait pas dire *ver* en portugais. Elle alla chercher l'un des bocaux, leur montra le ténia, puis le bocal vide sur le bureau. Ensemble, elles examinèrent le vomi de Carlos sans succès. Hanna était furieuse, elle envoya Julietta chercher d'autres lampes et fit à nouveau plonger à Anaka ses doigts dans la gorge de Carlos. Mais il ne rendit plus que des sucs digestifs malodorants.

Elles ne trouvèrent pas le ténia.

Carlos se réfugia sur le lustre et refusa d'en redescendre quand Hanna voulut se réconcilier avec lui en lui donnant ce qu'il préférait : du lait. Rien à faire. Carlos était un animal blessé réfugié dans sa forteresse imprenable.

Julietta et Anaka nettoyèrent le bureau. Hanna sortit sur la véranda. La ville alentour était plongée dans le noir. Au loin des feux, peut-être des tambours.

55

Hanna retourna voir Felicia. Elle lui parla du ténia qu'avait avalé Carlos. Mais Felicia n'avait pas d'autre conseil que d'attendre que le ver quitte de lui-même le corps du singe. N'y avait-il pas d'antidote ? demanda Hanna. Un vermifuge que cette guérisseuse pourrait donner à Carlos ? Felicia revint avec la réponse de la mystérieuse femme qui lui avait vendu les vers : elle refusait de s'occuper d'un singe ou de tout autre animal. Elle ne soignait ni les éléphants ni les souris, que les humains.

Hanna était si désespérée qu'elle emprunta la voiture d'Andrade et se rendit à la cathédrale pour parler avec un prêtre, supposant qu'il pourrait la conseiller. Même s'il s'agissait de la santé d'un chimpanzé, c'était après tout de sa propre inquiétude qu'elle voulait se libérer.

La chaleur formait comme un mur immobile devant elle tandis qu'elle se dirigeait vers la cathédrale. Malgré l'heure matinale, le soleil lui brûlait les yeux, et elle se hâta de se réfugier dans la pénombre, de l'autre côté du portail grand ouvert. Hanna resta immobile, le temps de s'habituer à l'obscurité. L'église était déserte, à part quelques religieuses en blanc agenouillées devant une image de la Vierge et un homme en costume clair assis tout seul sur un banc, assoupi. Il y avait à l'intérieur de la nef une odeur de peinture fraîche. Elle s'assit au premier rang. Quelques femmes noires marchaient pieds nus sur les dalles de pierre. Elles époussetaient délicatement les images haut perchées des saints avec des chiffons et de longs plumeaux.

Un prêtre en noir sortit de la sacristie. Il s'arrêta devant le grand autel pour essuyer ses lunettes. Hanna s'approcha de lui. Il chaussa ses lunettes et la regarda. Il était jeune, à peine plus de trente ans. Elle fut décontenancée. Un prêtre était forcément âgé.

– La senhora a l'air de désirer se confesser, dit-il d'une voix aimable.

– J'ai l'air de quoi ? D'une coupable ? D'une pécheresse ?

Affirmer qu'elle avait l'air de vouloir se confesser touchait chez elle un point sensible. Elle ne pouvait pas nier être la propriétaire du plus gros bordel de la ville et s'enrichir de la débauche organisée. Le prêtre ne sembla pas réagir à son ton hostile.

– Ceux qui veulent se confesser expriment avant tout un désir de libération.

– Je ne veux pas me confesser. Je suis venue demander un conseil.

Le jeune prêtre approcha deux chaises l'une en face de l'autre. Les femmes de ménage avaient disparu. L'homme endormi était toujours là, tout près.

– Je suis le père Leopoldo, dit le jeune prêtre, et je viens d'arriver du Portugal.

– Je m'appelle Hanna. Je parle mal le portugais. Je dois aller lentement pour trouver mes mots. Et souvent je ne les place pas dans le bon ordre.

Père Leopoldo sourit. Il avait un beau visage, même s'il était très pâle et semblait presque famélique. Peut-être ce prêtre avait-il lui aussi le ver solitaire ?

– D'où venez-vous, Senhora Hanna ?

Elle raconta à grands traits son histoire, mais choisit de ne rien dire du bordel, juste qu'elle avait épousé un Portugais, Senhor Vaz, décédé peu après le mariage.

– Vous souhaitez donc un conseil, dit père Leopoldo, qui l'avait écoutée attentivement. J'attends votre question.

Je ne peux pas me mettre à lui parler d'un singe qui a avalé un ténia, songea-t-elle, découragée. Il va croire que je suis folle ou que je moque de lui.

Elle lui dit pourtant ce qu'il en était. Lui parla de ce chimpanzé qui comptait tant pour elle, de ce que contenait le bocal, du ver qui vivait désormais en lui. Le prêtre ne fut pas choqué par son récit, il la crut et comprit son inquiétude.

– Je crois que vous ne m'avez pas tout dit, senhora, dit-il quand elle se tut, d'un ton toujours aussi patient et aimable. Il est difficile de conseiller quelqu'un qui n'ose pas tout vous raconter.

Il l'avait percée à jour. Même si Vaz n'était pas un nom rare, le père Leopoldo avait visiblement déjà entendu parler de Senhor Vaz, qui avait dirigé le plus grand bordel de la ville. Peut-être était-il même au courant de son mariage avec une Suédoise, suivi peu après de sa mort ?

Il n'y avait pas de raison de ne pas dire la vérité. Elle lui parla d'Esmeralda, et avoua qu'elle était propriétaire du bordel, dont elle vivait.

– Je crains pour la vie de mon singe, finit-elle par dire. Et je ne sais que faire de ce que je possède et dont j'ai la responsabilité.

Le père Leopoldo la regarda à travers ses lunettes non cerclées. Son regard n'était pas accusateur. Même un jeune prêtre était sans doute habitué à entendre les histoires les plus étranges, que ce soit ou non sous le sceau de la confession.

– Il y a un vétérinaire en ville, Paulo Miranda. Il a sa

clinique tout près du grand marché. Peut-être pourra-t-il vous conseiller pour soigner votre singe ?

– Que peut-il faire de plus qu'une guérisseuse ?

– Je ne sais pas. Mais vous m'avez demandé un conseil. Et puis je crois que l'art des guérisseuses relève surtout de la sorcellerie, qu'il faut combattre.

Hanna aurait voulu lui montrer les vers blancs et les vêtements qu'Esmeralda portait avant de maigrir autant. Mais elle ne dit rien.

Le prêtre continua à la regarder, puis rapprocha sa chaise.

– Dans tout ce que vous m'avez raconté, il y a aussi autre chose. Il ne s'agit pas seulement de votre singe et de ce qu'il a avalé. Je crois comprendre que le conseil que vous cherchez, senhora, concerne la vie que vous menez. Comme propriétaire du plus important bordel de cette ville. Je n'ai pas besoin de vous dire ce que l'Église pense de ces lieux de perdition. De votre Suède, je ne sais pas grand-chose, sinon qu'il peut y faire très froid et que beaucoup de pauvres gens en sont partis pour chercher une vie meilleure de l'autre côté de l'Atlantique. Mais là-bas non plus, senhora, la vie que vous menez ne serait pas considérée comme digne et convenable.

Ses mots la touchèrent de plein fouet.

– Que faire ? demanda-t-elle. J'ai hérité de ce bordel par le testament de mon mari.

– Fermez-le, dit père Leopoldo. Ou vendez-le à quelqu'un qui le transformera en hôtel ou en restaurant convenable. Donnez à ces femmes de l'argent pour qu'elles puissent commencer une vie décente. Rentrez dans votre pays. Vous êtes encore jeune, senhora. Le singe peut regagner le bush. Il trouvera certainement à rejoindre une horde.

Hanna s'abstint de lui dire que Carlos avait perdu depuis longtemps son identité de singe et vivait dans une zone trouble, ni animal, ni homme. Il se sentait davantage chez lui perché sur un lustre que dans la forêt.

– Vous fuyez quelque chose, senhora, dit père Leopoldo. Cette fuite sera sans fin si vous ne rentrez pas chez vous en laissant toutes ces saletés derrière vous.

– Je ne sais pas si j'ai encore vers quoi rentrer.

– Vous avez une famille ? Alors c'est là-bas que sont vos racines, pas dans cette ville.

Hanna s'aperçut soudain que le père Leopoldo fixait un point à côté de sa tête. En se retournant, elle vit l'un des officiers les plus haut gradés de la garnison. Il était en grand uniforme, sabre au côté et casquette sous le bras. Le père Leopoldo se leva.

– Je suis désolé de devoir interrompre cette conversation. Mais revenez quand vous voulez.

Il adressa à Hanna un sourire encourageant puis accompagna l'officier vers l'un des confessionnaux, où ils disparurent derrière les rideaux. Hanna se dit que l'officier avait probablement beaucoup de péchés à confesser. Il fréquentait régulièrement le bordel et avait parfois d'étranges exigences. Les femmes refusaient certains de ses penchants. Hanna avait rougi, la première fois qu'on lui avait expliqué ce que l'officier demandait. Il voulait deux femmes en même temps, et qu'elles jouent à la mère et à la fille. Elle avait alors pensé lui interdire l'entrée. Mais c'était un bon client. Felicia lui avait aussi fait valoir que certains clients sud-africains avaient des exigences bien pires, et que c'était plutôt à eux qu'il aurait fallu refuser l'entrée.

Sous le jacaranda, Felicia lui avait raconté les curieux penchants que pouvaient avoir les hommes en matière de femmes. Au cours de sa courte expérience érotique avec Lundmark ou Senhor Vaz, elle n'avait rien connu de ce dont lui parlait

Felicia. Elle mesurait son ignorance, embarrassante pour une tenancière de bordel.

Elle s'apprêtait à quitter la cathédrale, toujours incertaine sur la conduite à tenir.

L'homme qui semblait dormir se leva soudain devant elle. Il tenait son chapeau blanc et souriait aimablement.

– Je n'ai pas pu éviter d'entendre le père Leopoldo. La voix porte très bien dans cette cathédrale. Il n'y a que les confessions que l'on n'entend pas. Remarquez qu'il n'est pas dans mes habitudes d'épier les conversations. Je m'appelle José Antonio Nunez. J'ai fait des affaires dans ce pays pendant des années. Mais j'ai tourné la page et je m'occupe désormais de choses bien plus essentielles. Puis-je vous déranger quelques minutes, Senhora Vaz ?

– Je ne vous connais pas, et vous savez mon nom ?

– Cette ville n'est pas bien grande. La population blanche, en tout cas, n'est pas assez importante pour permettre de garder l'anonymat bien longtemps. Permettez-moi juste de vous dire que je connaissais votre mari et que je vous présente toutes mes condoléances. Je vous souhaite sincèrement de trouver votre bonheur dans cette vie, Senhora Vaz.

L'homme avait la quarantaine. Sa gentillesse paraissait sincère. D'une certaine façon, il semblait étranger à la ville, comme elle.

Ils s'assirent. Lui avec assurance, elle plus hésitante.

– Je serai bref, dit José Antonio Nunez. Je suis prêt à vous libérer de votre établissement. Je paierai aussi les femmes, comme le proposait le père Leopoldo. Pour moi, c'est le bâtiment en lui-même qui compte. Après avoir fait toutes sortes d'affaires pendant des années, j'essaie à présent de rendre ce qui m'a été donné. Si vous me vendez l'hôtel, j'en ferai un orphelinat.

– Pour les enfants noirs ?

– Oui.

– Au milieu du quartier des bordels ?

– C'est précisément mon intention. Rappeler à tous l'existence de ces orphelins noirs qui errent comme des feuilles mortes.

– Mais le gouverneur n'acceptera jamais.

– C'est mon ami. Il sait qu'il dépend de moi pour conserver sa place. J'ai une grande influence, ici.

Hanna secoua la tête. Elle ne savait pas quoi penser. Qui était cet homme qui semblait dormir puis soudain voulait lui acheter le bordel ?

– Je ne suis pas certaine de vouloir vendre.

– Ma proposition est toujours valable demain et quelque temps encore. Je sais que vous confiez vos affaires à l'avocat Andrade. Dites-lui de me contacter.

– Je ne connais même pas votre adresse.

– Il la connaît, répondit en souriant José Antonio Nunez.

– J'ai besoin de réfléchir. Revenez ici dans une semaine. Même heure.

Il s'inclina très bas.

– J'y serai. Mais une semaine, c'est trop long. Disons trois jours.

– Je ne sais pas qui vous êtes, répéta-t-elle.

– Vous pouvez sûrement vous renseigner.

Hanna quitta la cathédrale. Une fois encore, elle avait besoin d'un conseil et savait à qui s'adresser. Pas seulement au sujet de ce José Antonio Nunez, mais aussi de ce qu'avait dit le père Leopoldo.

L'après-midi même, elle se rendit à la ferme de Pedro Pimenta, où aboyaient les chiens et où les crocodiles battaient de leur queue l'eau trouble des bassins.

En descendant de voiture, une fois le moteur arrêté, elle

entendit des bris de verre dans la maison. La véranda était déserte.

Hanna regarda autour d'elle. Tout semblait étrangement vide. Une femme blanche sortit en courant, les mains sur le visage, suivie d'une fillette qui criait en essayant de la rattraper.

Elles disparurent en contrebas, du côté des bassins aux crocodiles. Puis le silence revint.

Un garçon de quelques années plus âgé que la fillette sortit alors. Hanna ne les avait jamais vus, ni lui, ni la fillette, ni la femme en pleurs.

Le garçon, qui avait peut-être seize ans, se tenait dans l'embrasure de la porte. Il semblait retenir son souffle.

Il est comme moi, songea Hanna. Je me reconnais en lui : là, un garçon qui ne comprend rien à ce qui se passe autour de lui.

56

L'image que regardait Hanna se transforma en un tableau encadré par les rayons du soleil. Les chiens s'étaient tus dans leurs cages. Ils haletaient, langue pendante.

Enfin le parfait silence, songea-t-elle. Dans cette étrange ville, il n'y en a jamais. Toujours quelqu'un qui parle, appelle, crie, ou rit. Même la nuit, la ville ne se repose jamais complètement.

Mais là : ce silence.

Le garçon était immobile, figé au centre du tableau. Hanna allait gagner l'escalier qui menait à la véranda quand Pedro Pimenta fit irruption. Il s'arrêta près du garçon et le regarda. Pimenta tenait un mouchoir sanglant. À son front, une plaie qui n'avait pas tout à fait cessé de saigner. Pas une blessure par balle, se dit Hanna. Au front, il serait mort. Puis elle se rappela le bruit de verre cassé : la femme en pleurs devait lui avoir jeté quelque chose à la tête.

Pimenta baissa les yeux vers son mouchoir ensanglanté puis s'aperçut de la présence de Hanna, sous son parapluie. Il paraissait fatigué, et ne se donna pas la peine d'accueillir sa visiteuse. Au lieu de l'inviter à monter, il descendit jusqu'à elle. Sa blessure au front était une profonde coupure au-dessus de l'œil gauche, juste à la naissance de ses cheveux grisonnants.

– Vous les avez vues partir ?

– La femme et la fille ? Du côté des bassins.

Il fit une grimace inquiète et secoua la tête.

– Il faut que je les retrouve. Allez m'attendre sur la véranda. Je vous expliquerai.

– Où est votre femme ? Qui est le garçon ?

Pimenta ne répondit pas. Il jeta le mouchoir sanglant et dévala la pente vers les bassins.

Hanna s'assit sur la véranda. Le garçon se tenait toujours dans l'embrasure de la porte. Elle le salua de la tête, sans qu'il réagisse. Le silence était total. Elle se leva et entra dans la maison. Le sol du séjour tapissé de peaux de lions et de zèbres était jonché d'éclats de verre. Une tête de kudu avec ses longues cornes torses pendait à un mur. Les tessons de verre brillaient comme des perles répandues sur les peaux d'animaux.

À la cuisine, elle trouva tous les domestiques rassemblés. Ils avaient peur, se serraient les uns contre les autres. Isabel, la femme de Pimenta, et ses enfants devaient être ailleurs dans la maison. Elle inspecta le rez-de-chaussée, puis monta à l'étage. Elle les trouva dans la plus grande chambre. Blottis sur le lit.

– Je ne veux pas déranger, mais je me suis inquiétée en entendant les bris de verre et en voyant la blessure au front de Pedro.

Isabel la regarda sans répondre. Contrairement aux domestiques, elle n'avait pas peur, Hanna le vit aussitôt.

Isabel était furieuse, pleine d'une colère dont Hanna ne la soupçonnait pas capable.

– Que s'est-il passé ?

– Vous feriez mieux de partir, répondit Isabel. Je ne veux pas que vous assistiez à l'inévitable.

– Quoi ?

– Je vais le tuer.

Les enfants ne semblaient pas surpris. Sans doute l'avaient-ils déjà entendue dire ça.

Hanna s'assit doucement près d'Isabel et lui prit la main.

– Je ne comprends pas ce qui se passe. Comment pouvez-vous me dire, devant vos enfants, que vous allez tuer votre mari ?

– Parce que c'est ce que je vais faire.

– Mais pourquoi ?

Isabel se tourna vers elle. Il lui paraissait inconcevable que Hanna n'ait pas compris. Qu'est-ce que je n'ai pas vu ? se dit-elle. Je me trouve au cœur d'un drame que je ne comprends pas.

Isabel se leva soudain, défroissa sa jupe, comme si elle rassemblait ses forces. Les deux enfants la regardèrent. Leur mère se pencha vers eux.

– Restez là, dit-elle. Je reviens. Il ne va rien vous arriver.

Elle quitta alors la pièce en entraînant Hanna par le bras.

– Et maintenant que va-t-il se passer ? demanda Hanna.

– Vous m'avez déjà posé la question. Je n'en sais rien. Partez ou restez. Comme vous voulez.

Elles étaient en bas de l'escalier. Le garçon était toujours là. Isabel passa devant lui sans même le voir. Elle ne l'aime pas, pensa Hanna. Une femme adulte qui s'éloigne ostensiblement d'un jeune garçon. Confusément, quelque chose commençait à prendre forme.

Isabel se laissa tomber sur le sofa de la véranda. Hanna recula un fauteuil de rotin contre le mur et s'y assit. Le garçon ne bougeait pas. Hanna faisait à présent partie du tableau qu'elle avait vu un peu plus tôt devant elle. Elle n'était plus seulement spectatrice.

Pedro Pimenta apparut dans la pente. Derrière lui, la femme blanche, qui avait cessé de pleurer. Elle tenait très fort la main de la fillette. La petite se taisait. Hanna n'entendait pas ce que la femme disait à Pedro. Soudain, il s'arrêta et se mit à gesticuler. Il avait l'air de leur dire de disparaître, toutes les deux. Il se mit à courir vers la véranda, la femme à ses trousses. Une fois en haut, elle explosa :

– Je t'ai cru ! cria-t-elle. J'ai gardé toutes tes lettres, toutes tes déclarations d'amour ! J'ai demandé à te rejoindre avec les enfants, je n'en pouvais plus d'attendre à Coimbra. Mais tu me répondais tout le temps que la ville était trop dangereuse. Lettre après lettre, toujours la même chose.

Elle sortit de sa poche une lettre froissée et commença à lire d'une voix stridente :

– « Lourenço Marques, la nuit, grouille de léopards sournois et de lions en meute. Chaque matin, on retrouve des Blancs déchiquetés, le plus souvent des femmes et des enfants. Des serpents venimeux se glissent dans les maisons. Il est encore trop dangereux de venir ici. » C'est toi qui as écrit ça, ou non ?

– J'ai écrit la vérité.

– Mais il n'y a pas de fauves dans les rues ! Tu as menti !

– Il y en avait, il y a quelques années.

– Je n'ai rencontré personne qui ait vu un seul lion dans cette ville depuis trente ans. Tu as menti dans tes lettres pour que nous ne venions pas. Ton amour, c'était du vent !

Furieuse, elle avait plaqué Pedro contre le mur de la véranda. La fillette avait rejoint son frère dans l'embrasure de la porte. Étendue sur le sofa, Isabel assistait à la scène. Hanna se dit qu'elle ferait mieux de partir. Mais quelque chose, qui n'était pas que de la curiosité, la retenait.

La femme se tourna soudain vers l'autre côté de la longue véranda. Là se tenaient Joanna et Rogerio. Ils étaient arrivés sans bruit.

– Qu'est-ce que c'est que ces deux-là ? cria la femme de Coimbra.

– Asseyons-nous pour parler de tout ça calmement, supplia Pedro.

Mais la femme continuait de le plaquer contre le mur.

– Ce sont mes enfants, dit Isabel en se levant. Les enfants que j'ai eus avec Pedro. Maintenant, je veux savoir qui vous êtes, pour faire une scène pareille à mon mari.

– Mon mari, quel mari ? C'est moi qui suis mariée avec lui ! Je ne suis pas mariée avec toi, Pedro ? Depuis bientôt vingt ans ? Et elle, qui est-ce ? Ta pute noire ?

Isabel lui donna une gifle, qu'elle lui rendit aussitôt. Pedro s'interposa, suppliant les deux femmes de se calmer. Isabel se rassit. Mais l'autre femme commença à frapper Pedro.

– Pour une fois, tu pourrais dire la vérité ! Qu'est-ce qu'elle fait là ? Qui sont ces enfants ?

– Teresa. Du calme. Tout peut s'expliquer.

– Je suis calme. Mais je ne digère pas toutes ces lettres où tu m'as menti en me suppliant de rester à Coimbra.

– J'avais tout le temps peur qu'il vous arrive quelque chose.

– Et elle, qui est-ce ?

Pedro tenta de l'emmener à l'écart, peut-être pour lui parler sans qu'Isabel entende. Mais celle-ci se leva, alla chercher ses enfants et les poussa devant elle vers Teresa et Pedro.

– Voici nos enfants, à Pedro et à moi.

Teresa les dévisagea.

– Mon Dieu, dit-elle. Ne me dites pas leur nom !

– Et pourquoi ?

– Le garçon s'appelle José ? La fille Anabel ?

– Non. Rogerio et Joanna.

– Au moins, il ne leur a pas donné le nom des enfants qu'il a abandonnés. Il n'a pas osé.

Hanna essayait de comprendre. Pedro avait donc une famille au Portugal et une autre ici ?

Teresa avait cessé de crier. À présent elle parlait bas, d'une voix ferme, comme si elle avait pris une terrible décision et que la vérité lui donnait de la force.

– Voilà donc pourquoi nous ne devions pas venir. Voilà pourquoi tu as écrit toutes ces maudites lettres sur les dangers qui nous guettaient : tu avais fondé une nouvelle famille en Afrique. Je pensais que tu serais heureux de nous voir arriver. Au lieu de quoi, te voilà démasqué ! Comment as-tu pu nous faire ça ?

Pedro était adossé au mur. Très pâle, tel un criminel pris sur le fait.

Teresa se tourna ver Hanna.

– Et vous ? Il vous a aussi fait des enfants ? Où sont-ils ? Vous êtes mariés, peut-être ? Vos enfants s'appellent-ils José et Anabel ?

Hanna se leva.

– Je suis juste une amie.

– Comment un homme pareil peut-il être votre ami ?

Teresa sembla soudain désemparée. Son regard papillonnait. Ce fut Isabel qui passa des paroles aux actes. Sur une table basse était posé le couteau que Pedro utilisait pour sculpter de petites figurines en bois qu'il brûlait une fois terminées. Elle s'en empara, le planta dans la poitrine de Pedro, le ressortit et le plongea de nouveau. Par la suite, Hanna devait se rappeler au moins dix coups de couteau avant que le corps de Pedro ne s'affaisse lentement sur le sol de la véranda. Isabel disparut dans la maison avec ses enfants. Teresa s'effondra. Pour la première fois, le garçon quitta l'embrasure de la porte. Il s'accroupit près de sa mère et l'entoura de ses bras. La fillette recommença à pleurer, mais cette fois presque sans bruit.

Quelques heures plus tard, Hanna rentra chez elle. Le corps de Pedro avait été envoyé à la morgue et Isabel emmenée, menottée et entravée. Elle avait revu Ana Dolores, qui l'avait autrefois soignée et avait tenté de lui expliquer les grandes différences entre Blancs et Noirs. Ana Dolores était venue s'occuper de Teresa et de ses enfants. Les enfants d'Isabel avaient en revanche été laissés aux soins des domestiques, chargés de les confier à sa sœur. Elle habitait un bidonville dont Hanna ne comprit pas le nom. Elle se dit tristement qu'ils allaient quitter le monde ordonné des Blancs où ils avaient grandi pour disparaître dans le dédale impénétrable des quartiers noirs.

Sur le chemin du retour, Hanna demanda au chauffeur de s'arrêter au bord de la route. Ils étaient près du fleuve, juste avant le vieux pont, si étroit qu'il était à sens unique. Un vieil Africain réglait la circulation des rares voitures avec deux drapeaux, un vert et un rouge. Hanna ressentit alors le contrecoup de ce dont elle avait été témoin.

– Que va-t-il arriver à Isabel ? demanda-t-elle.

– Elle va être enfermée au fort, dit sans hésiter le chauffeur.

– Qui va la condamner ?

– Elle est déjà condamnée.

– Mais la trahison de Pedro ne compte pas ?

– Si Teresa l'avait tué, elle aurait été renvoyée au Portugal avec ses enfants. Mais Isabel est une femme noire. Elle a tué un Blanc. Elle sera punie pour ça. Et qui s'indignerait de voir un Blanc tromper une femme noire ?

Ils n'en parlèrent plus. Hanna remarqua que le chauffeur refusait de dire le fond de sa pensée.

Ils reprirent leur route vers la ville quand le vieil homme près du pont leva son drapeau vert. Hanna sentit une vague de colère en voyant que son drapeau s'effilochait en lambeaux.

Elle se fit conduire à la promenade en bord de mer, au nord de la ville. Elle ôta ses souliers et descendit sur le sable fin. C'était marée basse. Très loin, en mer, on apercevait les petits bateaux de pêche à un mât. Des enfants noirs jouaient sur la partie de la plage qui n'était pas réservée aux Blancs.

Sauver Isabel sera comme me sauver moi-même, pensa-t-elle. Je ne peux pas partir d'ici sans veiller à ce qu'elle ait un procès équitable. Après seulement, je me déciderai.

Elle marcha le long de la plage, regardant la marée qui montait lentement. En cet instant, Isabel était la personne qui comptait le plus pour elle. Son sort était indissociablement lié au sien. Elle s'étonna d'en ressentir une telle certitude. Pour une fois, dans sa vie, il n'y avait plus de place pour le doute.

Elle rentra chez elle et paya le chauffeur. Le soir même, elle s'installa à son bureau et compta tout l'argent liquide accumulé depuis la mort de Senhor Vaz. Elle en utiliserait à présent une partie pour payer un avocat.

Du haut de l'armoire, Carlos l'observait. Soudain, il sauta et s'assit sur le bureau, à côté d'elle. Il attrapa une liasse de billets et se mit à les compter de ses longs doigts noirs. Sérieusement, comme s'il comprenait vraiment ce qu'il faisait.

QUATRIÈME PARTIE

Le comportement du papillon face à une puissance supérieure

57

Longtemps encore avant l'aube, Ana, qu'on appelait le plus souvent Ana Branca, fut réveillée par une main posée sur sa poitrine. Un instant, elle crut que c'était Lundmark, revenu de parmi les morts. Mais quand elle eut allumé la lampe, elle vit que ce n'était que Carlos qui l'avait touchée dans son sommeil, comme s'il cherchait quelque chose en rêve. Son geste brusque le réveilla. Déception, ou honte de se faire prendre le sein par un singe ? Elle ne savait pas, mais bouscula Carlos hors du lit. Il comprit qu'elle était en colère et se réfugia sur le lustre. De là, il la regarda avec cette expression ambiguë des yeux, triste ou amusée, impossible à dire.

– Maudit singe ! cria-t-elle. Ne me touche plus jamais.

Puis elle éteignit la lampe. Peu à peu Carlos s'apaisa, bercé par le balancement du lustre. Elle fut prise de remords. Malgré tout Carlos était proche d'elle, comme un chien, mais en plus intelligent, et aussi dévoué.

Bizarrement, le ténia que Carlos avait avalé ne lui avait causé aucun dommage. Peut-être le ver n'avait-il pas supporté l'acidité des sucs gastriques du singe ? Elle avait demandé à son jardinier, Rumigo, moyennant une prime, d'inspecter les excréments de Carlos à la recherche d'une trace du ver.

Jusqu'à présent, il n'avait rien trouvé, mais elle était certaine qu'il continuait à chercher.

Ana avait autrefois pour prénom Hanna. Elle avait aussi perdu son dernier nom, Senhora Vaz, le jour où le paon avait disparu.

Malgré ses plumes coupées, Judas avait juré l'avoir vu s'envoler par-dessus le toit. Hanna avait refusé de le croire et l'avait menacé de le faire bastonner s'il ne disait pas la vérité. Avait-il tué le paon pour le manger ? Vendu ses plumes pour décorer des chapeaux ? Mais Judas n'en démordait pas. L'oiseau s'était bel et bien envolé.

Quand un gardien du port qui rentrait chez lui avait juré avoir vu le paon voler au-dessus de la mer, Hanna avait bien dû finir par admettre que c'était vrai. Elle se trouvait dans une région du monde où un oiseau aux ailes coupées pouvait du jour au lendemain revoler. Ce n'était pas plus étonnant que ces histoires de chiens fantômes qui couraient la nuit dans les rues. Ou de ténias qui pouvaient atteindre dix mètres de long.

Elle se dit que c'était un avertissement. Si elle voulait réussir l'impossible, elle devait faire l'impossible. Devenir une autre.

Voilà pourquoi elle était désormais Ana Branca, et rien d'autre. Ana Branca était seule. Le respect dont était entouré Hanna Vaz était en train de disparaître. Sa décision d'essayer de faire acquitter Isabel du meurtre de son mari Pedro avait provoqué l'indignation : elle trahissait ce qui dans la colonie était son devoir premier de femme blanche, défendre à tout prix sa race.

Ana était couchée, sans trouver le sommeil. Quand la lumière de l'aube toucha sa fenêtre, elle se leva. Ce matin-là, elle devait voir l'avocat Andrade pour discuter avec lui du sort d'Isabel.

Sa première pensée en se réveillant était la même que la veille : l'image d'Isabel dans sa cellule souterraine du fort, où seul un petit soupirail laissait entrer la lumière qu'elle voyait inonder la mer et la ville, les palmiers de la promenade du bord de mer et les crêtes vers l'intérieur des terres. Isabel dormait sur une banquette avec une couverture et un matelas bourré d'herbes sèches. Il faisait froid, ou si chaud que l'humidité gouttait du plafond. Les premières semaines, elle avait un boulet à un pied. Mais Ana avait réussi à convaincre Lima, le commandant de la prison, de lui ôter ses chaînes.

Aujourd'hui aussi, Ana comptait lui rendre visite. Chaque fois, elle devait subir l'humiliation d'en demander la permission à Lima qui, le plus souvent, la faisait attendre très longtemps. Parfois il n'était même pas là, ou faisait dire qu'il était absent. Ana apportait de la nourriture à Isabel, la seule chose qu'on lui autorisait. Deux fois, elle avait pu lui remettre des vêtements. Isabel était enfermée depuis deux mois. Elle sentait la sueur et la crasse. Mais le peu d'eau qu'on lui donnait, elle devait le garder pour boire. Ana savait que deux Blancs emprisonnés pour en avoir battu à mort un troisième étaient bien mieux traités. Mais quand elle s'en était plainte à Lima, il l'avait ignorée. Il regardait derrière elle, ou plutôt à travers elle, en époussetant d'un air absent les revers de son uniforme.

Ana Branca est seule, songeait-elle devant la fenêtre. Elle s'était rebellée contre sa propre race en prenant parti pour Isabel, qui s'étiolait dans les souterrains du fort.

À neuf heures, Andrade arriva chez elle, tendit son chapeau blanc et sa canne de promenade à Julietta, qui s'empressa de les prendre et s'inclina à l'entrée du bureau d'Ana. Ils ne se serraient plus la main. Le respect, à défaut d'amitié, qu'ils avaient eu l'un pour l'autre avait complètement disparu. Il s'assit en face d'elle.

Elle voulait avant tout savoir si Isabel risquait d'être décapitée ou pendue. Elle avait plusieurs fois posé la question à l'avocat, sans obtenir de réponse convaincante.

– La peine de mort a été abolie au Portugal en 1867, dit Andrade. En d'autres termes, elle ne risque pas d'être exécutée. J'ai déjà essayé de vous l'expliquer.

Ana était soulagée. Mais pouvait-elle en être certaine ?

– J'ai consulté les textes de loi, poursuivit Andrade. À part les cas de grande trahison, personne n'est plus condamné à mort. J'ai également écrit au ministère de la Justice à Lisbonne, et j'attends sa réponse. Mais je vous le dis sans hésiter, nous sommes nombreux à penser que la peine de mort devrait être réintroduite, en particulier dans les colonies portugaises en Afrique. Cela dissuaderait les Noirs de ne serait-ce que songer à commettre des crimes contre les Blancs.

– Qui va la condamner ? demanda Ana.

Andrade fut étonné, et peut-être même indigné par la question.

– La condamner ? Mais elle s'est condamnée toute seule !

– Où aura lieu le procès ? Qui est le juge ? Qui la défendra ?

– On n'est pas en Europe, ici. On n'a pas besoin d'un juge pour enfermer une femme noire qui a commis un meurtre.

– Il n'y aura donc pas de procès ?

– Non.

– Combien de temps restera-t-elle enfermée au fort ?

– Jusqu'à ce qu'elle meure.

– Mais ne pourra-t-elle pas se défendre ?

Andrade secoua la tête, agacé. Ses questions le dérangeaient.

– La relation du Portugal avec ce pays n'est pas encore réglée. Nous sommes ici parce que nous l'avons choisi.

Nos criminels, nous les expédions à Lisbonne ou Porto. Les meurtres commis entre Noirs ne nous regardent pas. Ils ont leurs propres lois, leurs coutumes, nous ne nous en mêlons pas. Mais dans le cas présent, nous l'enfermons au fort, un point c'est tout.

– Mais n'a-t-elle pas malgré tout droit à une défense ? À quelqu'un qui puisse représenter ses intérêts ?

Andrade se pencha en avant.

– N'y a-t-il pas quelqu'un qui se fait désormais appeler Ana Branca pour s'en occuper ?

– Je ne suis pas juriste. J'ai besoin de conseils. Ici, en ville, personne ne veut m'aider.

– Peut-être est-il possible de trouver un avocat indien à Johannesburg ou à Pretoria, qui accepterait de s'occuper de cette affaire ?

Andrade sortit un stylo en or et inscrivit un nom et une adresse au dos d'une carte de visite.

– J'ai entendu parler de quelqu'un qui pourrait faire l'affaire, dit-il en posant la carte sur la table. Il se nomme Pandre, il vient du Bengale. Je ne sais pour quelle raison, il a appris le shangana, qui doit être la langue maternelle d'Isabel. Il pourra peut-être vous aider.

Andrade se leva et salua. Quand Ana voulut le payer, il secoua la tête avec mépris.

– Je ne me fais pas payer quand je ne travaille pas. Inutile de me raccompagner.

Il s'arrêta sur le seuil.

– Si un jour vous décidez de quitter la ville, je veux bien vous donner un bon prix pour cette maison. Disons que je pourrais avoir la priorité, le jour venu ? Pour mon petit coup de pouce de ce matin ?

Il partit sans attendre de réponse. Elle entendit sa voiture démarrer.

58

Ana descendit au bordel en fiacre. Après la grosse chaleur de midi, Judas l'accompagna jusqu'au fort. Elle était toujours inquiète en passant devant les gardes armés. Les portes du fort allaient-elles aussi se refermer derrière elle ? Judas portait le panier avec la nourriture d'Isabel. Soudain, le gardien se mit à parler, ce qui arrivait très rarement.

– Je ne comprends pas. Pourquoi la senhora aide-t-elle cette femme qui a poignardé son mari ?

– Parce que j'aurais pu faire la même chose.

– Il n'aurait jamais dû se mélanger avec une femme noire.

– Ce n'est pas ce que les clients font tous les soirs chez moi ?

– Pas comme Senhor Pimenta. Faire des enfants et les reconnaître. Ça ne pouvait finir que comme ça.

Ils marchaient à l'ombre des maisons basses où les marchands indiens avaient leurs étals odorants d'épices inconnues.

Ana s'arrêta et le regarda.

– Je n'abandonnerai pas avant d'avoir fait sortir Isabel de prison. Tu peux le répéter à tout le monde.

Le commandant Lima était sur l'escalier menant à l'arsenal du fort. Il se balançait d'un pied sur l'autre, l'air las. Ce matin-là, il se contenta de lui faire signe de passer, sans un mot. Judas lui tendit le panier puis resta là à l'attendre, immobile. Comme d'habitude, il patientait en plein soleil.

Ana entendait Lima parler à l'un des soldats. De moi, se dit-elle. Et sûrement avec mépris.

Isabel était assise sur l'étroite banquette. Elle ne dit rien, ne regarda même pas Ana quand elle entra dans l'ombre. Malgré son odeur, Ana s'assit à côté d'elle et lui toucha la main, qui était maigre et froide.

Elles gardèrent le silence. Au bout d'un long moment, Ana prit le panier vide de la veille et quitta la cellule. Tant qu'Isabel mangeait, il restait malgré tout de l'espoir.

Deux jours plus tard, Ana prit le train pour Johannesburg. Elle n'avait encore jamais fait ce voyage, et aurait aimé être accompagnée. Mais il n'y avait personne de confiance parmi les Blancs qu'elle connaissait, du moins pas pour cette affaire.

Un fiacre la conduisit jusqu'à la maison en centre-ville, où l'avocat Pandre avait son bureau. Elle le trouva en arrivant, ce qu'elle n'avait pas osé espérer. Il avait même le temps de la recevoir, brièvement, avant d'aller plaider au tribunal.

Pandre était d'âge moyen, vêtu à l'occidentale, mais un turban trônait sur son bureau. Son secrétaire, indien lui aussi, s'adressait à lui en l'appelant *munshi*. Il l'invita à s'asseoir. Il était curieux de savoir ce qui lui valait la visite d'une femme blanche venue spécialement de Lourenço Marques. Il ne parlait pas portugais couramment, mais bien mieux qu'elle. Quand elle lui demanda s'il maîtrisait le shangana, il hocha la tête, sans pourtant expliquer pourquoi il avait appris une langue africaine.

Le regard empreint de gravité, il écouta Ana lui raconter comment Isabel avait tué Pedro Pimenta.

– J'ai besoin de conseils. J'ai besoin de quelqu'un qui me dise comment convaincre les Portugais de la relâcher.

Pandre la regarda en hochant lentement la tête.

– Pourquoi ? Pourquoi une femme blanche veut-elle aider une femme noire qui s'est mise dans la pire des situations ?

– Parce que je le dois.

– Vous parlez portugais avec un accent. Puis-je vous demander d'où vous venez ?

– De Suède.

Pandre réfléchit un instant à sa réponse. Il quitta alors la pièce et revint avec un globe terrestre cabossé et crasseux.

– Le monde est grand. Où se trouve votre pays ?

– Là.

– J'ai entendu parler du phénomène de l'aurore boréale, dit-il, pensif. Et du fait que le soleil ne se couche jamais pendant les mois d'été.

– C'est exact.

– Nous venons tous de quelque part. Je ne vais pas vous demander pourquoi vous êtes venue en Afrique. Mais dites-moi ce que vous faites à Lourenço Marques.

Pendant le long voyage en train, elle avait décidé de dire la vérité, quelle que soit la question.

– Je dirige un bordel. Très prospère. Je l'ai hérité de mon mari. Beaucoup de mes clients viennent de Johannesburg. J'ai actuellement treize femmes qui travaillent pour moi. J'ai donc de quoi payer vos services.

– Qu'attendez-vous de moi ?

– Que vous alliez la voir. Parliez avec elle. Et me donniez des conseils sur la marche à suivre pour la faire libérer.

Pandre réfléchit en silence, en faisant doucement tourner le globe.

– Je demanderai cent livres anglaises pour ma visite, finit-il par dire. Et j'ai aussi une requête particulière, eu égard à votre activité.

Ana le comprit à demi-mot.

– Naturellement, dit-elle. Vous aurez accès au bordel, autant qu'il vous plaira. Et évidemment sans payer.

Pandre se leva et regarda l'horloge pendue au mur.

– Désolé, je dois y aller. L'un de mes clients, que je ne suis pas parvenu à sauver, va être pendu à la prison centrale. Il a souhaité ma présence. Ce n'est pas une partie de plaisir, mais ça ne me dérange pas non plus. Pour moi, nous sommes d'accord. Je peux venir voir cette femme dès la semaine prochaine.

Ana se fit violence pour ne pas partir en l'entendant parler si froidement d'un client condamné à mort. Que pourrait-il bien faire pour elle et Isabel ?

– C'est un homme qu'on va pendre ?

– Naturellement.

– Noir ?

– Blanc. Pauvre, qui n'avait les moyens que pour un avocat indien.

– Qu'a-t-il fait ?

– Il a tranché la gorge à deux femmes, la mère et la fille, dans un accès de jalousie. Très brutalement. La peine de mort était inévitable. Certains peuvent être sauvés, d'autres non. Et il y en a qu'il vaut mieux ne pas sauver, à moins de risquer de les transformer en fauves.

Pandre la salua, agita une clochette et quitta la pièce. Son secrétaire dévoué vint noter son adresse à Lourenço Marques.

– Que signifie *munshi* ? demanda-t-elle.

– En hindi, cela veut dire « un homme qui enseigne ». C'est un titre. Monsieur Pandre est un homme sage.

– Et pourtant ses clients se font pendre !

Le secrétaire fit un geste d'impuissance.

– C'est très rare. Monsieur Pandre a très bonne réputation.

– Lui arrive-t-il d'avoir des clients noirs ?

– Cela ne s'est jamais produit.

– Pourquoi ?

– Ils ont leurs avocats commis d'office. Tous les Noirs doivent être défendus par des Blancs.

– Pourquoi ?

– Pour garantir l'impartialité.

– Je ne comprends pas ?

– Le droit est une affaire de spécialistes. Monsieur Pandre, lui, comprend. Comme je vous l'ai dit, c'est un homme sage.

Le lendemain, elle rentra à Lourenço Marques. Elle n'avait pas oublié les mots du secrétaire.

Quand elle revint au bordel, Felicia lui raconta qu'on avait déposé une poule décapitée devant chez le commandant. Attaché à l'une de ses pattes, un dessin maladroit représentait Isabel, sur un bout de papier d'emballage provenant d'une des boutiques indiennes. Cela ne pouvait être qu'un avertissement : un lynchage était à tout moment possible.

La menace se précisait. Plus proche. La distance diminue, songea Ana. De toutes parts.

59

Après son voyage à Johannesburg, Ana décida de passer plus de temps au bordel. Felicia, qui était sa seule confidente, l'avait prévenue que certains clients s'étaient mis à maltraiter les femmes. Ana voulait donc se montrer parmi elles, car personne n'oserait rien leur faire en sa présence. Elle sentit aussitôt la gratitude étonnée des pensionnaires. En revanche, si l'une d'elles traitait un client avec mépris ou renâclait à le satisfaire, Ana la grondait aussitôt. Elles ne devaient pas se venger de ce qui arrivait à Isabel.

Un matin, elle les rassembla toutes avec Zé et Judas pour leur parler de son voyage à Johannesburg et de son entrevue avec Pandre. Elle ne leur parla pas de l'arrangement passé avec lui. Dans leur réaction, outre l'étonnement et l'incompréhension, elle perçut surtout la joie qu'elle n'ait pas abandonné Isabel. Alors que les Blancs considéraient celle-ci comme une criminelle méprisable, pour les Noirs elle était sinon une héroïne – elle avait malgré tout tué le père de ses enfants – du moins une femme qui avait tenté de sortir de son malheur et d'opposer résistance.

Pour Ana, c'était un bon résumé du destin d'Isabel : elle s'était levée et avait résisté. Même si elle était à présent enfermée dans une étroite cellule, gardée par des soldats menaçants et souvent ivres, on avait l'impression qu'elle était partie en laissant derrière elle tous ces Blancs qui la méprisaient.

Tard, le même jour, un Blanc qu'elle n'avait jamais vu se présenta, à la recherche d'un emploi. Il arrivait de temps en temps que des Blancs, souvent ravagés par les fièvres ou l'alcool, viennent la supplier de leur donner du travail. Jusqu'alors elle les avait éconduits, n'étant pas intéressée par leurs services.

Mais l'homme qu'elle avait devant elle lui fit une autre impression. Il n'était pas en haillons, ni sale et hirsute. Il dit s'appeler O'Neill. Il avait roulé sa bosse de par le monde comme videur dans des bars et des bordels. Il pouvait aussi produire toute une liasse écornée de certificats de précédents employeurs.

Ana avait plusieurs fois souhaité avoir un gardien blanc. Judas et les autres gardiens noirs faisaient leur travail, mais elle n'était jamais certaine qu'ils aient la réaction qu'elle souhaitait.

Elle décida de prendre O'Neill quelques mois à l'essai. Il semblait fort et décidé. Elle se dit qu'il ferait bien vite ses preuves.

Le jour de l'embauche d'O'Neill, elle s'entretint avec Felicia sous le jacaranda. Le soir était venu. Felicia attendait un de ses habitués de Pretoria, un gros fermier boer pétri de religion qui passait son temps à lui parler de ses onze enfants, du fait qu'il venait au bordel pour éviter de coucher avec sa femme, usée par toutes ses grossesses.

Ana l'interrogea sur la famille d'Isabel. Elle ignorait encore tant de choses. Elle s'étonnait aussi qu'aucun de ses proches ne soit venu la voir au fort. Ana était la seule à lui rendre visite, à part le père Leopoldo, qui faisait ses habituelles tournées des détenus. Ana était allée le voir à la cathédrale, et il lui avait dit qu'Isabel ne lui parlait pas non plus.

Felicia était vêtue de blanc, comme l'exigeait toujours le client qu'elle attendait.

– Je ne sais pas grand-chose, dit Felicia. Les sœurs d'Isabel s'occupent des enfants. Elle a aussi un grand frère, Moses. Il travaille dans les mines de Rand. Il viendra sûrement dès qu'il pourra. S'il peut.

– Ses parents sont-ils encore en vie ?

– Ils habitent Beira. Mais ses sœurs ont décidé de ne rien leur raconter.

– Pourquoi ?

Felicia secoua la tête.

– Peut-être pour ne pas les faire mourir de chagrin. Ils sont vieux. Ou pour qu'ils ne craignent pas le fouet en représailles. Apparemment, tout le monde attend l'arrivée du frère.

– Quand va-t-il venir ?

– Personne ne sait. Ni quand, ni s'il viendra seulement.

Ana enchaîna sur la poule décapitée retrouvée sur le perron du commandant.

– Qui peut avoir fait ça ?

Felicia recula, comme si Ana l'avait accusée.

– Pas toi, évidemment. Mais qui veut la tuer ? Un Blanc ne déposerait pas un oiseau mort en signe d'avertissement. C'est forcément un Noir ?

– Ou quelqu'un qui veut le faire croire.

Ana vit que Felicia avait raison.

– Tu crois donc que c'est un Blanc ?

– Personne d'autre ne veut qu'elle meure.

– Pourquoi refuse-t-elle de parler, à ton avis ?

– Parce qu'elle porte le deuil.

– Le deuil ?

– Le deuil de son mari qu'elle a été forcée de tuer.

– Parce qu'il l'avait trompée ?

- Elle savait que tous les Blancs le faisaient.

– Tous les Blancs mentent-ils ?

– Pas entre eux. À nous.

– Et moi, je ne dis pas la vérité ?

Felicia ne répondit pas. Elle continua à regarder Ana, sans détourner les yeux, mais demeura silencieuse. C'est donc à moi de répondre, songea Ana. Elle me laisse décider. Toute seule.

– Je ne comprends toujours pas ce que tu veux dire par *porter le deuil*. Ses enfants lui manquent, naturellement. Mais ce n'est pas porter le deuil.

– Elle porte le deuil des enfants qu'elle n'aura jamais. Puisqu'elle a dû tuer son mari.

La conversation ne menait nulle part. Ana ne faisait que deviner la logique de Felicia.

– Qui veut la tuer ? demanda-t-elle de nouveau.

– Je ne sais pas. Mais au fond je crois que chacun des milliers de Blancs qui vivent dans cette ville serait prêt à tenir le poignard qui lui percerait le cœur.

– Qui a quoi que ce soit à gagner à sa mort ? Elle ne ramènera pas Pedro à la vie.

– Je ne sais pas, dit Felicia. Je ne suis pas blanche, je ne peux pas comprendre leur façon de penser.

Ana n'en tira pas davantage. Felicia lissait sous ses doigts sa robe fraîchement lavée, en défroissait soigneusement les plis. Elle voulait s'en aller.

– Qui suis-je pour toi ? demanda brusquement Ana.

– Ana Branca, répondit Felicia, étonnée.

– Rien de plus ?

– Tu possèdes cet arbre, ce terrain et la maison qui nous entoure.

– Rien de plus ?

– Ça ne suffit pas ?

– Si, dit Ana. C'est plus que suffisant. C'est déjà presque plus que je ne puis porter.

Un homme gigantesque à la grande barbe et au visage hâlé apparut soudain à la porte du jardin. C'était le client de Felicia. Ana les regarda se diriger vers sa chambre. Elle semblait si petite à côté de lui.

Certainement comme moi. Quand je marchais à côté de Lundmark vers le consulat à Alger, pour me marier.

Elle demeura près de l'arbre. Il avait plu dans la soirée. La terre fumait, une odeur sucrée montait des racines de l'arbre. Il y avait aussi une autre odeur, dont elle ignorait l'origine. Le monde souterrain se pressait à la surface. Elle se souvint des parfums qui montaient des tourbières et des landes recouvertes de bruyère, là où Hanna avait grandi. Un monde perdu qui lui manquerait à jamais.

Là, sous l'arbre, elle résolut d'attendre la visite et les conseils de Pandre. S'il s'avérait finalement impossible d'aider la prisonnière, elle n'aurait plus de raison de rester. Elle ne devait pas abandonner, mais pas non plus s'accrocher à des illusions.

Elle fut tirée de ses pensées par une voix qu'il lui sembla reconnaître. D'une chambre, en compagnie de Belinda Bonita, arrivait un homme un peu ivre, on le voyait à sa démarche. Il lui tournait le dos. Elle ne comprit d'abord pas qui c'était. Puis elle s'aperçut qu'elle connaissait cette langue, quand il ne bégayait pas.

Elle savait à présent à qui appartenait ce dos. Halvorsen. Jadis le meilleur ami de son mari. Celui qui lui avait promis son soutien, après la mort de Lundmark.

60

Pour la deuxième fois, un membre de l'ancien équipage du *Lovisa* venait à son bordel. Elle se demanda un instant si elle ne faisait pas erreur. Svartman, Lundmark et Halvorsen étaient sobres. Halvorsen était un homme sérieux, profondément religieux, qui ne buvait pas comme les autres marins. À présent, il avait du mal à garder son équilibre et parlait norvégien avec la langue pâteuse. Il était énervé que Belinda Bonita ne le comprenne pas. À bord, Halvorsen parlait toujours à voix basse, presque en chuchotant. Ici, il criait, comme pour donner un ordre.

Quand il se retourna enfin pour s'affaler sur un canapé, une liasse de billets à la main, que Belinda se dépêcha de cueillir, Ana vit qu'elle ne s'était pas trompée. C'était Halvorsen, les cheveux mouillés peignés en arrière, endimanché comme lors des funérailles de Lundmark.

Elle se rappelait encore le chiffre magique. 1 935 mètres de profondeur.

Quand Belinda eut laissé Halvorsen marmonner tout seul dans le canapé, elle se leva. O'Neill était derrière lui, hésitant à le mettre dehors. Ana lui fit signe de partir et s'assit doucement à côté de Halvorsen. Il tourna lentement la tête et la regarda, les yeux injectés de sang. Il avait à peine changé depuis la dernière fois où elle l'avait vu, quelques heures avant de descendre en cachette du bateau. Peut-être ses cheveux étaient-ils moins fournis, ses joues plus creusées. Mais ses énormes mains étaient les mêmes.

Elle lui sourit, mais réalisa aussitôt qu'il ne la reconnaissait pas. Pour lui, elle était une parfaite étrangère, une femme blanche dans un bordel noir, où il venait tout juste d'acheter les services de la belle et froide Belinda Bonita qui, après avoir fourré ses billets dans son corsage, avait regagné sa chambre pour se laver et peut-être aussi changer les draps du lit.

Halvorsen plissa les yeux, hésitant.

– C'est moi, dit-elle. Hanna Lundmark. Tu te souviens de moi ?

Halvorsen sursauta. Il secoua la tête.

– Je ne suis pas un fantôme, dit-elle, en se forçant à parler aussi distinctement que possible. C'est moi.

Maintenant, il savait. Incrédule, il la dévisagea.

– Tu avais disparu, dit-il. Nous ne t'avons pas retrouvée.

– Je suis descendue à terre. Je ne pouvais pas continuer le voyage. C'était comme si Lundmark était toujours à bord.

– 1 935 mètres, dit Halvorsen. Je m'en souviens.

Il se redressa sur le canapé, s'efforçant de retrouver ses esprits.

– Je ne pensais pas revoir la petite cuisinière en vie. Et encore moins ici. Que s'est-il passé ?

– Je suis descendue à terre. Je me suis remariée, et je suis redevenue veuve.

Halvorsen réfléchit. Il lui demanda de répéter plus lentement. Elle s'exécuta.

– On te croyait morte, dit Halvorsen. Personne ne comprenait pourquoi tu aurais de ton propre chef quitté le navire dans ce port africain.

– Je veux en savoir plus sur le voyage. Vous avez vu des icebergs ?

– Oui, un, grand comme une église. Juste après avoir quitté le port. La nuit, nous étions inquiets. On ne peut pas repérer les icebergs avant qu'il ne soit trop tard. Mais nous avons atteint l'Australie, et sommes revenus.

– Je suis descendue au port, mais je ne vous ai pas vus repasser ?

– Nous nous sommes ravitaillés plus au nord, à Dar es-Salaam. Ou plus au sud, à Durban, je ne me rappelle plus.

Halvorsen avait sans doute fait tout le voyage du retour jusqu'à Sundsvall. Il avait donc vu Forsman, qui réunissait toujours son équipage quand un bateau revenait à son port d'attache.

– Je suppose que tu as fait le voyage jusqu'au bout ?

– Oui, jusqu'à Sundsvall. Mais ensuite je suis allé en Norvège m'engager sur un autre navire.

– Ça ne m'intéresse pas. Je veux savoir ce qu'a dit Forsman.

Halvorsen fronça les sourcils.

– Quel Forsman ?

– L'armateur !

Halvorsen se rappela.

– Il est descendu au port dans une sorte de fauteuil roulant.

– Blessé ?

– On l'avait amputé d'une jambe après un accident. Mais il voulait absolument monter à bord. Il sautillait comme un oiseau.

– Il était seul ?

– Je crois qu'il y avait un Finlandais avec lui. Mais je ne me rappelle pas son nom.

Ana essaya de lui tirer les vers du nez. Mais il n'était pas au courant pour Berta et son enfant. Ana ne put s'empêcher de l'interroger sur sa mère. Personne ne lui avait parlé d'Elin ? Celle dont la fille n'était jamais revenue ?

Halvorsen ne savait rien.

– Je n'ai jamais parlé à Forsman. C'est Svartman qui l'a fait. Ce qu'ils se sont dit sur toi et Lundmark, sa mort et ta disparition, je n'en sais rien. Moi, je suis parti passer l'hiver à Spetsbergen, en espérant chasser assez de peaux pour m'acheter une petite ferme quelque part dans le Tröndelag. Résultat, j'ai failli geler, devenir fou dans le noir et j'ai complètement perdu la foi en ce Dieu vers lequel je pouvais autrefois me tourner dans les moments difficiles. Maintenant, il n'est plus là. Mais j'ai sûrement économisé des indulgences pour des péchés futurs.

Halvorsen éclata de rire, résigné. Puis soudain il s'approcha d'elle, si près qu'elle sentit son haleine chargée d'alcool.

– Puisque tu es ici, je suppose que toi aussi tu es à vendre. Cette négresse savait y faire. Mais ce ne sera jamais la même chose qu'avec une femme blanche. Tu coûtes autant qu'elle ? Ou tu es plus chère, peut-être ?

Halvorsen lui pinça un sein. Elle pensa aux doigts velus de Carlos et le repoussa. Halvorsen crut qu'elle minaudait et la toucha de nouveau. Elle le frappa alors et appela O'Neill.

– Jette ce type dehors ! Et qu'on ne le laisse plus entrer. Jamais !

Halvorsen n'eut pas le temps de protester, O'Neill l'avait déjà arraché du canapé et traîné dehors.

La porte se referma.

Elle se dit que la différence entre le capitaine Svartman et son homme d'équipage Halvorsen avait été abolie dès lors qu'ils étaient tous les deux entrés dans cette maison où des femmes étaient à vendre.

Mais elle n'arrivait pas à se défaire de la déception d'avoir été prise pour une prostituée par Halvorsen.

61

Après la visite inattendue de Halvorsen, Ana se mit à écrire de plus en plus souvent dans son journal. Ce qui n'était jusqu'alors qu'intermittent devint de plus en plus nécessaire pour elle. Elle nota dans le moindre détail sa rencontre avec Halvorsen et les attouchements maladroits de ce dernier.

Le lendemain, elle se rendit sur le port en compagnie d'O'Neill. Deux navires anglais et un portugais étaient à quai. Impossible de savoir à quel équipage appartenait Halvorsen. Après coup, elle fut incapable de s'expliquer la raison de cette visite au port. Peut-être simplement une curiosité incontrôlable ?

Durant la nuit, un nuage de sauterelles s'était abattu sur la ville. Des insectes morts ou mourants jonchaient les rues, les escaliers et les toits. En chemin entre le bordel et le port, elle se dit que c'était ainsi qu'elle se représentait un champ de bataille : chaque sauterelle semblable au cadavre d'un soldat déchiqueté.

Le seul qui semblait apprécier cette pluie de sauterelles était Carlos, juché sur le toit de la maison, qui faisait un festin de ces insectes dont nul ne savait pourquoi ils avaient choisi justement cette ville pour y mourir.

L'après-midi, alors qu'elle rendait visite à Isabel, elle fut accueillie au fort par un officier inconnu. Ce jour-là, elle avait choisi de se faire accompagner par O'Neill, et non Judas. Le commandant Lima était tombé soudain malade, probablement la malaria, et avait été transporté à l'hôpital. C'était le conseiller militaire du gouverneur qui le remplaçait. Il se présenta : Lemuel Gulliver Sullivan. En dépit de son nom anglais, il parlait couramment portugais. Il était jeune, à peine la trentaine. Ana espérait que son jeune âge le conduirait à se montrer plus tolérant et plus attentionné que Lima à l'égard d'Isabel.

Mais dès qu'il ouvrit la bouche, elle comprit qu'il n'en serait rien.

– Tant que je commanderai ce fort, des règles plus strictes seront appliquées, commença-t-il. Ceux qui sont enfermés ici sont des criminels. Leur peine devra être exemplaire. J'envisage actuellement avec mes collègues officiers de remettre le fouet en usage. Les châtiments corporels ont toujours eu un bon effet sur cette racaille.

Ana n'en crut d'abord pas ses oreilles. La vie d'Isabel dans sa misérable cellule allait-elle empirer ? Et elle le lui dit, sans cacher son indignation.

– Son crime doit être puni avec la plus grande sévérité, dit le commandant. Tout ce qui compte dans son cas, c'est qu'elle a tué un Blanc. Si nous ne réagissons pas fermement, cela pourrait être interprété comme un signe de faiblesse : le respect que nous exigeons doit être absolu.

Ana vit qu'il était inutile de discuter avec Sullivan.

– Y a-t-il encore d'autres règles nouvelles ?

– Nous n'allons plus tolérer qu'un nombre très réduit de visiteurs.

– Qui ?

– Vous, naturellement. Et le prêtre qui erre ici en espérant repêcher des âmes perdues. Ainsi qu'un médecin, si nécessaire. Personne d'autre.

– Et si elle reçoit un conseiller juridique ?

Sullivan éclata de rire : il lui manquait beaucoup de dents malgré son jeune âge.

– Qui voudrait la conseiller ? Et à quoi bon ?

Ana ne posa pas d'autre question. Elle descendit dans la pénombre et trouva Isabel immobile sur sa banquette, comme si elle n'avait pas bougé depuis la veille. Mais le panier était vide : Isabel vivait encore : elle mangeait.

– Quelqu'un va venir te rendre visite, dit Ana. C'est, je l'espère, un homme sage qui pourra peut-être m'aider à te sortir d'ici. Mais il entrera ici déguisé en médecin. Comme il parle ta langue, personne ne comprendra ce que vous vous direz, pas même moi.

Isabel ne répondit pas. Mais Ana vit pourtant qu'elle écoutait.

– La prochaine fois, je pourrai t'apporter des vêtements propres. Cela fait trois mois que tu es enfermée ici. J'essaierai d'obtenir qu'on te fournisse assez d'eau pour que tu puisses te laver.

Ana ne resta que quelques minutes. L'important n'était pas sa visite, mais que Pandre puisse changer sa situation.

En rentrant, elle fit un détour par le port. Quand O'Neill lui demanda pourquoi, elle se contenta de le rembarrer. Elle n'aimait pas sa façon de toujours poser des questions. Elle découvrait chaque jour chez lui des côtés déplaisants. Sa manie d'écouter aux portes l'irritait. Et puis elle avait entendu dire qu'on l'avait vu en ville en compagnie du propriétaire d'un autre bordel. Peut-être avait-elle eu tort de l'embaucher ?

– À quoi passe-t-elle ses journées ? demanda-t-il. À regretter ses fautes ? À tambouriner aux murs ? À rouler des yeux blancs ?

Ana s'arrêta net.

– Encore un mot et tu es viré.

– Je ne fais que poser des questions…

– Pas un mot de plus. Pas un mot. Désormais c'est une de tes obligations : te taire.

O'Neill haussa les épaules. Mais il avait senti le danger.

Au port, Ana vit qu'un des navires anglais avait disparu. Elle se dit que c'était sans doute à son bord que Halvorsen s'était enrôlé comme charpentier.

Elle remarqua qu'O'Neill la regardait de travers. En quittant le port, elle lui ordonna d'attendre qu'elle ait tourné au coin de la rue pour rentrer au bordel.

Quelques jours plus tard, Pandre envoya un télégramme pour prévenir de son arrivée. Ana alla l'accueillir à la toute nouvelle gare. Il avait beau avoir annoncé ne rester que deux jours, il était suivi d'un grand nombre de malles, valises et boîtes à chapeaux. Il fallut quatre porteurs et deux voitures à bras pour transférer tous ses bagages jusqu'à la voiture qu'elle avait une fois encore louée à Andrade. Un fiacre fut chargé de tout ce qui ne logeait pas dans le coffre.

Ils se rendirent à l'hôtel où Ana, suivant les instructions de son télégramme, avait réservé à Pandre la plus grande suite. En s'y rendant, elle s'était inquiétée : un homme de couleur y serait-il accepté ? Mais le directeur l'avait rassurée. Un avocat d'origine indienne était le bienvenu. Ana, qui devait payer tous les frais de son séjour, déposa une grosse somme à la réception. Elle commençait à se demander si Pandre ne faisait pas tout pour lui extorquer le plus d'argent possible. Ou était-ce là son train de vie habituel quand il travaillait hors de Johannesburg ?

Après avoir pris un bain, enfilé un costume de lin blanc

bien repassé et admiré le paysage, Pandre la rejoignit dans la salle à manger déserte.

Au-dessus des montagnes, du côté des terres, des nuages sombres se rassemblaient. L'orage serait en ville dans la soirée. Ana rapporta à Pandre sa conversation avec le nouveau commandant du fort. On ne le laisserait entrer que s'il se faisait passer pour un médecin.

– Je n'ai pas de blouse blanche dans mes bagages, dit-il. Normalement, un avocat n'a pas à se déguiser.

– Je crois que ce ne sera pas nécessaire.

– Parlez-moi du commandant. Les militaires sont souvent soupçonneux de nature. Va-t-il me démasquer ?

– Je ne sais pas. Il s'est présenté comme Lemuel Gulliver Sullivan. Comme il parle couramment portugais, il n'est probablement anglais que par le nom.

Pandre éclata de rire tout en faisant rouler un rond de serviette brillant entre ses doigts.

– Il s'appelle vraiment comme ça ? Lemuel Gulliver Sullivan ?

– C'est ce que j'ai noté.

– Était-il entouré de chevaux ?

– Les écuries de la troupe sont dans les faubourgs. Dans le fort, il n'y a que quelques chèvres.

– Je veux dire ses soldats ? Avaient-ils l'air de chevaux ?

Ana ne comprenait pas la question. Elle fut aussitôt sur ses gardes.

– Pourquoi serait-il entouré de chevaux ?

– Oui, pourquoi ? Ou peut-être plutôt de personnages minuscules ? Qui pourraient se cacher dans ce rond de serviette comme si c'était un tonneau ? Ou ses soldats sont-ils des géants ?

Il vit qu'elle ne le suivait pas.

– Lemuel Gulliver est un personnage littéraire, dit-il gentiment. C'est la première fois que j'entends parler de quelqu'un qui a eu le culot de baptiser son fils d'après ce curieux personnage de roman. Je suppose que vous ne connaissez pas ce livre ?

– Je dirige un bordel, dit Ana. J'essaie d'aider une femme emprisonnée à être libérée. Je ne lis pas de livres.

– Ça se défend, dit Pandre. Le jeune commandant n'en lit sans doute pas beaucoup lui non plus. S'il en lit seulement. Mais son père en tout cas a lu *Les Voyages de Gulliver*.

Ils mangèrent en silence. De temps en temps, Pandre posait une question, surtout par politesse, pour rappeler qu'il n'était pas complètement perdu dans ses pensées. Il s'enquit du climat, de la saison des pluies, des animaux, des fièvres. Elle répondit de son mieux, en se demandant s'il comptait dès le premier soir profiter du libre accès à son bordel qu'elle lui avait accordé.

Ce n'était pas son intention. Après le dîner, il se leva, s'inclina et dit qu'il voulait qu'on vienne le chercher le lendemain matin à dix heures. Puis il s'inclina de nouveau et quitta la salle à manger. Ana paya la note et rentra.

Carlos avait quitté le toit, gavé de toutes les sauterelles dont il s'était bâfré depuis la veille. Couché sur son lit, il lâcha un rot satisfait. Ana s'assit à son bureau, ouvrit son carnet, d'abord sans rien y écrire. Elle réfléchit à l'impression que lui avait faite Pandre, de près, puis nota tout ce qui s'était passé depuis son arrivée.

Elle espérait lire ça un jour à Isabel. Le récit de ce long voyage pour lui rendre sa liberté.

Elle savait à présent comment elle achèverait ce journal.

Elle inscrirait la date de la libération d'Isabel.

Et elle écrirait la réponse à la question qui la taraudait le plus : tout ce qui s'était produit depuis la mort de Lundmark n'était-il qu'une parenthèse dans sa vie ?

La dernière chose qu'elle y écrirait concernerait la liberté d'Isabel et la sienne.

Elle referma le carnet, éteignit la lampe et resta assise dans le noir. Elle songea : Isabel dans son trou répugnant. Et moi enfermée dans un autre genre de prison.

62

Le lendemain : grande chaleur.

La sueur perlait au front de Pandre quand il sortit de l'hôtel et monta dans la voiture. Il portait une serviette en cuir. Ana se dit qu'elle pouvait très bien contenir un stéthoscope et d'autres instruments médicaux.

Lemuel Gulliver Sullivan les attendait sur les marches, comme en avait l'habitude son prédécesseur. Ana lui trouva l'allure d'un petit garçon engoncé dans un uniforme bien trop grand et des bottes bien trop brillantes.

Elle présenta Pandre.

– Voici le médecin dont j'ai parlé à votre prédécesseur. Je suppose qu'il vous en a touché mot en partant ?

Le commandant hocha la tête. Mais il regardait Pandre sans cacher sa réticence.

– Je pensais vous accompagner, dit-il soudain. Et écouter la conversation du docteur avec la prisonnière.

– Cette conversation aura lieu dans la langue de la patiente, dit Pandre d'une voix aimable. C'est la seule façon qu'elle puisse exprimer ses souffrances et, pour moi, le meilleur moyen de lui poser les bonnes questions.

– Je vous accompagne quand même, dit le commandant. Je suis curieux de voir si vous allez parvenir à la faire parler.

Jusqu'à présent, elle a perdu sa langue. Peut-être est-elle muette de naissance ? Je ne sais pas si sa voix est grave ou aiguë.

– Elle est grave, dit Ana. Je comprends sa langue, je pourrai traduire.

Pandre lui jeta un regard. Il devina ce qu'elle avait l'intention de faire et, pour la première fois, lui témoigna une réelle considération.

Ils descendirent jusqu'aux souterrains du fort. Un soldat à moitié endormi se redressa brusquement, se mit au garde-à-vous puis entreprit de déverrouiller la porte de fer. Le commandant se tourna vers Pandre.

– Je suppose que cette serviette ne contient pas d'arme ?

Pandre l'ouvrit et en sortit un stéthoscope. Il s'est bien préparé, songea Ana. Peut-être est-il malgré tout la bonne personne pour aider Isabel ?

Ils s'enfoncèrent dans l'obscurité, où stagnait un air vicié. Un Blanc hirsute, à moitié nu, secoua ses barreaux sur leur passage.

– Il va être transféré dans un asile, dit le commandant. Il s'imagine qu'un gros insecte le ronge de l'intérieur. Il a battu à mort un homme qui en avait assez de l'écouter lui parler de la faim insatiable de cet insecte.

Pandre écoutait poliment le commandant. L'air vicié ne paraissait pas le gêner. Peut-être y avait-il des prisons semblables à Johannesburg ?

Ils passèrent ensuite devant une cellule où un homme dormait à même le sol, haletant.

– Mendoza, un Espagnol, dit le commandant, qui les guidait toujours dans le noir. Il a tué son frère à bord d'un bateau de cabotage et a décidé de se punir en cessant de s'alimenter. Lui aussi devrait aller à l'asile, mais ils n'en veulent pas. Je suppose qu'il sera mort d'ici quelques jours. Certains de mes soldats font des paris là-dessus. Je n'aime pas ça, mais je ne peux pas les en empêcher.

Ils entrèrent dans la cellule d'Isabel. Ana vit que le panier était vide. Isabel était assise sur sa banquette, immobile.

– De la visite ! hurla le commandant.

Isabel ne bougea pas. Pandre effleura le bras de l'officier pour l'inviter à cesser de hurler. Puis il alla s'asseoir près d'Isabel. Ana se plaça à côté de la banquette, tandis que le commandant restait dans l'embrasure de la porte. Ana ne pouvait pas comprendre ce que Pandre disait à Isabel. Mais Isabel écouta aussitôt l'avocat, et lui répondit dans sa langue.

Soudain, le commandant s'impatienta et fit cliqueter son sabre. Ana s'approcha d'un pas et commença à lui raconter une histoire qu'elle inventait au fur et à mesure.

– Ils parlent de ses enfants. Elle a du chagrin d'avoir été trompée par son mari, et elle regrette son geste. Elle dit qu'elle voudrait sortir de cette prison pour travailler dans une des missions qui propagent la vraie foi au sein de la population noire.

Ana servait ses salades avec la plus grande conviction possible. Le commandant l'écoutait, inexpressif. Au fond, ça ne l'intéresse pas, se dit-elle. Isabel n'est rien pour lui. Qu'elle survive ou non, cela n'a pas d'importance. Il ne nous a accompagnés que par ennui.

Elle continua à broder, tandis que Pandre et Isabel parlaient à voix basse. À la fin de leur conversation, qui s'arrêta net, comme si tout avait été dit, Ana répéta sous une forme enjolivée le désir d'Isabel de consacrer sa vie à l'évangélisation dans une mission.

Revenus à l'hôtel, ils s'assirent à l'ombre de quelques frangipaniers, face à la mer. Pandre était resté silencieux dans la voiture, après avoir poliment pris congé du commandant. Il était installé à présent sur une balancelle, un verre d'eau glacée à la main.

– Isabel est prête à mourir s'il le faut, dit-il. Elle préfère ça plutôt que de reconnaître sa culpabilité. Elle se tait pour rester digne. Pour sauver son âme. Elle me l'a plusieurs fois répété : « C'est pour sauver mon âme. »

– Elle ne veut même pas vivre pour ses enfants ?

– Bien sûr qu'elle veut vivre. Si elle le pouvait, elle s'évaderait. Mais si sa seule façon de sortir est de reconnaître sa culpabilité, elle préfère mourir.

Pandre continua à se balancer en regardant la mer. Il tendit la main qui tenait le verre et désigna l'horizon.

– L'Inde est là-bas. Mes parents en sont arrivés voilà trente ans. Peut-être qu'un jour j'y retournerai, moi ou mes enfants.

– Pourquoi vos parents sont-ils partis en Afrique ?

– Mon père vendait des pigeons, répondit Pandre. Il avait entendu dire qu'il y avait des Blancs en Afrique du Sud prêts à payer cher pour de beaux pigeons. Mon père avait trouvé comment coller des plumes supplémentaires à ses oiseaux pour en gonfler le prix.

Pandre la regarda aimablement.

– Mon père était un escroc, dit-il. C'est sans doute pourquoi je suis tout le contraire.

Il posa son verre d'eau.

– Je suis bien incapable de vous donner le moindre conseil, continua-t-il. La seule chose qui pourrait la sauver serait de s'enfuir. On peut peut-être corrompre le commandant ? Pousser un soldat à laisser un soir sa cellule ouverte ? Je n'ai pas d'autre conseil à vous donner. Puisque vous avez beaucoup d'argent, vous disposez de l'arme qui pourra la libérer. Mais comment l'utiliser au mieux dans ce cas précis, je l'ignore.

– Je suis prête à faire n'importe quoi pour la libérer.

– C'est exactement le conseil que je vous donne. Faire n'importe quoi.

Pandre sortit une enveloppe de sa poche et la lui tendit.

– Voici ma facture. Ce soir, je comptais rendre visite à vos femmes. J'aimerais qu'on vienne me chercher à neuf heures. Je dînerai seul dans ma chambre.

Il se leva, s'inclina et se dirigea vers le bâtiment blanc de l'hôtel. Ana médita les paroles de Pandre. Elle savait qu'il avait raison. Isabel avait le choix. Elle pouvait sauver son âme, quitte à mourir.

Ferai-je comme elle ? se dit-elle. Ou n'ai-je déjà plus le choix ?

Elle resta assise là jusqu'au coucher du soleil. Elle rentra alors, se changea et revint prendre Pandre à neuf heures. Il portait à présent un costume sombre au col montant raide. Il avait utilisé une eau de toilette que jamais Ana n'avait sentie chez un autre homme.

– Le stéthoscope, demanda-t-elle quand ils furent dans la voiture. D'où venait-il ?

– J'ai pris mes précautions, dit Pandre. Avant que vous ne veniez me chercher, j'ai fait un saut à l'hôpital. Un sympathique docteur m'a laissé prendre un vieux stéthoscope pour une somme modique.

Ils continuèrent en silence.

Une fois au Paraiso, Pandre s'assit dans un des canapés rouges, on lui servit un verre de sherry et il entreprit d'examiner de fond en comble chacune des femmes.

Ana l'observait à distance depuis un fauteuil au coin de la pièce. Elle n'avait pas encore ouvert l'enveloppe qu'il lui avait remise. Ils avaient certes convenu d'un montant de cent livres sterling. Mais elle se doutait que Pandre lui présenterait des frais aussi imprévus qu'importants.

Elle regarda Pandre faire son choix.

Le cachot d'Isabel était tout près. Elle entendait le bruit des chaînes qui lui sciaient la cheville.

63

Quand Pandre eut finalement fait son choix, ce fut à la surprise générale la pâle et disgracieuse A Magrinha qu'il désigna du doigt, comme une victime pour le sacrifice. Ana crut d'abord qu'il avait choisi Felicia, qui était à côté d'elle. Mais elle comprit son erreur en le voyant se lever et faire un petit signe de la tête à la femme maigre dont presque aucun client ne voulait plus. Elle était étonnée mais, si elle avait appris une chose au bordel, c'était bien que ce qui attirait les hommes était imprévisible. Elle se dit aussi, non sans une certaine satisfaction, que ce choix limiterait pour elle les frais du séjour de Pandre : A Magrinha travaillait presque à perte pour le bordel. Le moment était peut-être venu d'avoir un dernier entretien avec elle et de demander à Eber de lui verser de quoi s'acheter un étal au marché, pour qu'elle débarrasse le plancher pour de bon.

Elle fut tirée de ses réflexions par un événement inattendu. Ce soir-là, les clients étaient nombreux au bordel. Ils se pressaient avec leurs verres et leurs cigares devant le petit comptoir du bar au coin de la pièce. Comme Pandre se dirigeait avec A Magrinha vers sa chambre, un grand gaillard leur barra soudain le chemin. O'Neill, prompt à flairer le danger, accourut. Ana fit de même. L'homme qui s'était dressé devant Pandre était un certain Rocha, de père italien et de mère portugaise. Il travaillait dans l'administration coloniale à la voirie et venait une fois par semaine au bordel. Il était le plus souvent paisible, mais il lui arrivait de s'énerver quand il avait trop bu. Alors on l'expulsait du bordel avant qu'il n'ait le temps de faire du grabuge.

Instinctivement, Ana sentit que quelque chose de plus grave allait se passer. Rocha tira vers lui A Magrinha et s'adressa à Pandre en mauvais anglais.

– Je l'ai choisie pour passer la soirée avec moi !

– J'ai beaucoup de peine à le croire, répondit Pandre, sans se départir de son sourire aimable.

– À dire vrai, toutes les filles ont déjà des clients, ce soir. Tu es arrivé trop tard.

Ana, qui s'était approchée, avait aussitôt compris de quoi il retournait. Elle avait remarqué la réaction de beaucoup de Blancs à l'entrée d'un homme de couleur au bordel. Cela ne s'était jamais produit de son temps, mais Senhor Vaz lui avait dit qu'il lui arrivait de faire des exceptions pour d'influents Indiens de Durban ou Johannesburg. Comme personne n'avait protesté ouvertement ce soir-là, elle s'était dit que la réprobation se manifesterait plus tard, une fois Pandre parti. On viendrait peut-être alors la voir pour lui demander ce qui lui prenait de laisser entrer ce genre de client. À quoi elle répondrait que c'était à elle de décider qui avait le droit d'entrer. Elle aurait beau assurer qu'il s'agissait d'une exception, on le prendrait mal, elle le savait.

Les conversations avaient cessé, tous les regards s'étaient tournés vers les deux hommes et la fille, qui comprenait à peine ce qui se passait autour d'elle.

– Y a-t-il un problème ? demanda Ana.

– Pas vraiment, répondit Pandre. Cet homme se trouve juste sur notre chemin. Nous allions nous retirer.

– Il a pris la femme que j'avais choisie pour la soirée, dit Rocha.

À Ana, il avait parlé portugais. Comme il s'apprêtait à traduire, Pandre lui fit signe qu'il avait tout compris.

Rocha tira violemment A Magrinha vers lui, pour appuyer ce qu'il venait de dire. Pandre la reprit aussitôt. Mais avant que Rocha ou Ana aient eu le temps de réagir, la Noire sortit de sa torpeur de somnambule. Elle repoussa Pandre et se plaça près de Rocha.

– C'est lui qui ira avec moi ce soir. Pas ce type marron.

Le sourire de Pandre s'éteignit. Comme une flamme soufflée. Il se tourna vers Ana, furieux.

– J'insiste sur le fait que mon choix est prioritaire, fit-il d'une voix contenue.

– C'est aussi mon avis, répondit Ana en se tournant vers A Magrinha.

Elle lui fit signe de rejoindre Pandre.

– Je ne veux pas, répondit-elle. Il est marron.

– Et toi noire, dit Ana. Moi, je suis blanche, et je décide.

– Non, répondit A Magrinha. Je ne veux pas me déshabiller devant lui.

Rocha sourit. O'Neill s'était rapproché, car on pouvait d'un instant à l'autre en venir aux mains. Mais Pandre abandonna la partie. Ana vit qu'il ne s'était pas résigné, il était furieux. Mais il se rendait compte que la situation était sans issue.

Il n'avait plus envie.

– Je rentre à mon hôtel, dit-il. J'escompte le paiement de mes services avant mon départ de Lourenço Marques demain soir.

Il s'inclina et quitta rapidement l'établissement, suivi par O'Neill. Au bar, les hommes applaudirent, satisfaits. Rocha repoussa avec mépris A Magrinha sur un canapé. Ana réalisa qu'elle détestait cet endroit. Plus que jamais.

En entendant un moteur démarrer, elle sortit dans la rue. O'Neill avait allumé une cigarette.

– Cet homme n'avait rien à faire ici. Ce ne sont pas mes affaires, mais si on laisse entrer des types comme lui, les autres clients auront bientôt disparu.

Ana ne répondit pas. Elle savait qu'elle aurait dû demander à Rocha de quitter le bordel. Mais elle traversa la rue et entra en face dans un petit bar tenu par deux frères portugais. Un petit gros et un bossu. Le local était étroit. Un comptoir en bois, quelques tables dans les coins sombres, quelques prostituées qui faisaient le trottoir ou se laissaient inviter à boire dans la pénombre. Ana demanda au bossu un verre de cognac, le vida et en demanda un autre. Elle reconnut une des femmes qu'on apercevait dans un coin. Elle avait à plusieurs reprises demandé à entrer chez Ana, mais les autres n'en avaient pas voulu, car elle avait la réputation de voler. Et elle punissait les clients qui la traitaient mal en les empoisonnant grâce à des pouvoirs magiques inconnus. Le poison ne les tuait pas, mais les rendait pour longtemps impuissants.

En voyant cette femme s'approcher d'elle, Ana la repoussa d'un geste, laissa de la monnaie sur le comptoir et ressortit dans la rue.

Le ciel nocturne était clair. Elle songea à son père, les soirs où il lui montrait les constellations, et resta là à attendre que la voiture revienne de l'hôtel de Pandre. Avant de rentrer chez elle, elle se tourna vers O'Neill.

– Dis aux femmes que je veux les voir toutes réunies demain à sept heures.

– Mais elles dorment encore, si tôt.

– Non, dit Ana. Il faut qu'elles soient levées, lavées et habillées. À sept heures, demain, je les veux sous le jacaranda.

– J'y serai.

– Je veux parler aux femmes, pas à toi. Ne viens pas.

Elle claqua la portière. Par la vitre arrière, elle vit O'Neill qui la suivait des yeux.

Carlos dormit près d'elle comme une pelote de poils cette nuit-là. Parfois, il bougeait les bras dans son sommeil, comme s'il grimpait – pour autant que les singes rêvent à l'instar des hommes. Ana n'en était pas certaine. Mais Carlos s'était peut-être éloigné de sa condition de singe. Il semblait faire de plus en plus souvent des rêves qui l'effrayaient. Ana resta couchée sans dormir, s'assoupissant par intermittence, occupée à préparer la réunion du lendemain. Elle voulait les prévenir des difficultés futures, tant qu'elle essaierait de faire libérer Isabel. Leur dire qu'elle ne renoncerait pas, quelles que soient les conséquences. Mais en même temps elle voulait savoir ce qu'elles en pensaient. N'avaient-elles aucune compréhension pour la situation d'Isabel ? Aucune disposition à l'aider ?

Pendant la nuit, Ana se leva plusieurs fois, en silence pour ne pas réveiller Carlos, même si elle ne savait jamais s'il dormait ou faisait semblant. Elle alla feuilleter son dictionnaire portugais écorné pour trouver les mots justes pour le lendemain. Elle sortit sur la véranda dans la nuit tiède. Les gardiens dormaient près de leurs braseros, un chien solitaire passait en courant dans la rue, sans un bruit. En mer, elle voyait les feux de position des navires qui attendaient la marée haute pour gagner le port.

Un jour, moi aussi je suis arrivée, pensa-t-elle. Essayant de recoller les morceaux de ma vie détruite. Voilà où cela m'a conduite. Mais bientôt je devrai continuer mon chemin, même si je ne sais pas vers où.

64

Toutes les femmes étaient déjà rassemblées le lendemain matin quand Ana arriva au bordel. En chemin, elle était passée remettre une enveloppe cachetée à la cire au directeur encore mal réveillé de l'hôtel où Pandre était descendu. Elle contenait ses honoraires. Le reverrait-elle jamais ? Au fond, elle ne savait rien de lui, sinon que son père était un escroc qui collait de fausses plumes à des pigeons.

O'Neill ne se montra pas quand Ana entra au bordel de bon matin. Un fauteuil était placé pour elle sous l'arbre. À peine fut-elle assise, à son grand étonnement, Felicia prit la parole. Ana remarqua aussitôt qu'elles avaient préparé cette réunion, peut-être avec autant de soin qu'elle.

Felicia parlait au nom de toutes.

– Nous savons que Senhora Ana essaie d'aider Isabel. Cela nous étonne et nous inspire du respect. Aucun homme blanc ne le ferait. Et pas davantage une femme blanche. Mais nous voyons aussi les difficultés que cela implique pour nous. Les clients sont moins nombreux, et moins généreux. Même si nous sommes habituées, nous avons aussi l'impression qu'ils sont plus brutaux. En ville, on dit qu'on choisit d'autres établissements, pour protester contre l'aide que Senhora Ana fournit à Isabel. En conséquence, nos revenus diminuent. Si cela continue, nous n'aurons plus du tout de clients. Cet endroit aura alors complètement perdu la bonne réputation dont il jouissait autrefois.

Felicia parlait comme si elle lisait un discours. Ana savait qu'elle avait raison. Le nombre des clients avait diminué, d'abord insensiblement, puis plus nettement. Eber lui avait montré, l'air soucieux, une courbe du chiffre d'affaires, descendante. Pas en piqué, mais en pente de plus en plus raide.

Pourtant, Ana fut à la fois indignée et déçue du discours de Felicia. Elle avait espéré être soutenue dans ses efforts pour faire libérer Isabel. Elle éprouva un soudain mépris pour ces femmes noires qui vendaient leur corps sans réfléchir. Tout ce qui comptait pour elles, c'était l'argent.

Elle sentit cependant qu'elle était injuste. C'était elle qui gagnait le plus sur leur dos. C'était elle qui avait le temps et les moyens d'essayer d'aider Isabel. C'était elle qui avait eu la possibilité d'aller chercher Pandre à l'étranger, elle encore qui pourrait éventuellement corrompre quelqu'un pour permettre à Isabel de s'évader.

Mais elle était malgré tout indignée par ce qu'avait dit Felicia. Déjà du vivant de Senhor Vaz, les femmes de son établissement gagnaient nettement plus que dans n'importe quel autre bordel de la ville.

– Ça ne peut pas faire une si grande différence, dit Ana. Qui parmi vous peut vraiment se plaindre ?

Ana remarqua sa voix tendue. Elle ne voulait pas afficher sa colère.

Aucune des femmes ne prit la parole. Toutes regardaient en l'air. Personne ne réagit non plus à la dispute entre deux vendeurs d'oranges qui éclata dans la rue. Les bagarres ou les éclats de voix à l'extérieur du bordel amusaient habituellement beaucoup les femmes.

– Je veux savoir, dit Ana. Est-ce que l'une d'entre vous a remarqué une baisse sensible de ses revenus ?

Toujours rien. Puis, soudain, comme sur un signal invisible, toutes les femmes levèrent la main.

Ana se leva. Elle était excédée.

– Je vous verserai personnellement le manque à gagner que vous estimez dû à l'aide que j'apporte à Isabel, cria-t-elle. Chaque mois vous viendrez me présenter la liste des clients qui ne sont pas venus. Je paierai pour eux. Votre nouveau client, ce sera moi !

Elle traversa le jardin sans se retourner et rentra chez elle. Là, elle resta longtemps assise devant son carnet ouvert, sans rien écrire. Que faire de sa grande déception ?

Elle alla à une fenêtre regarder la mer. Des petits bateaux de pêche à voile triangulaire filaient sous le vent. Carlos était grimpé sur la cheminée, une orange à la main.

Ana allait quitter la fenêtre quand elle aperçut dans la rue un homme noir qui la fixait. Elle ne l'avait encore jamais vu. De forte stature, il portait une sorte de bleu de travail. Quand il vit qu'elle le regardait, il tourna les talons et disparut. Elle appela Julietta.

– As-tu vu un homme noir dans la rue, en train de regarder ma maison ?

– Non.

– Mais je viens de le voir, là, dehors.

– Je ne sais pas qui c'est. Mais je peux me renseigner.

Dans l'après-midi, quand Ana partit pour le fort, Julietta n'avait pas encore trouvé qui était l'homme qui rôdait dans la rue. Ana commençait à se demander si elle n'avait pas rêvé.

Sullivan l'attendait.

– La prisonnière a été blessée cette nuit, dit-il, comme s'il n'était pas vraiment concerné.

Ana ne comprit pas tout de suite.

– La femme à qui vous portez vos paniers de nourriture a été blessée cette nuit.

– Que s'est-il passé ?

– Quelqu'un a tenté de la tuer. Ou peut-être voulait-on juste la défigurer.

– Comment cela a-t-il pu être possible ?

– Nous menons l'enquête.

Ana n'écouta pas si Sullivan avait quelque chose à ajouter. Elle se précipita à travers l'esplanade où broutaient quelques chèvres. Le soldat de garde ouvrit la grille en la voyant arriver. Ana s'engouffra dans le couloir sombre. La porte de la cellule d'Isabel était ouverte. Pour une fois, elle était couchée. Du sang avait coulé sur une de ses joues et à la commissure des lèvres. On l'avait tailladée.

Sullivan l'avait suivie.

– Vous devriez peut-être aller chercher votre médecin indien ?

Ana eut soudain le sentiment que Sullivan savait que Pandre n'était pas ce qu'il prétendait. Mais pour l'heure elle n'avait pas le courage de tirer ça au clair. Il pouvait bien penser ce qu'il voulait.

– Il est reparti, se contenta-t-elle de dire. Mais pourquoi n'avez-vous pas vous-même appelé un médecin ?

– Il est en route, dit Sullivan. Mais il devait d'abord s'occuper d'un accouchement. La vie passe toujours avant la mort.

– Pas toujours, dit Ana. La vie et la mort vont et viennent ensemble. Sans soins, Isabel peut mourir.

Le médecin qui finit par arriver s'avéra être un vieux Portugais installé depuis plus de cinquante ans dans le pays, sourd comme un pot. Il étonna Ana par la dextérité avec laquelle il recousit et pansa la longue plaie.

– Va-t-elle survivre ? demanda Ana.

– Naturellement. Elle aura une cicatrice, c'est tout.

– Celui qui a fait ça voulait-il la tuer, ou juste la blesser ?

Pour se faire comprendre, elle devait lui crier à l'oreille.

– Les deux sont possibles. Mais vraisemblablement pas la tuer. Il aurait dans ce cas frappé plus bas, vers le cou, et un peu plus profond. Un couteau aiguisé qui tranche une gorge tue en moins d'une minute.

Ana resta auprès d'Isabel. Elle ne savait pas si la blessure la faisait souffrir. Elles s'écoutaient respirer en silence. Ana regardait un insecte qui n'en finissait pas de grimper le long du mur de la cellule.

Elle finit par ressortir à la lumière du jour. Sur un fauteuil à bascule, à l'ombre du mur, Sullivan fumait la pipe.

– Qui a bien pu pénétrer jusqu'à sa cellule ? demanda Ana.

– Très sincèrement, je n'en sais rien. Mais je vous promets que nous menons l'enquête. Je ne veux pas qu'on assassine un prisonnier dont j'ai la responsabilité.

– Vraiment ?

– Oui, dit Sullivan. D'elle, je m'en fiche. Pour moi, elle mériterait d'être pendue ou fusillée. Mais personne ne devrait pouvoir s'introduire dans sa cellule pour la tuer.

Le soir, revenue chez elle, alors qu'elle allait tirer les rideaux, Ana remarqua de nouveau dans la rue l'homme en bleu de travail.

Un peu plus tard, elle éteignit la lumière et glissa un regard entre les rideaux.

L'homme était toujours là.

Il m'attend, se dit-elle. Il me veut quelque chose.

Elle descendit, ouvrit doucement la porte d'entrée et se faufila devant les gardiens. Une bouffée de haine envers ces hommes qui dormaient au lieu de veiller sur elle lui donna envie de les bousculer dans leurs feux. Elle se contenta d'ouvrir le portail. L'homme était toujours là, de l'autre côté de la rue. Elle s'approcha, une lampe à la main.

– Je suis Moses, dit-il. Le frère d'Isabel. Je suis venu des mines pour la libérer et l'emmener avec moi.

Ses yeux étaient parfaitement calmes. Il lui rappelait un peu son père.

65

Deux feux brûlaient déjà, là où les gardiens dormaient à même le sol. Moses en alluma pourtant un troisième, derrière la maison, où Ana avait fait planter un petit potager et quelques citronniers et orangers. Pour la première fois depuis son arrivée dans cette ville, elle était en compagnie d'un Africain qui la traitait comme son égale. Ce à quoi elle était habituée, cette soumission fausse et forcée des Noirs, il n'y en avait pas trace chez lui. Moses lui parlait en la regardant en face. C'était aussi la première fois qu'un homme noir s'asseyait en sa compagnie. Normalement, quand elle était assise, le Noir avec qui elle parlait restait debout. C'était comme ça, Ana Dolores le lui avait expliqué.

Elle le lui demanda d'emblée. Pourquoi était-il si différent ?

– Pourquoi ne te regarderais-je pas dans les yeux ? Tu ne peux pas haïr ou mépriser les Noirs, puisque tu essaies d'aider ma sœur. Tu n'es pas non plus une missionnaire. Tu n'es pas comme tout le monde.

– Dans quel genre de mine travailles-tu ? Une mine de charbon ?

– De diamants. Mais il y a naturellement aussi du charbon. Puisque c'est la même chose.

Elle l'ignorait.

– On se chauffe avec le charbon. On fait des bijoux avec les diamants. Je ne vois pas le rapport.

– Le très vieux charbon se transforme en diamant, dit Moses. Un jour peut-être, je t'expliquerai tout cela. Je te parlerai de ce qu'on extrait de la terre du côté de Rand.

Ana savait d'où il venait. Mais comment pouvait-il savoir qui elle était ? Isabel le lui avait-elle raconté ?

– Je sais ce que je sais, se contenta-t-il de répondre.

Il ne lui donna pas d'autre explication. Il commença alors à lui parler de la vie dans les mines, sans qu'elle le lui ait demandé.

– Les Blancs qui ont débarqué sur nos côtes ont toujours d'abord cherché à savoir ce que renfermait le sous-sol. Voilà pourquoi nous autres les Africains, nous avons du mal à vous comprendre. Comment peut-on faire un si long voyage, être prêt à mourir de fièvre ou mordu par un serpent, juste pour chercher quelque chose caché sous terre ? Naturellement, il y a aussi beaucoup de chasseurs qui viennent ici. D'autres cherchent à fuir les persécutions dont ils sont victimes dans leur pays. Ce que nous n'arrivons pas à comprendre, c'est pourquoi ils deviennent à leur tour persécuteurs. Les Blancs sont incompréhensibles, mais en même temps très prévisibles, car nous savons ce qu'ils cherchent. Mais ils ne veulent pas creuser eux-mêmes, ils nous forcent à le faire. Ils nous ont mis au service du sous-sol. Mais tout ça finira un jour, tout comme les mines d'or et de diamants se tariront.

– Que feras-tu quand ta sœur sera à nouveau libre ?

– Je compte utiliser ces galeries de mines que je connais si bien pour protéger ma sœur et ses enfants. C'est là que je les conduirai. Aller dans un autre pays, passer des frontières tracées par les Blancs, ça ne signifie rien. Toutes vos frontières ne sont que des traits dans la terre rouge, que des enfants auraient pu tirer avec un bâton.

Il se tut et regarda le feu s'éteindre. Ana se dit qu'il avait fait un feu qui ne brûlerait que le temps de lui parler. Une fois les dernières braises éteintes, il se leva et la laissa. Ses derniers mots furent pour lui donner rendez-vous au fort le lendemain.

Ana regagna sa chambre. Carlos se réveilla quand elle se glissa dans le lit. Il étendit une main vers elle. Mais ce soir, elle ne voulait pas d'un singe dans son lit. Pas après avoir rencontré ce Moses. Elle repoussa Carlos, pas trop fort mais assez pour qu'il comprenne que sa place était sur le lustre. Avec un soupir et un sifflement irrité, Carlos grimpa et se coucha, un bras pendu hors de la lampe en forme de coupe.

Elle se leva tôt, resta longtemps devant le miroir, regarda son reflet et se dit qu'elle avait hâte de retrouver Moses. À son grand étonnement, elle eut devant le miroir cette pensée inouïe : Moses était un homme dont elle pouvait s'imaginer proche. Elle posa sa main devant sa bouche, comme si elle avait poussé un cri d'effroi.

C'est une autre que je vois, se dit-elle. Ou celle que je suis devenue sans le savoir.

Quelques heures plus tard, tandis qu'elle vérifiait les comptes d'Eber pour tenter de comprendre la prétendue diminution de son chiffre d'affaires, Julietta vint lui annoncer la visite du père Leopoldo. Ana craignit aussitôt qu'il ne soit arrivé quelque chose à Isabel. Elle dévala l'escalier pour l'accueillir. Mais le prêtre la rassura. Le vieux médecin l'avait bien recousue et le pansement protégeait la plaie de la saleté.

– Je suis venu vous dire que je continuais à essayer de lui parler, dit le père Leopoldo quand ils se furent installés à l'ombre sur la véranda et que Julietta eut servi le thé.

– Mais elle est toujours muette ?

– Elle ne dit rien, mais elle écoute.

– Peut-on en être sûr ?

– Je vois qu'elle entend.

– Je sais que cela ne me regarde pas, mais qu'essayez-vous de lui dire ?

– Qu'elle doit reconnaître ses péchés et remettre son âme à Dieu. Il la jugera, mais son jugement sera doux si elle se repent et se soumet à sa volonté.

Ana regarda le père Leopoldo, interloquée. Il y croit vraiment, pensa-t-elle. Pour lui, Dieu punit. C'est le même Dieu que celui dont parlait ma grand-mère de Funäsdalen. Il croit à l'enfer, comme elle. Pas moi. Je ne crois pas à l'enfer, mais j'en ai peur. S'il existe, il est sur cette terre.

Dieu est blanc. Je l'ai toujours imaginé ainsi. Mais jamais aussi clairement qu'aujourd'hui.

Elle voulait mettre un terme à cette conversation.

– C'est la première fois que vous venez me voir. Je ne pense pas que ce soit juste pour me dire qu'Isabel continue à se taire. Je le sais bien, puisque je lui rends visite tous les jours.

Je viens aussi vous informer que le crépi s'effrite dans un coin de la cathédrale et que des travaux vont être nécessaires.

– Mais je ne suis pas maçon !

– Nous allons avoir besoin de généreux donateurs pour intervenir avant que les dégâts empirent. Nous ne pouvons pas attendre que les autorités ecclésiastiques de Lisbonne se décident à nous aider.

Ana hocha la tête. Elle promit au père Leopoldo de faire un don, même si elle trouvait humiliant que ce soit finalement la raison de sa visite. À ses yeux il était devenu un mendiant qui avait forcé sa porte.

Il se leva, comme s'il avait hâte de partir. Ana sonna Julietta pour qu'elle le raccompagne. Elle songea aux paroles de son père, qui voulait botter les fesses des prêtres et les chasser pieds nus dans la neige. Il n'aurait pas aimé le père Leopoldo. Mais j'aurais toujours été un petit ange sale pour lui.

Ce jour-là, Ana évita de se rendre au bordel. Elle envoya Julietta avec un message ordonnant à O'Neill de prendre les commandes jusqu'à son arrivée. Elle faisait aussi allusion à une possible visite surprise. Senhor Vaz lui avait enseigné à jouer ainsi sur l'imprévu. Des contrôles pouvaient avoir lieu à toute heure du jour et de la nuit.

Après l'entretien avec le père Leopoldo, Ana renvoya un des gardiens. Il la supplia en vain de lui laisser son travail. Il avait été malade, sa mère avait eu un accident, plusieurs de ses enfants étaient en difficulté, voilà pourquoi il s'était endormi la veille. Ana savait que rien de tout ça n'était vrai, c'était un rituel cousu de fil blanc. Elle lui permit cependant d'aller chercher son frère pour le remplacer à son poste, en le prévenant qu'elle contrôlerait chaque nuit qu'il se tenait bien éveillé.

Après la sieste, passée sans dormir à s'éventer mollement sur le lit, elle partit pour le fort. Carlos était alors juché sur la cheminée. Il était en train de se transformer, mais elle ne savait pas en quoi. Peut-être que je me vois en Carlos, songea-t-elle. Quelque chose va se produire, un événement décisif pour ma vie. Et aussi pour l'avenir de Carlos.

66

Moses attendait dans l'ombre du mur d'enceinte du fort. Ana descendit de voiture et s'avança vers lui. Il avait choisi un endroit à l'abri des regards. Il lui donna un petit sac en cuir.

– Qu'est-ce que c'est ?

– Un coquillage qu'on ne trouve qu'à Inhambane, en poudre. Et les pétales séchés d'un arbre qui ne fleurit qu'un seul jour tous les dix-neuf ans.

– Mais ça n'existe pas !

– Tu donneras ça à Isabel. De ma part. Elle doit le manger.

– Pourquoi doit-elle manger des fleurs ?

– Ça lui donnera des ailes, comme à un papillon. Avec ça, elle pourra s'enfuir de cette prison. Je la retrouverai et l'emmènerai avec ses enfants dans mes galeries souterraines. Dans sa cellule, on ne retrouvera que le sac en cuir. Il tombera en poussière en chuchotant.

– Un sac en cuir, chuchoter ?

– Il parlera d'Isabel et de sa nouvelle vie à qui voudra l'entendre.

– On dirait un conte pour enfants.

– Et pourtant c'est vrai.

Ana vit que Moses était sérieux. Ce n'était pas un enfant. Ce qu'il disait était pour lui la vérité pure et simple. Ana remarqua combien il ressemblait à Isabel, surtout les yeux et le front haut.

– Je le lui donnerai, dit Ana en mettant le sac dans son panier de nourriture. Elle sait ce qu'elle doit faire ?

– Elle sait.

– Et tu crois vraiment qu'il va lui pousser des ailes ?

Moses recula d'un pas, comme s'il ne voulait plus être aussi près d'elle. Puis il tourna les talons sans répondre. Ana resta là, hésitante. Elle posa son panier, en sortit le sachet et l'ouvrit. Il était à moitié plein d'une poudre bleu et blanc qui scintilla au soleil.

Je participe à un jeu étrange, se dit-elle. Comment des ailes pourraient-elles pousser à une femme ? Si mon père m'avait donné ces coquillages en poudre et ces fleurs séchées, aurais-je pu m'envoler par-delà le fleuve et disparaître dans la montagne ?

Elle referma le sac. Il y a beaucoup de choses que je ne comprends pas. Ces ailes, seuls Moses et Isabel peuvent s'y raccrocher. Pour moi, tout cela est la fois ridicule et profondément sérieux.

Elle franchit les portes du fort. Sullivan l'attendait comme d'habitude. Ce jour-là, il avait revêtu son grand uniforme. Il tenait à la main sa pipe éteinte. Elle demanda si la lumière avait été faite sur l'auteur de l'agression d'Isabel.

– Non. Mais il me semble inconcevable que nous ne réussissions pas à trouver le coupable.

– Un des soldats ?

– Qui prendrait ce risque ? Je le renverrais aussitôt. Et l'affectation dans une compagnie disciplinaire au Portugal est ce que redoute toute recrue.

– Qui peut échapper à leur surveillance ?

– C'est justement ce que nous cherchons à savoir. La ville est petite. On aura du mal à cacher longtemps la vérité.

Je n'aurai jamais de réponse, songea-t-elle. C'est peut-être lui qui est allé taillader le visage d'Isabel.

Elle se dirigea vers les cellules et s'assit à côté d'Isabel. Le panier de la veille n'était pas tout à fait vide, elle avait mangé, mais peu.

– Ce sachet est de la part de Moses, dit Ana. Il veut que tu avales son contenu pour être libérée.

Pour la première fois, Isabel attrapa sa main. Elle serra fort le sac en cuir et appuya un instant sa tête contre l'épaule d'Ana.

– Allez-vous-en à présent, dit-elle alors d'une voix rendue rauque par le silence. Je n'ai plus beaucoup de temps.

Ana retrouva la lumière vive du soleil. Quelques Noirs étaient en train d'astiquer une statue équestre arrivée en bateau de Lisbonne pour être installée sur une place en ville. Les chèvres étaient immobiles à l'ombre du mur d'enceinte.

Ana rentra. Elle avait espéré trouver Moses à l'extérieur du fort, mais il n'était pas là.

Le lendemain, réveillée à l'aube par Carlos qui tirait à lui la couverture, elle découvrit Moses en train d'épier sa fenêtre. Elle dévala l'escalier et sortit dans la rue. Les gardiens s'étaient réveillés, avaient éteint leurs feux et se lavaient à la pompe, derrière la maison.

Moses tenait une pelle à la main.

– Ça n'a pas marché, dit-il. Elle est trop bien enfermée.

– Comment le sais-tu ?

– Je sais. Elle sait. Il y a trop de Blancs autour d'elle, ils font peur aux esprits. Je vais donc commencer à creuser un tunnel sous le mur. Cela sera plus long. Mais nous sommes patients.

– D'où penses-tu creuser ? Tu crois vraiment ça possible ?

– Il le faut !

– Tu as l'habitude des mines, mais… y arriveras-tu seul ?

Moses ne répondit pas. D'un pas pressé il se dirigea vers le bas de la colline, en direction du fort.

Ana resta là, dans la rue, en simple robe de chambre. Ce n'est qu'au retour des gardiens, qui s'apprêtaient à rentrer chez eux, qu'elle retourna à l'intérieur. Moses et Isabel pouvaient croire autant qu'ils voulaient à leurs histoires d'ailes de papillon poussant du jour au lendemain, elle seule pouvait aider Isabel. Elle se recoucha, et ne se releva qu'une fois sa décision prise. Elle s'habilla, ramassa une grande partie de l'argent liquide qu'elle gardait dans le coffre-fort de Senhor Vaz. Elle en remplit une grande corbeille à linge, qu'elle recouvrit et chargea dans la voiture avec Julietta à l'heure d'aller voir Isabel.

– Elle va manger tout ça ? demanda Julietta, curieuse.

– Tu poses bien trop de questions, dit sèchement Ana. Ça me fatigue. Apprends à te taire. Et puis c'est une corbeille à linge, on ne met pas de nourriture dedans.

Le chauffeur l'aida à porter la corbeille jusqu'au fort. Sullivan l'attendait, en uniforme ordinaire.

– Je souhaite vous parler en privé, dit Ana. Aidez-moi à porter ça.

Sullivan la regarda, surpris. Puis il appela deux soldats, qui transportèrent la corbeille dans son bureau. Ana referma la porte derrière elle. La corbeille remplie de liasses de billets était recouverte d'une étoffe orientale qu'un client avait laissée à Senhor Vaz en guise de paiement.

Sullivan s'assit derrière son bureau acajou et lui indiqua un siège.

– Vous souhaitiez me parler ?

– Je vais être franche. Isabel ne va pas survivre, ici. Aussi, je suis prête à vous donner cette corbeille pleine d'argent pour qu'elle ait la possibilité de s'évader.

Elle ôta l'étoffe. Sullivan se leva et contempla le contenu de la corbeille.

– C'est tout ce que je possède, dit Ana. Et je vous promets de n'en parler jamais à personne. Tout ce que je veux, c'est qu'Isabel soit libérée.

Sullivan alla se rasseoir. Son visage était impassible.

– Pourquoi est-elle si importante pour vous ?

– J'ai été témoin. Je sais pourquoi elle l'a fait. J'aurais pu faire pareil. Mais moi, on ne m'aurait jamais enfermée dans un cachot. Parce que je suis blanche.

Sullivan hocha la tête sans rien dire. On entendit les chèvres bêler dans la cour. Ana attendit.

Il tarda à parler. Il finit par se tourner vers elle. Il souriait.

– Cela me semble une excellente idée. Je ne suis pas intraitable. Mais l'argent ne suffit pas.

– Je n'en ai pas plus.

– Ce n'est pas de l'argent que je désire.

Ana se dit que Sullivan avait peut-être la même exigence que Pandre.

– Vous serez bien entendu le bienvenu dans mon établissement, quand vous voudrez. Sans payer.

– Vous ne me comprenez toujours pas, dit Sullivan. Il est vrai que j'ai l'intention de venir chez vous voir toutes ces jeunes beautés affriolantes. Mais c'est vous que je compte emmener dans une chambre, pour la nuit entière. Personne d'autre. Je veux la femme qu'aucun client n'a eue.

Ana vit tout de suite qu'il ne plaisantait pas. Il ne voudrait pas des autres femmes. Il n'en démordrait pas.

– L'argent peut rester ici jusqu'à ce que vous vous décidiez. Je vous garantis que personne n'y touchera. Je vous donne jusqu'à demain.

Il se leva, s'inclina et lui ouvrit la porte. Quand elle passa devant lui, il lui effleura la joue de sa main gantée. Elle frissonna.

Sa visite à Isabel fut très courte ce jour-là. Tard dans la nuit, alors que Carlos dormait déjà, elle prit sa décision. Une fois dans sa vie, elle allait se vendre.

Quand ce serait fini, elle pourrait enfin s'en aller. Quitter cet enfer sur terre dont sa grand-mère ne lui avait jamais parlé. Elle disparaîtrait de cette ville où elle avait un jour débarqué, sans savoir où elle s'aventurait.

67

Ce soir-là, elle prit une forte dose du somnifère au chloral qu'utilisait Senhor Vaz. Elle parvint à s'endormir, d'un sommeil inquiet.

Elle se réveilla en sursaut. Elle ouvrit les yeux et vit le visage mal rasé et luisant de sueur d'O'Neill. Ses yeux étaient exorbités, injectés de sang.

C'était à peine l'aube. La lumière se glissait entre les rideaux à demi tirés. O'Neill tenait à la main un couteau, sanglant. Elle crut d'abord qu'il l'avait frappée, mais elle ne ressentait aucune douleur. Des idées confuses et paniquées se pressaient dans son esprit. Où était Carlos ? Pourquoi ne l'avait-il pas protégée ? Puis elle découvrit qu'il était couché à côté d'elle, la partie glabre de son crâne couverte de sang. Mort ou gravement blessé, elle ne savait pas. Elle se souvenait vaguement d'avoir entendu dans son sommeil Carlos crier. C'était peut-être ce qui l'avait réveillée.

Quand elle comprit qu'elle n'était pas blessée, elle s'aperçut qu'O'Neill avait peur. Contre qui avait-il utilisé son arme ? Les gardiens endormis ? Julietta ? Elle se força à rester calme et se redressa lentement contre les oreillers. O'Neill ouvrit d'un coup les rideaux, pour faire entrer le jour. Il ne tenait pas en place. Cela augmenta son inquiétude : il semblait aux abois. Qu'avait-il fait ?

– Qu'est-ce que tu veux ? demanda-t-elle d'une voix calme.

– Ton argent.

Elle vit qu'il tremblait.

– Qu'as-tu fait ?

Avait-il agressé l'une des femmes du bordel ? Plusieurs ? Toutes peut-être ? Était-ce le sang de Felicia et des autres qui poissait la lame de son couteau ?

– Il faut que je sache, dit-elle. Que s'est-il passé ? Qui as-tu poignardé ?

O'Neill ne répondit pas. Il laissa juste échapper un grognement d'impatience. Il arracha la couverture et lui siffla de lui remettre tout son argent. Elle se leva, enfila sa robe de chambre en songeant à cette curieuse coïncidence : depuis la veille, une grande partie de son argent était enfermée dans le bureau du commandant, sous la garde de la garnison.

– Que s'est-il passé ? répéta-t-elle.

O'Neill brandissait toujours son couteau, comme s'il redoutait qu'elle ne se jette sur lui. Carlos gisait sans connaissance, mais Ana vit qu'il respirait encore. Quoi qu'ait fait O'Neill, elle ne lui pardonnerait jamais de s'en être pris à ce singe innocent.

Soudain, O'Neill répondit à sa question. Comme s'il crachait chaque mot.

– Je suis allé dans sa cellule finir le travail. Cette fois, elle est vraiment morte.

Le sang d'Ana se glaça. Elle gémit. O'Neill s'approcha d'un pas.

– Je ne pouvais pas rester sans rien faire, à te regarder jeter par la fenêtre l'argent des filles pour une femme noire qui a tué son mari. Maintenant je m'en vais. Avec ton argent. Tu n'auras même plus de quoi payer un cercueil pour son enterrement.

Ana s'assit doucement sur le bord du lit. Le couteau

d'O'Neill avait déchiré quelque chose en elle. Tout ce qu'elle voulait, c'était qu'on la laisse pleurer Isabel. Mais que faire d'O'Neill ? Il ne partirait pas sans son argent et ne la croirait pas quand elle lui dirait où il était. Son voyage commencé très loin sur un traîneau allait-il s'achever ici ? Elle allait mourir ici, poignardée par un forcené qu'elle avait commis l'erreur d'engager. Qu'elle avait pris à l'essai sans se douter qu'elle faisait entrer un assassin chez elle. Elle mourrait dans cette chambre où elle avait passé son veuvage, avec cet étrange singe qui avait été domestique de bordel, habillé de blanc.

Mais O'Neill disait-il vrai ? Elle le regarda et se dit qu'elle était tombée dans un piège. Elle ne l'avait pas vu venir, et il était en train de l'engloutir.

– Pourquoi l'as-tu tuée ? Et pourquoi te croirais-je ?

– Personne n'était capable de faire la seule chose juste, la tuer, alors je l'ai fait.

– Comment as-tu pu accéder à sa cellule ? Et à deux reprises ?

– Quelqu'un m'a aidé de l'intérieur, naturellement. En laissant les portes ouvertes.

– Le commandant ? Sullivan ?

O'Neill fit un geste brusque avec le couteau. Il heurta Carlos, qui poussa un gémissement.

– Pas Sullivan. Mais fini, les questions.

Il ramassa par terre un sac de jute gris.

– Remplis ça de fric !

– Impossible.

Quelque chose dans sa voix le déstabilisa.

– Et pourquoi ?

– Parce que presque tout mon argent est enfermé dans le bureau du commandant, au fort.

Elle vit qu'il hésitait entre désarroi et rage. Le sac pendait à sa main.

– Et pourquoi a-t-il ton argent ? Tu ne pouvais pas savoir que je viendrais cette nuit !

– Je lui ai laissé cet argent pour le corrompre. Pour qu'il me laisse délivrer Isabel et lui fasse quitter la ville. Je devais lui porter le reste ce matin.

– Tu en as donc encore ?

– De l'argent, non. Le solde devait être versé d'une autre façon.

– Quoi ? Comment ?

– Ma personne.

O'Neill ne bougeait pas. Il était désemparé. Il ne comprenait pas, ce qui donnait à Ana un avantage, malgré le couteau.

– J'ai promis d'être sa pute. Mais il peut être tranquille. Si je racontais ça, qui croirait une mère maquerelle ?

O'Neill comprit enfin de quoi il retournait. Impossible qu'elle mente, qu'elle ait tout inventé. Il l'arracha brutalement du lit, la prit à la gorge et agita violemment son sac.

– Tout ce que tu as, dit-il. Absolument tout. Et tu ne diras à personne que je suis venu ici.

– Les gens comprendront quand même.

– Pas si tu te tais.

Il la repoussa, si fort qu'elle tomba à la renverse sur le sol. Elle s'affaissa, le visage tout près de Carlos qui respirait encore péniblement.

Au moment où elle allait se redresser, Carlos ouvrit doucement un œil et la regarda.

Ana se leva et entreprit de rassembler l'argent qui lui restait. Elle avait rempli d'argent deux grandes urnes en porcelaine décorées de nymphes orientales pour payer les menus frais de ses femmes. Elle versa tout dans le sac, pressée par O'Neill de se dépêcher. Dans le placard, dans les deux valises en cuir de Senhor Vaz, elle gardait l'argent pour son voyage, quelle qu'en soit la destination. Tout ce qu'elle toucherait de la vente de sa maison et du bordel, elle comptait le laisser à ceux qui travaillaient pour elle.

La deuxième valise vidée, elle vit que le sac n'était qu'à moitié plein. Avec l'argent qui était chez le commandant, il lui en aurait fallu deux ou trois.

– C'est tout, dit-elle. Si tu en veux davantage, il faut aller voir Sullivan.

Il la frappa, de toute la force de sa déception : il avait escompté beaucoup plus. Submergée par la douleur, Ana eut le temps de se demander comment elle avait pu ne pas remarquer la brute qu'était O'Neill. Et dire qu'elle s'apprêtait à engager comme videur un homme pire que le pire de ses clients !

– Il y en a forcément encore ! la menaça-t-il, si près d'elle que ses poils de barbe lui frôlèrent le visage.

– Je peux le jurer sur la Bible ou sur mon honneur. Il n'y en a pas plus.

La crut-il ? En tout cas, il lui arracha les bagues qu'elle portait et les jeta dans le sac. Puis la frappa si fort que tout devint noir.

68

Quand elle revint à elle, Carlos était assis près d'elle et la regardait en se balançant d'avant en arrière, comme il faisait toujours quand il avait peur ou se sentait abandonné. O'Neill avait disparu. Ana avait l'impression de n'être pas restée inconsciente très longtemps. La fenêtre ouverte sur la véranda indiquait par où il avait pris la fuite, et peut-être aussi par où il était entré. Elle sortit et vit les deux gardiens qui s'étiraient en bâillant près de leurs feux. Si elle avait eu une arme, elle les aurait abattus. Du moins la tentation aurait-elle été grande. Mais même si elle les avait mis en joue, elle aurait fini par tirer en l'air. Elle ne pourrait tuer personne. Elle était un ange sale, pas un monstre meurtrier.

Elle s'assit sur le lit et lava la plaie de Carlos. Qui me croirait, songea-t-elle, si je disais qu'après avoir été agressée je me suis occupée d'un singe blessé à la tempe ?

En début d'après-midi, elle se rendit au fort. Julietta et Anaka avaient découvert avec effroi le désordre dans la chambre, les draps déchirés, les taches de sang et le miroir cassé. Ana avait prétendu que Carlos avait fait des cauchemars. Il s'était blessé tout seul. Quant à sa propre joue tuméfiée, elle s'était abstenue de tout commentaire.

Comme il était très tôt, Sullivan ne l'attendait pas sur les marches, sa pipe à la main. Il n'était même pas encore arrivé de son logement de fonction sur les hauteurs de la ville. Ana inspira profondément et se dirigea vers l'entrée des cellules. Le soldat voulut l'empêcher d'entrer. Il était inquiet, car il avait découvert que le verrou de la grille avait été ouvert pendant la nuit, alors qu'un de ses collègues était de garde. Mais Ana lui cria de la laisser passer et le bouscula.

Isabel gisait morte au pied de sa banquette. Elle avait tenté de se redresser pour mourir assise, mais elle n'en avait pas eu la force. Un de ses bras s'agrippait à la banquette. Elle n'était plus qu'une bouillie sanglante de chair et de peau où s'engloutissaient ses pensées et ses souvenirs, les cicatrices de ses accouchements, son amour pour Pedro. O'Neill ne s'était pas contenté de la poignarder avec son couteau tranchant, il s'était acharné à la lacérer comme s'il avait voulu la rendre méconnaissable. Désespérée, Ana songea à la haine sans bornes que nourrissait O'Neill à l'égard des Noirs qui refusaient de se soumettre, même en prison.

Ana hissa péniblement Isabel sur la banquette. Elle la recouvrit avec la couverture qu'elle n'avait jamais utilisée, même les nuits les plus fraîches. Chaque fois qu'elle touchait son corps, elle se rappelait le froid permanent de son enfance. Isabel morte au fond de son cachot se transformait en ce paysage où elle avait jadis vécu, toujours gelée, toujours aspirant à la chaleur du feu ou du soleil qui perçait si rarement les nuages descendus des montagnes, à l'ouest. En la regardant, elle se souvenait de ce qui, un instant plus tôt, était si lointain. À qui disait-elle adieu ? À Isabel, ou à elle-même ? Ou aux deux ?

Un soldat entra dans la cellule pour lui signaler que le commandant l'attendait. Elle le trouva assis à son bureau. Quand il lui demanda pourquoi elle était venue si tôt, Ana comprit qu'il ignorait ce qui s'était passé pendant la nuit.

Cela lui donna un avantage inattendu qu'elle n'hésita pas à exploiter.

– Venez, dit-elle. J'ai quelque chose à vous montrer.

– Peut-être devrions-nous d'abord confirmer la dernière partie de notre accord ?

– Il n'en est plus question.

Ana tourna les talons et quitta la pièce. Sullivan la rattrapa au milieu de la cour. La rumeur circulait déjà dans les rangs des soldats.

Elle lui dit tout : O'Neill, l'agression chez elle, l'aveu du meurtre. Sullivan écouta, de plus en plus en colère. Était-ce l'humiliation, la perte de l'argent dans la corbeille, ou de ne plus pouvoir espérer coucher avec elle ? Ana était pour le moment en position de force.

– Son frère va venir chercher le corps, dit-elle. L'argent, je le remporte. Nous ne nous reverrons plus jamais. Et je veux que des soldats continuent à la surveiller, même morte.

Ils se dirigèrent vers la sortie. Deux soldats portèrent la corbeille à linge dans le coffre de la voiture.

– Nous allons l'arrêter, dit Sullivan, qui l'avait suivie jusqu'au porche.

– Non, dit Ana. C'est un Blanc, vous allez le laisser fuir. Vos paroles, c'est du vent. J'avais pensé vous dire oui, mais je suis à présent soulagée de ne plus jamais avoir à vous approcher.

Avant que le commandant ait le temps de répondre, elle lui tourna le dos et monta dans la voiture. En s'éloignant, elle vit la statue équestre traînée dans la rue par des Noirs harnachés de cordes. Elle ferma les yeux. Elle regrettait de ne pas avoir tout de suite accepté de laisser Sullivan avoir ce qu'il voulait. Peut-être aurait-elle ainsi pu sauver Isabel ? Elle aurait fui cette nuit avec Moses vers la liberté dans les lointaines galeries de mines.

La journée qui suivit ne lui laissa aucun souvenir. Une lumière blanche et crue, un bourdonnement perçant dans les oreilles. Rien d'autre.

Moses se présenta devant chez elle au crépuscule. Ana l'attendait à la fenêtre. Il savait déjà qu'Isabel était morte. Ana ne se soucia pas de lui demander comment. Il était sale, couvert de poussière.

En guise de tunnel vers la liberté, c'est une tombe qu'il devrait à présent creuser.

– Tu peux aller chercher son corps demain, dit-elle. Il n'aura pas encore commencé à sentir. Si tu as besoin d'aide, on t'en donnera. Personne ne te traitera mal au fort. Les soldats veillent sur elle.

– J'irai la chercher moi-même, dit Moses. Ce dernier voyage, je veux le faire seul avec elle.

– Et que vont devenir ses enfants ?

Moses ne répondit rien. Il se contenta de secouer la tête, murmura quelques mots inaudibles et s'en alla.

Elle faillit lui courir après pour le suivre, où qu'il aille, aux mines de Rand ou de Kimberley, ou n'importe où dans le vaste monde qui s'étendait à l'infini au-delà des crêtes des montagnes.

Mais elle resta là. Ana Branca et Hanna Lundmark ne savaient pas à quel monde elles appartenaient.

En retournant vers la maison, elle vit que Carlos avait retrouvé sa place sur la cheminée. Dans les derniers rayons du soleil, seule se dessinait sa silhouette. Il ressemblait à un vieil homme. Un singe, ou un bossu courbé sous un fardeau infiniment lourd dont il était incapable de se libérer.

Dans la soirée, elle fit une brève annotation dans son journal : « Isabel, ses ailes, un papillon bleu parti voleter dans un monde où je ne peux plus l'atteindre. Moses est parti. Lui, je l'aime. En vain, sans espoir. »

Puis elle referma le carnet, attacha un ruban rouge autour de la couverture et le rangea dans le tiroir de son bureau.

Ce soir-là, elle ne toucha pas à la corbeille à linge.

69

Elle se tenait sur la véranda quand le soleil se leva sur la mer, mais Moses n'était pas là. Déçue, elle rentra, vida la corbeille à linge, rangea les liasses de billets dans le coffre-fort, l'armoire, les tiroirs : elle parvint péniblement à tout replacer. Puis elle se lava soigneusement les mains. Restait pourtant une odeur tenace.

Quand Julietta lui apporta son petit déjeuner, elle lui dit de se rendre aussitôt au fort pour se renseigner sur l'enterrement d'Isabel. À son grand étonnement, Julietta ne réagit pas à la nouvelle comme elle l'attendait : elle savait donc déjà qu'Isabel était morte. Décidément, les Noirs avaient leurs canaux secrets pour se transmettre les nouvelles importantes.

– Dépêche-toi, dit Ana. Ne traîne pas devant les vitrines, ne bavarde pas en chemin. Si tu me surprends en y allant et en revenant vraiment vite, tu seras récompensée.

Julietta partit sans tarder. Ana l'entendit bondir dans l'escalier.

Moins d'une heure plus tard, elle était de retour. Ana dut la faire asseoir et reprendre son souffle pour enfin comprendre ce qu'elle essayait de dire.

– Le corps a déjà disparu.

Ana la dévisagea.

– Comment ça ?

– Il est venu le chercher dès le lever du soleil.

– Qui ?

– Un homme noir, qui l'a emporté seul.

– Tu n'as pas vu le jeune commandant ?

– Un des soldats m'a dit qu'il était encore chez lui, en train de dormir. Il a été invité hier soir.

– Chez qui ? Il a bu ? Il faut vraiment que je te tire les vers du nez ?

– C'est ce qu'ils m'ont dit. Après, ils ont essayé de m'attirer du côté des cachots. Alors je me suis sauvée.

– Tu as bien fait.

Ana avait préparé la récompense de Julietta : un joli collier et un chemisier de soie moirée. Julietta s'inclina.

– Va, dit Ana. Dis au chauffeur que je descends bientôt.

Julietta resta plantée là. Ana comprit aussitôt ce qu'elle voulait.

– Non, dit-elle. Tu n'iras jamais travailler au bordel avec les autres femmes. File, maintenant, avant que je reprenne ce que tu as eu !

Julietta disparut. Ana s'habilla en noir avec les mêmes vêtements qu'à l'enterrement de Senhor Vaz. Une nouvelle fois, elle allait conduire à la tombe quelqu'un que la mort avait surpris. Mais là elle serait la seule Blanche du cortège. Les Blancs qui la verraient seraient confortés dans leur hostilité à son égard, qui pour certains s'était transformée en haine. Non contente de se soucier des Noirs vivants, elle accompagnait jusqu'à sa tombe une femme convaincue de meurtre.

Elle ne connaissait pas bien les rites funéraires des Noirs, mais elle alla au jardin cueillir quelques fleurs rouges avant de monter dans la voiture. Le chauffeur soupira quand elle lui dit de la conduire au cimetière. Il sait, se dit-elle. Que le moment est venu pour Isabel d'être enterrée.

On construisait un mur à l'entrée du cimetière. Quand Ana

descendit de voiture, les ouvriers noirs s'arrêtèrent pour la regarder, brique et truelle à la main. Elle se mit à l'ombre d'un arbre et envoya le chauffeur demander quand Moses et le reste de la famille devaient arriver avec le corps d'Isabel. Elle le vit s'adresser à l'un des maçons, et être surpris par la réponse. Il se dépêcha de revenir.

– Ils sont déjà là, dit-il. Ils attendent à l'intérieur du cimetière.

– Qu'attendent-ils ?

– Vous, senhora.

Moses, pensa-t-elle en se hâtant d'entrer dans le cimetière, portant les fleurs rouges. Il savait que je viendrais à l'enterrement d'Isabel.

Le chauffeur lui indiqua une partie du cimetière, à l'écart des tombes des Blancs, où attendait un petit groupe. En se dépêchant entre les tombes décrépies, elle sentit une odeur douceâtre sortir de terre. Prise de nausée, elle mit une main devant sa bouche, de peur de vomir.

Le cercueil était brun, en bois brut. On l'avait déjà descendu au fond de la tombe. Autour, il y avait Moses dans son bleu de travail, les enfants d'Isabel et quelques femmes noires qu'Ana n'avait encore jamais vues. Elle supposa qu'il s'agissait des sœurs d'Isabel, qui s'occupaient à présent des enfants. Aucun prêtre de la cathédrale n'était venu. Quand elle fut là, Moses entonna un psaume. Tous se joignirent à lui. Moses murmura ensuite quelques mots qu'Ana ne comprit pas, puis se tourna vers elle.

– Veux-tu dire quelque chose ?

– Non.

Moses hocha la tête, puis jeta une première pelletée de terre sur le cercueil. Tous les autres l'aidèrent. Ils creusaient avec des bâtons ou des pierres plates. Ana eut une impression de grande hâte. Il fallait recouvrir le cercueil aussi vite que possible. Ana se souvint de ce que lui avait raconté Senhor Vaz : les Noirs étaient toujours pressés de quitter les enterrements, de peur d'être poursuivis par des mauvais esprits sortis du cercueil.

À la fin, elle resta seule avec Moses.

– Et maintenant, que vas-tu faire ?

– Je retourne dans les mines.

– Mais tu pourrais rester. J'ai encore l'argent que je pensais utiliser pour la libération d'Isabel.

Moses la regarda.

– Je suis sérieuse. Tu peux faire construire une maison, t'occuper des enfants d'Isabel. Tu n'es plus obligé d'aller trimer à la mine.

La croyait-il ? Elle ne savait pas. Il refusa pourtant.

– Je ne peux pas accepter ton argent.

– Pourquoi pas ?

– Isabel n'aurait pas voulu. Ses enfants sont très bien là où ils sont.

– J'ai compris que tu as travaillé longtemps dans la poussière et la fumée des mines. Ce n'est pas bon de faire ça trop longtemps.

– Mais là-bas, c'est chez moi.

Elle remarqua qu'il hésitait pourtant.

– Je vais réfléchir à ta proposition, dit-il. Je viendrai demain chez toi quand j'aurai fini.

Il se fraya un passage entre les tombes mal délimitées. Elle le suivit des yeux jusqu'à ce qu'il disparaisse derrière les mausolées des Blancs.

Elle se fit reconduire en ville, au bordel. Mais avant d'arriver, elle changea d'avis et demanda au chauffeur de la ramener chez elle. Elle ne savait pas quoi dire aux filles. La mort d'Isabel et sa conversation avec Moses renforçaient son impression d'être livrée à elle-même, seule avec ses pensées.

Elle prit un bain, puis s'allongea sur le lit. Elle se repassait sans cesse le long voyage qui l'avait conduite dans cette chambre. Mais les images se mélangeaient, dans la plus grande confusion. Soudain, c'était avec Senhor Vaz qu'elle se mariait à Alger, et Lundmark qu'elle avait rencontré au bordel. Moses était son videur et O'Neill était habillé comme le père Leopoldo dans la pénombre de la cathédrale.

Elle passa le reste de la journée et la soirée à somnoler entre rêve et réalité. Elle enfila une robe de chambre quand Julietta lui apporta à manger, mais toucha à peine à son assiette. De temps à autre elle ouvrait son journal, lisait une phrase ici ou là, prenait la plume pour ajouter quelque chose, mais finit par ne rien écrire. Elle dessina juste une carte avec le fleuve qui serpentait en elle, les montagnes enneigées et la maison où son père calfeutrait sans cesse les fissures pour se préparer au froid interminable d'un nouvel hiver.

La nuit venue, elle s'endormit après avoir pris une dose de chloral inhabituellement forte. Elle rêva toute la nuit qu'elle était éveillée. Du moins c'est ce qui lui sembla quand elle ouvrit les yeux.

70

À l'aube, elle était déjà sur la véranda. Avec en elle une attente qu'elle tentait en vain de combattre. Elle n'avait jamais ressenti cela si fort pour Lundmark, et encore moins pour Senhor Vaz.

Moses ne vint pas. Après avoir attendu toute la matinée, elle comprit qu'il était déjà reparti vers ses mines. Il n'avait pas vraiment l'intention de revenir. Mais il ne l'avait pas non plus trompée. Il était certain qu'elle comprendrait sa décision. Il ne voulait pas de son argent. Il voulait juste retrouver ses mines, où il se sentait chez lui.

Pourtant, vers l'heure du dîner, un gamin se présenta à sa porte avec une enveloppe cachetée à son nom. Julietta la lui porta dans sa chambre. Ana lui demanda de sortir avant de l'ouvrir. Elle ne reconnaissait pas l'écriture. La lettre, comme elle l'avait espéré, était de Moses. Il lui demandait de se rendre à Beira, d'essayer de retrouver ses parents pour leur annoncer la mort de leur fille. Il lui faisait confiance, et, écrivait-il, il était certain qu'Isabel aussi.

Elle enferma la lettre dans le tiroir de son bureau, et pendit comme d'habitude la clé autour de son cou.

Cette lettre l'avait à la fois émue et déçue. Pourquoi Moses la chargeait-il d'une mission dont il pouvait lui-même s'acquitter ? S'était-elle trompée sur son compte, comme pour O'Neill ?

Moses n'avait-il pas le même courage que sa sœur ? Elle ressentait un découragement croissant, sans pourtant être certaine de bien comprendre pour quel motif il lui demandait d'entreprendre ce voyage. Felicia pourrait-elle l'aider ? Elle hésita, puis choisit de parler avec le père Leopoldo : après tout il avait rencontré Isabel et pourrait peut-être expliquer l'attitude de Moses.

Elle le trouva dans la cathédrale, en train d'écouter la répétition de la maîtrise. Ana se remémora sa première visite. Les larmes aux yeux. Était-ce à cause des voix d'enfants, ou de ce souvenir ?

Le père Leopoldo l'aperçut et la conduisit à la sacristie. On entendait faiblement le chœur à travers les épais murs de pierre. Elle lui parla de l'enterrement d'Isabel et de la lettre de Moses.

– Pourquoi me demande-t-il d'aller voir ses parents ?

– Il veut peut-être leur témoigner le plus grand respect en envoyant une femme blanche leur annoncer ce décès. Un Blanc fait-il souvent cela pour un simple mineur noir ?

– Mais il était malgré tout son frère.

– Je crois qu'il veut honorer la mémoire de sa sœur en vous demandant cela, senhora.

– Pourquoi ne me l'a-t-il pas demandé de vive voix ? Pourquoi me promettre de revenir, pour ensuite se contenter d'envoyer une lettre ?

– D'une certaine façon, il est revenu. Il vous envoie une prière.

Elle resta sceptique, malgré le ton persuasif du père Leopoldo. Il avait sans doute mieux compris qu'elle le geste de Moses. Le prêtre lui demanda alors avec beaucoup de délicatesse comment elle se sentait après la mort d'Isabel. Elle dit ce qu'il en était : le chagrin ne l'avait pas encore frappée de plein fouet. Elle redoutait le moment où cela aurait lieu.

– Et maintenant ? demanda-t-il. La senhora a plusieurs fois parlé de partir.

– Je ne sais pas. Mais je sens qu'il me faudra bientôt me décider.

La conversation s'interrompit quand le père Leopoldo fut appelé pour une confession. Ana traversa l'église déserte. Le chœur avait cessé de chanter, les enfants avaient disparu. Soudain, elle découvrit quelqu'un dans l'ombre, près du porche. Senhor Nunez. Il l'attendait. On me surveille tout le temps, se dit-elle. Il y a tellement de gens qui me voient sans que je les voie.

Nunez se leva et s'inclina devant elle. Elle leva la main.

– Ne dites rien ! Donnez-moi un moment pour réfléchir !

Nunez hocha la tête et retourna s'asseoir. Ana se laissa glisser sur une chaise, dos à Nunez.

Elle regarda droit vers le porche ouvert, droit dans la forte lumière du soleil. Elle se décida aussitôt. Sans hésiter. Elle savait ce qu'elle voulait.

Elle se tourna vers Nunez.

– Je vends mon commerce, dit-elle. Je veux être payée en livres sterling, en une fois. Vous devez promettre de respecter les règles en vigueur. Ce que vous y ferez quand les femmes qui y travaillent aujourd'hui ne seront plus là, je m'en fiche. Je ne crois pas un instant à votre histoire d'orphelinat.

– Naturellement, je respecterai vos exigences. Mais je songe toujours à un orphelinat.

Ana se leva.

– Pas besoin de me mentir. Venez chez moi demain après-midi. Avec l'argent.

– Mais nous n'avons pas convenu d'un prix.

– Je n'indique pas de prix. Mais je vous dirai si vous n'apportez pas assez. Et dans ce cas, je vendrai à un autre.

Un avocat sera présent, avec un contrat de vente. Je veux conclure cette affaire immédiatement.

Sans attendre de réponse, elle se leva et quitta la cathédrale. À mon tour de sortir de mon cachot, se dit-elle. Mais, contrairement à Isabel, je suis toujours vivante.

Le lendemain, Andrade prépara deux contrats. L'un concernait la vente de sa maison, qu'il lui achetait quatre mille livres sterling, meubles compris. Il promettait également de garder les domestiques au moins un an, puis de payer la retraite d'Anaka et de Rumigo.

L'autre contrat concernait la cession de l'activité du bordel à Senhor Nunez. À son grand étonnement, Ana lui demanda de laisser une ligne blanche pour le prix. Elle ne fit pas non plus mentionner le fait que le bordel devait être transformé en orphelinat.

Nunez arriva à trois heures de l'après-midi. Il lui proposa quatre mille livres pour l'établissement. Ana dit qu'elle en voulait cinq mille, car elle était certaine qu'il avait cette somme dans sa grosse serviette en cuir. Nunez sourit et accepta le marché. En moins d'une heure, toutes les formalités étaient terminées.

– Dans quatre jours, vous pourrez prendre possession des lieux, dit-elle. D'ici là, vous n'êtes pas autorisé à y accéder. Vous êtes également tenu au silence tant que je n'aurai pas parlé moi-même à mes employés. D'où vous vient tout cet argent ?

Nunez secoua la tête en souriant.

– Notre contrat ne stipule pas que je vous révèle l'origine de mes revenus.

– Défenses d'éléphants ? Peaux de lions ? Mines de diamants secrètes ?

– Je n'ai pas l'intention de répondre.

– Tant que vous n'êtes pas vendeur d'esclaves, dit Ana.

– Et le singe ? demanda Nunez en désignant Carlos, juché en haut de l'armoire. Est-il inclus dans le contrat ?

– Il vient avec moi, dit Ana. Je suis responsable de son avenir, pas vous. Vous avez dû remarquer que je n'ai pas exigé de clause stipulant que le bordel soit transformé en orphelinat. Pourquoi exiger ce que vous n'avez aucune intention de faire ? Maintenant, laissez-moi. Notre affaire est conclue, plus besoin de se parler.

Nunez la regarda. Soudain triste.

– Je ne comprends pas votre méfiance. Je suis tout autant que vous indigné par notre façon de traiter les Noirs. Je ne suis peut-être pas un enfant de chœur, mais je déteste le mépris que nous leur témoignons. Croire que cela pourra durer éternellement est fou, chimérique et stupide.

Nunez se leva.

– Vous n'êtes peut-être pas aussi seule que vous le pensez, dit-il. Je partage votre dégoût.

Il s'inclina et la laissa. Elle réfléchit à ses paroles. Peut-être s'était-elle trompée à son sujet.

Une fois seule, elle regarda les contrats et les liasses de billets. Elle était arrivée sans rien en Afrique. Elle était maintenant très riche.

De son avenir, elle savait juste qu'elle se rendrait à Beira pour trouver les parents d'Isabel. Après, c'était l'inconnu, qu'elle redoutait. Mais avant de partir, il fallait qu'elle s'entretienne une dernière fois avec les femmes du bordel et qu'elle s'occupe de Carlos.

Ce soir-là, en compagnie du chimpanzé, elle compta les billets qui s'empilaient en énormes liasses sur le bureau et les fauteuils.

71

Au matin, Ana sortit avec soin sa photographie de mariage avec Lundmark à Alger. Il ne s'était écoulé que dix-huit mois, mais c'était comme un autre monde, une autre époque, quand tout se tenait encore et qu'elle attendait avec impatience le lendemain. Elle songeait à présent à toutes ces ténèbres qui la cernaient. La route était longue, la destination incertaine. Et elle était seule. Ce qu'elle avait ressenti en quittant le bord du fleuve, dans le traîneau, n'était pas la solitude totale qu'elle connaissait aujourd'hui. Devant elle, il y avait les larges épaules de Forsman. Mais elle n'abandonnerait pas, l'ange sale avait encore ses ailes. Elle détestait la noirceur sinistre qui l'accablait, toute cette joie perdue. Je suis un ange souriant, se dit-elle. Ma vie actuelle me sera à jamais étrangère.

En regardant cette photographie, elle eut soudain une idée. Elle décida de se rendre pour la dernière fois au bordel dans les heures calmes de l'après-midi. Cela lui laisserait le temps de passer chez le photographe Picard.

Cela n'avait été jusqu'alors qu'une idée fugace, mais le moment était venu de la réaliser. Elle n'avait rien à perdre à surprendre les femmes du bordel.

Les Blancs de la ville se faisaient photographier par Picard à leurs mariages, leurs fêtes, sur leur lit de mort avant d'être enterrés ou ramenés au Portugal dans un cercueil de zinc bien scellé. Par principe, il ne photographiait pas les Noirs. Ana savait pourtant qu'il ne résisterait pas au prix qu'elle lui proposerait. Picard était doué, mais avide.

Ana le trouva dans son atelier, en train de photographier un nouveau-né. L'enfant hurlait et Picard, qui n'aimait pas les enfants turbulents, s'était fourré du coton dans les oreilles. Aussi ne l'entendit-il pas entrer dans l'atelier et s'asseoir en silence sur une chaise. La femme qui tenait l'enfant était très jeune. Ana se dit que cela aurait pu être Berta avec l'enfant de Forsman dans les bras. Elle vit que la mère regardait sans joie l'enfant. Ana supposa qu'elle avait été forcée de suivre son mari sur le continent africain et se désespérait à présent de son existence dans cet insupportable royaume de la peur.

Picard disparut sous son voile noir et photographia l'enfant en pleurs. Ce n'est qu'après avoir plus ou moins chassé la femme et son enfant de l'atelier qu'il aperçut Ana. Il ôta le coton de ses oreilles et s'inclina.

– Avons-nous rendez-vous ? demanda-t-il, l'air contrarié. Dans ce cas, ma secrétaire aura mal fait son travail.

– Nous n'avons pas rendez-vous, répondit Ana. Je suis venue vous confier une commande. Très urgente.

– C'est-à-dire ?

– Dans quelques heures.

– Ici ?

– Au bordel.

Picard sursauta.

– Je vous paierai plus que vous ne l'avez jamais été, continua-t-elle. Pour un portrait de groupe. Moi, avec toutes les prostituées. Mais aucune ne sera nue. Puis il me faudra autant de tirages que de personnes présentes sur la photographie. Pour demain matin avant dix heures. Mais si possible dès ce soir, moyennant bien entendu un supplément.

Avant que Picard ait le temps de répondre ou d'objecter quoi que ce soit, Ana avait posé devant lui plusieurs livres sterling.

– Je veux le faire à quatre heures, cet après-midi.

– Je promets d'y être.

– Je sais, dit Ana.

En sortant de chez le photographe, Ana demanda au chauffeur de la conduire à la promenade de bord de mer. Elle descendit de voiture et flâna un moment à l'ombre des grands palmiers. Les petits bateaux de pêche qu'elle s'était pris à tant aimer, avec leurs voiles triangulaires, rentraient vers le rivage. Elle se dit qu'elle garderait toujours ce souvenir. Les bateaux qui filaient comme des flèches sur les vagues ou se balançaient nonchalamment dans la houle quand le vent avait molli. Elle se rappellerait aussi les petites silhouettes noires qui tenaient la barre, nettoyaient leurs filets ou leurs prises.

Je vis dans un monde où les Blancs brûlent toutes leurs forces à tromper les Noirs et à se tromper eux-mêmes, songea-t-elle. Ils se figurent que les gens qui vivent ici ne se débrouilleraient pas sans eux. Et que les Noirs valent moins qu'eux parce qu'ils croient que les pierres et les arbres ont une âme. Mais les Noirs de leur côté ne comprennent pas qu'on puisse maltraiter le fils d'un dieu au point de le clouer sur une croix. Ils sont stupéfaits par ces Blancs si pressés que leur cœur lâche très vite, épuisé par la poursuite effrénée de la richesse et du pouvoir. Les Blancs n'aiment pas la vie. Ils aiment le temps, qui leur manque toujours.

Mais avant tout, ce sont les mensonges qui nous tuent, pensa Ana. Je ne veux pas ressembler à Ana Dolores, convaincue que les Noirs ont moins de valeur que les Blancs. Je ne veux pas qu'on puisse graver sur ma tombe que je n'ai jamais su reconnaître la valeur des Noirs.

Elle s'assit sur un banc de pierre. La mer miroitait. La

chaleur était agréable ici, dans la brise marine. Elle repensa à tout ce qu'elle comptait dire, puis regagna la voiture.

Elle passa prendre Carlos. Bien entendu, il fallait qu'il soit sur la photographie.

Au bordel, elle laissa Carlos à Judas, qu'il avait toujours bien aimé. Avec lui, il était rassuré. Comme Ana arrivait tôt, la pièce aux canapés rouges était déserte. Elle monta en silence à l'étage et entra dans son ancienne chambre. Les vastes armoires renfermaient un stock de vêtements où les femmes pouvaient puiser pour satisfaire les demandes particulières d'un client ou pour leur usage personnel.

Elle ferma la porte, se déshabilla en hâte puis ouvrit les armoires. Plusieurs fois, à la fin de sa convalescence, elle avait sorti des robes, des souliers, et même des diadèmes ou des bracelets. Elle avait souvent été tentée de s'habiller de soie et de se couvrir de bijoux, sans jamais le faire.

Jusqu'à aujourd'hui. Elle effleura l'enfilade de jupes, robes, et tuniques soyeuses. Elle s'arrêta devant une tunique orientale vert et rouge, brodée d'or. Elle s'habilla devant le miroir. Le haut était largement décolleté et pouvait s'ouvrir entièrement en dénouant un simple ruban sous la poitrine. Elle choisit un diadème rond qu'elle se fixa dans les cheveux. Au bras gauche, elle enfila un large bracelet assorti.

Parmi les bijoux, elle trouva aussi des pinceaux, des poudres, du rouge à lèvres. Elle se maquilla les yeux et les lèvres, enfila une paire de pantoufles de soie. Elle était prête.

Elle se regarda dans le miroir et constata que la transformation était bien plus grande qu'elle ne s'y attendait. Elle n'était presque plus Ana, mais une femme orientale. De Hanna Renström, il ne restait rien. Qui qu'elle soit, elle savait qu'ainsi transformée, elle aurait eu beaucoup de clients une fois installée dans un des canapés rouges.

Elle s'assit au bord du lit. Les femmes n'étaient pas encore rassemblées.

Le moment arriva enfin. Elle descendit l'escalier et s'arrêta derrière un rideau entrouvert qu'on tirait la nuit devant la porte de la cour.

Les femmes bavardaient comme d'habitude lorsqu'elle apparut. Le silence se fit aussitôt. Plusieurs d'entre elles ne la reconnurent pas d'emblée. Tout se passa comme elle s'y attendait. Aucune ne commenta sa transformation. Aucune ne rit, ni ne la complimenta pour ses beaux vêtements. Elles n'osent pas, se dit Ana. Même ainsi transformée, je reste une Blanche, rien d'autre.

Elle s'avança devant le rideau.

Assis devant le piano, Zé accordait une note isolée, dans le grave. Les gardiens avaient réussi à refouler les nouveaux clients. Vexés et à moitié ivres, deux marins d'un baleinier norvégien partirent en titubant vers un autre établissement dans une rue traversière.

– Il reste des clients ? demanda-t-elle à Felicia.

– Deux, qui dorment. Ils ne se réveilleront pas.

– Tu leur as peut-être donné une de tes poudres magiques ?

Felicia sourit, sans répondre.

Picard était arrivé. Il avait installé son gros appareil, déplié son voile noir et déplacé des meubles pour faire loger tout le monde dans le cadre.

Ana décida de commencer par le portrait de groupe. Avec un peu de chance, cela créerait une ambiance qui l'aiderait à leur dire ce qu'elle devait leur annoncer.

– Nous allons faire une photographie, dit-elle en claquant dans ses mains. Tout le monde doit y être, même Zé et les gardiens. Sans oublier Carlos.

Une atmosphère enthousiaste se répandit aussitôt, tandis que chacun gagnait la place que lui assignait Picard. Les femmes gloussaient et pouffaient, échangeaient leurs peignes et leurs miroirs de poche, s'arrangeaient mutuellement les vêtements qui de toute façon ne cachaient pas grand-chose de leur anatomie. Tout le monde finit par être en place, Ana au centre, assise dans un fauteuil. Carlos était grimpé sur un piédestal, à la place d'un pot de fleurs.

– Je veux un portrait sérieux, dit Ana. Personne ne doit rire, ni sourire. Regard sérieux, droit vers l'appareil.

Picard ajusta les derniers détails, rapprocha l'une, recula l'autre. Puis il prépara son flash en répandant une poudre de magnésium sur un plateau métallique. Il disparut sous son voile, une allumette à la main. Le magnésium s'enflamma, le cliché était pris.

– Une autre, par sécurité, cria-t-il en se redressant.

Il prépara un nouveau flash, disparut derrière l'appareil et prit le second cliché.

Ensuite, une fois Picard rentré en hâte à son atelier développer les photographies et choisir celle qu'il tirerait en quatorze exemplaires, Ana rassembla les femmes sous le jacaranda. Revenu à son piano, Zé contempla le clavier avant d'entreprendre de l'astiquer. Carlos, installé sur un des canapés rouges, faisait claquer sa langue en mangeant goulûment une orange.

Ana se dit que tout ce qui l'entourait était faux.

Un paradis trompeur.

72

Au moment où Ana allait prendre la parole, Zé leva les mains et joua. Pour la première fois, il ne se contentait pas d'accorder. Ana mit un instant à comprendre. Stupéfaite, elle regarda les mains de Zé et écouta la musique qu'elles produisaient. Divine surprise au bordel. Après tout ce temps passé à accorder son piano, il le trouvait enfin assez harmonieux pour pouvoir en jouer. On l'écouta en silence. Ana eut les larmes aux yeux. Zé savait exactement où poser les doigts, et ses poignets souples remuaient sous les manches effilochées de sa chemise.

Quand il eut fini, il mit les mains sur ses genoux et resta silencieux. Personne ne dit rien, personne n'applaudit. Ana finit par s'approcher et lui poser la main sur l'épaule.

– C'était très beau. J'ignorais que tu savais jouer.

– C'est un vieux piano, dit Zé. Difficile à accorder.

– Combien de temps as-tu mis ?

– Six ans. Et maintenant, il faut que je recommence.

– Je t'achèterai un piano neuf, dit Ana. Un bon piano. Que tu ne seras plus obligé d'accorder si longtemps avant de jouer.

Zé secoua la tête.

– C'est le seul piano sur lequel je puisse jouer, dit-il doucement. Un nouvel instrument ne m'apporterait aucune joie.

Ana hocha la tête. Elle pensait comprendre. Même si elle venait peut-être d'assister à un miracle.

– Qu'est-ce que c'était ?

– C'est un Polonais qui l'a écrit. Il s'appelle Frédéric.

– C'était si beau, dit Ana.

Elle se tourna alors vers les autres et lança les applaudissements. Zé se leva, hésitant, salua, referma le couvercle, le verrouilla, prit son chapeau et s'en alla.

– Où va-t-il ? demanda Ana.

– Personne ne sait, répondit Felicia. Mais il reviendra. La dernière fois qu'il a joué pour nous, c'était au Nouvel An 1899. À la fin du siècle.

Ana vit tous les regards tournés vers elle. Elle leur annonça directement la nouvelle : elle allait les quitter. Nunez, le nouveau propriétaire, avait promis de ne rien changer, tant qu'elles seraient encore là.

– Je suis arrivée ici par hasard, dit-elle pour conclure. J'étais malade et, dans mon innocence, je croyais que c'était un hôtel. J'ai été bien traitée, ici. Je serais peut-être morte si vous ne m'aviez pas soignée. Le moment est venu pour moi de m'en aller. Je vais partir à Beira chercher les parents d'Isabel et leur annoncer sa mort. Ensuite, je ne sais pas. Mais je ne reviendrai pas.

Ana sortit alors les liasses de son sac. Chacune reçut une somme qui représentait plus de cinq ans de gains. À sa grande surprise, aucune ne manifesta de joie devant tant d'argent.

– Vous n'êtes plus forcées de rester ici, dit-elle. Tous les soirs, toutes les nuits. Vous pouvez retourner vivre avec vos familles.

Ana avait parlé debout. Elle se rassit dans le fauteuil en velours rouge sombre placé sous l'arbre. Personne ne dit rien. Ana avait l'habitude de ce silence, elle savait qu'il lui faudrait sans doute à la fin le rompre elle-même. Elle saisit une des liasses et la tendit à Felicia. Mais celle-ci prit la parole. Elle avait préparé son discours, comme si elles avaient su d'avance ce qu'Ana allait dire.

– Nous vous suivrons, senhora. La senhora peut décider d'ouvrir un nouveau bordel où elle veut, nous la suivrons.

– Mais je ne veux plus jamais diriger un bordel ! Je veux vous donner de l'argent pour changer de vie. Et que feriez-vous de vos familles, si vous veniez avec moi ?

– Nous les emmènerons. Nous suivrons n'importe où la senhora. Pourvu que ce ne soit pas dans un pays sans hommes.

– C'est impossible. Vous ne comprenez donc pas ?

Personne ne pipa mot. Ana vit que Felicia avait parlé au nom de toutes les femmes rassemblées sous l'arbre. Elles croyaient vraiment qu'elle partait ouvrir un bordel ailleurs. Et elles voulaient la suivre. Elle ne savait pas si elle devait être touchée ou en colère face à cette incompréhensible naïveté.

Elle songea : Je vais mener mes ouailles vers un but inconnu. Peu importe lequel, je suis pour elles comme Forsman pour Elin : la garantie d'une vie meilleure.

A Magrinha se leva soudain et quitta le jardin. Elle revint chargée d'un gros lézard. Ana savait son nom : *Halakavuma*.

– Ce lézard possède une grande sagesse, dit Felicia. Quand on en trouve un, on le donne au chef de sa tribu. Un *Halakavuma* peut lui donner de bons conseils. La senhora a suffisamment écouté les conseils trompeurs d'hommes faux. Voilà pourquoi nous sommes allées chercher ce lézard qui pourra dire à Senhora Ana ce qui est le mieux pour elle. Ce lézard est sage comme une vieille femme.

Ana reçut sur les genoux ce gros lézard aux airs de crocodile. Une bave gluante lui coulait de la bouche, sa peau froide était humide, ses yeux fixes, sa langue mobile. Carlos s'était réfugié sur le piano et regardait le lézard avec dégoût.

Je vis dans un monde insensé, se dit Ana. Dois-je écouter un lézard pour diriger ma vie ?

Elle posa le lézard à terre. Il disparut en se dandinant derrière l'arbre.

– Je l'écouterai, dit-elle. Mais plus tard. Pour le moment, je préfère vous écouter vous, plutôt qu'un lézard.

Elle se leva à nouveau, ne sachant pas bien quoi ajouter. Elle vit l'étonnement et la déception tout autour d'elle. L'argent qu'elle avait distribué n'avait pas eu l'effet escompté. Les paroles de Felicia l'avaient emporté. Elles voulaient la suivre.

Je ne comprends pas, pensa-t-elle. Et je ne comprendrai jamais. Mais tout le temps que j'ai passé dans cette ville, des Blancs n'ont pas cessé de me répéter que les Noirs étaient incompréhensibles. Je ne vois plus ce que je vois. Mes yeux sont voilés par ce brouillard blanc.

Elle quitta le jardin et passa devant les canapés vides. Il n'y avait dans la pièce qu'un homme en train de rallumer un cigare à moitié consumé. Sa présence la mit en rage. Elle saisit un coussin qu'elle lui jeta au visage pour envoyer balader le mégot.

Elle le regarda sans un mot, appela Carlos et s'en alla. Dans la rue, elle poussa un cri, semblable à celui du paon en détresse. Un balayeur s'arrêta pour la regarder. Lorsqu'elle s'installa dans sa voiture, son chauffeur ne montra aucun signe d'étonnement en la voyant ainsi accoutrée. Le balayeur continua son travail, comme si de rien n'était.

Quand Julietta lui ouvrit et la dévisagea, Ana ne put s'empêcher de lui demander ce qu'elle en pensait.

– J'aimerais bien porter ces vêtements, dit Julietta.

– Jamais de la vie, répondit Ana.

Elle monta dans sa chambre. Jeta ses vêtements dans la corbeille à linge sale. La mascarade était finie.

Tard dans la soirée, Picard lui livra les tirages. Après sa

brève visite, elle resta longtemps près de sa lampe à pétrole à regarder la photographie choisie.

Tout le monde regardait l'objectif, l'air grave. Mais Carlos riait, comme un humain.

La seule qui semblait avoir peur, c'était elle.

73

Le lendemain, Ana se rendit à la ferme de Pedro Pimenta. Elle l'avait décidé, ce serait sa dernière visite. En route, elle se dit que c'était là-bas, entre les cages des chiens blancs et les bassins des crocodiles, que son destin s'était noué. C'était le bout du voyage, il fallait à présent repartir. Quand Isabel avait été trompée par son mari, Ana avait fini par ouvrir les yeux sur la supercherie du monde qui l'entourait. Une existence où il n'y avait qu'hypocrisie et mépris répugnant pour les autochtones. Comme si des hôtes s'étaient bâfrés sans même avoir été invités à manger. Nous sommes des pique-assiette. Pour moi, cela ne fait plus aucun doute.

Elle avait pris Carlos avec elle. C'était pour lui qu'elle revenait à la ferme de Pedro. Là, Carlos pourrait vivre en liberté. Là, il y avait des arbres, de l'espace, et il serait entouré de Blancs et de Noirs, comme il en avait l'habitude. Au-delà des bassins des crocodiles, il y avait aussi, à l'infini, le bush d'où il venait, où il pourrait retourner s'il le souhaitait.

Ana avait compris que Carlos était aussi déraciné qu'elle. Un fleuve aux eaux froides et brunes coulait peut-être aussi dans sa forêt natale. Nous avons au moins en commun une nostalgie des origines que nous nous efforçons tous deux de nier. Moi à ma façon, lui sans que je comprenne jamais comment.

En arrivant à la ferme, Ana frissonna au souvenir des événements récents. Carlos grimpa sur le toit de la voiture et scruta les environs avec curiosité, comme s'il pressentait l'imminence d'événements importants.

Ana Dolores apparut en haut de l'escalier. C'était la première fois qu'elle la voyait sans son uniforme blanc d'infirmière et sa coiffe amidonnée. Elle était étonnée : Ana Dolores n'était-elle pas venue ici soigner Teresa ?

Il apparut très vite que de grands changements étaient survenus. Ana Dolores la salua d'un air las, jeta un coup d'œil interloqué à Carlos, puis invita Ana à prendre le thé sur la véranda. Quand la domestique arriva avec son plateau, il fut clair qu'Ana Dolores n'était pas que l'infirmière : la maîtresse de maison, c'était elle. Après avoir servi le thé, la femme noire s'agenouilla devant elle.

Nous portons le même nom, pensa Ana. Elle Ana Dolores, moi Ana Branca. Mais je vais bientôt redevenir celle que j'étais. Je m'appellerai à nouveau Hanna. Mais d'autres bouleversements ont peut-être eu lieu en moi, que je ne peux pas voir, juste sentir ou deviner. Ce qui s'est produit en moi après la mort d'Isabel aura été un tournant dans ma vie. Même si je ne sais pas encore lequel.

Elle demanda à Ana Dolores des nouvelles de Teresa.

– Elle ne guérira sans doute jamais. Mais le risque qu'elle se jette dans le bassin aux crocodiles a diminué. Son cerveau malade n'a pas rongé son envie de vivre.

– Que dit-elle ?

– Pas grand-chose. Elle marmonne. Parle de son enfance, de sa vie avant Pedro Pimenta.

– Et leurs enfants ? Que vont-ils devenir ?

– En ce moment ils sont à bord d'un bateau pour le Portugal. Ils ne reviendront jamais ici. Le garçon rentre avec une peau de crocodile, la fille avec une de ces pièces d'étoffe dont les femmes d'ici se drapent. Je ne peux qu'espérer que leurs souvenirs d'Afrique s'estomperont puis finiront par disparaître complètement.

– Et vous, Ana Dolores ?

– J'habite ici.

– Pour soigner une femme qui ne guérira jamais ?

– Je m'occupe aussi de l'exploitation. Je vends des chiens et des peaux de crocodiles. J'en avais assez de passer mon temps à soigner les gens.

Ana se tut, attendant qu'Ana Dolores pose quelques questions sur la mort d'Isabel. Peut-être chercherait-elle un peu à comprendre l'intérêt qu'Ana lui avait porté ?

Mais elle ne demanda rien. Elle resta là, sourire aux lèvres, embrassant du regard le domaine sur lequel elle régnait désormais. C'était la première fois qu'Ana la voyait sourire.

Une voiture s'approcha dans un nuage de poussière et freina devant la maison.

– Je vous prie de m'excuser, dit Ana Dolores en se levant. Un client de Kimberley qui vient acheter un de mes chiens. Je n'en ai pas pour longtemps. Sonnez si vous désirez plus de thé.

L'homme qui sortit de la voiture portait un casque colonial et semblait pressé. Ana se dit que c'était un de ces Blancs venus en Afrique vivre une vie brève. Il mourrait comme un gros gibier, chassé par lui-même.

Avec Carlos, elle descendit voir les crocodiles. Le chimpanzé se tenait à distance respectable des bassins où étaient tapis les plus gros d'entre eux, qui dépassaient quatre mètres. Dans mon fleuve, il n'y a jamais eu de crocodiles, songeat-elle. Mais Carlos en a peut-être jadis connu un où ils se cachaient juste sous la surface. Il se méfie.

Quelque chose avait changé depuis sa dernière visite. D'abord, elle ne sut pas quoi. Puis elle comprit que tout périclitait depuis la mort de Pedro : fissures dans le ciment des bassins, dalles envahies de mauvaises herbes, mangeoires attaquées par la rouille, outils cassés, ordures qu'on n'avait ni ramassées ni incinérées. Partout, la ruine était patente. Il flottait autour d'elle une odeur de mort.

C'était venu si vite.

En revenant vers la maison, elle remarqua d'autres signes de dégradation. Les bergers allemands blancs, dans leurs cages, n'étaient plus aussi bien soignés. La ferme de Pedro Pimenta était en train de sombrer. Après sa mort et celle d'Isabel, ce qu'ils avaient bâti ensemble avait commencé à se dissoudre.

Ana Dolores avait disparu dans la maison avec son client. Ana s'assit sur la véranda tandis que Carlos grimpait sur un pigeonnier abandonné. Elle eut brusquement la sensation de ne pas être seule. En tournant la tête, elle découvrit Teresa là où la véranda suivait le coin de la maison. Très pâle, amaigrie à en être méconnaissable. Ana ne fut d'abord pas sûre de la reconnaître. Hésitante, elle se leva pour la saluer. Teresa ne répondit pas mais vint se placer sous le nez d'Ana. Elle répandait une odeur âcre. Les racines de ses cheveux étaient poisseuses de crasse et de graisse.

– Toi aussi, tu étais mariée à mon mari ? demanda Teresa.

– Non.

– Tu étais sûrement mariée à mon mari. Tu avais autrefois des cheveux roux, avant de les teindre.

– Je n'ai jamais eu de cheveux roux. Et je n'ai jamais été mariée avec Pedro.

Soudain, Teresa lui donna une violente gifle. Si inattendue que la douleur à la joue et la stupeur la laissèrent muette.

– Puisque tu connais le prénom de mon mari, tu dois forcément avoir été marié avec lui !

Teresa tourna les talons et partit en hâte. Puis elle fit volte-face. Ana se prépara à recevoir un autre coup. Mais

Teresa fit à nouveau demi-tour et disparut derrière le coin de la maison. Alors elle poussa un cri.

Ana Dolores sortit en courant sur la véranda.

– Où est-elle ?

Ana le lui indiqua. Ana Dolores revint en tenant Teresa par le bras, comme si elle traînait une poupée de chiffon. Elle la conduisit à l'intérieur.

L'homme au casque colonial s'en alla avec le chien blanc qu'il venait d'acheter. Il semblait ne pas avoir remarqué la présence de Teresa. Ana Dolores revint. Ana se demanda comment elle s'y prenait pour calmer Teresa. Mais elle ne lui posa pas la question.

– En fait, j'étais venue vous demander un service, dit Ana.

Elle lui montra Carlos, juché sur le pigeonnier abandonné, occupé à se gratter d'un air absent. Lui non plus n'avait pas réagi à la crise de Teresa, ce qui surprenait Ana. Carlos essayait toujours de la protéger en faisant du bruit. Mais pas cette fois.

– Je vais quitter la ville, continua-t-elle. Je ne peux pas l'emmener. Je voulais savoir s'il pouvait rester ici. Pourvu qu'il ait à manger et qu'on le laisse faire ce qu'il veut, il est paisible la plupart du temps. Un jour, Carlos décidera peut-être de regagner la forêt. Ici, il en aurait la possibilité.

– Vous voulez dire qu'il doit être libre d'aller et venir à sa guise, comme en ce moment ?

– Vous pouvez donner des règles fixes à Carlos. Il apprend vite.

– Mais pas de cage, donc ?

– Surtout pas. Ni de chaîne au cou. Naturellement, je suis prête à bien vous dédommager.

Ana Dolores la regarda. En souriant.

– Quand vous êtes arrivée en ville, vous n'étiez pas belle à voir. Mais vous vous en êtes bien sortie.

– En tout cas, j'ai de quoi offrir à Carlos la vie qu'il souhaite quand je ne serai plus là.

Ana Dolores se leva.

– Laissez-moi réfléchir. Avant d'accepter la responsabilité d'un singe, je dois être certaine d'être prête à m'en occuper.

Elle se plaça sous le pigeonnier et regarda Carlos, en train d'inspecter sa peau à la recherche de tiques. Ana les observait depuis la véranda. Ana Dolores se dirigea alors vers le chenil, où les bergers allemands arrivés au terme de leur dressage bondissaient rageusement contre les grilles. Elle s'arrêta devant une des cages, où elle sembla flatter la tête du chien à travers les barreaux. Puis elle revint vers la véranda.

– Appelez le singe, dit-elle. Faites-le au moins descendre de son perchoir, que je puisse le saluer.

– Carlos pourra donc rester ici ?

– S'il ne mord pas.

Ana appela Carlos, qui redescendit lentement de son pigeonnier. Par la suite, Ana se souviendrait de l'avoir vu hésiter.

74

Ce qui se produisit alors alla si vite que jamais Ana ne fut certaine d'avoir compris dans quel ordre. Le chien qu'était allé caresser Ana Dolores bondit hors de sa cage et se précipita sur Carlos. Ana cria pour l'avertir. Trop tard. Le chien furieux lui sauta à la gorge avant qu'il ne perçoive le danger et n'ait le temps de fuir. Ana dévala l'escalier et frappa le berger allemand avec un balai appuyé à la balustrade de la véranda. Mais le chien ne lâcha pas prise. Ana hurla, frappa. Ana Dolores ne bougea pas le petit doigt. Elle attendit que tout soit fini pour arracher le chien à sa proie et le traîner jusqu'à sa cage.

Carlos gisait à terre, inerte. La tête presque détachée du corps. Les yeux ouverts. Carlos regardait toujours Ana, même mort.

Ana Dolores revint après avoir enfermé le chien.

– Je ne comprends pas ce qui s'est passé, dit-elle.

À ces mots, tout fut clair pour Ana. Elle refusa d'abord d'y croire. Mais il n'y avait pas d'autre explication.

Ce n'était pas un accident.

Elle se releva en époussetant lentement sa robe.

– Je ne sais pas ce que vous avez fait quand vous avez ouvert la cage. Il vous a peut-être suffi d'un geste ou d'un signe de tête pour qu'il attaque.

Ana Dolores fit mine de l'interrompre.

– Laissez-moi finir ! hurla Ana. Interrompez-moi encore et je vous tue. Vous avez fait signe au chien d'attaquer Carlos. Vous vouliez que le singe meure. Je ne sais pas pourquoi. Peut-être haïssez-vous à ce point ceux qui ne méprisent pas les Noirs ? Peut-être détestiez-vous tant ce singe devenu mon ami qu'il fallait qu'il meure ? Je n'ai jamais rencontré un être aussi plein de haine et d'amertume que vous, Ana Dolores. Un jour, les habitants de ce pays en auront assez des gens de votre sorte.

Ana Dolores tenta à nouveau de parler. Mais Ana, tremblante d'indignation, l'arrêta d'un geste.

– Taisez-vous, dit-elle. Pas un mot. Ne m'adressez plus jamais la parole. Donnez-moi juste un sac, que je l'emmène avec moi.

Ana Dolores tourna les talons et disparut dans la maison. Elle ne revint pas. Une servante se présenta à sa place avec un sac vide. Elle le posa, sans même regarder le singe mort. Ana emballa Carlos, se sachant observée par Ana Dolores.

Le chauffeur, qui attendait dans la voiture, vint à sa rencontre pour l'aider. Mais elle secoua la tête. Elle voulait porter Carlos seule.

En revenant vers la ville, elle demanda au chauffeur de s'arrêter sur le pont. Elle sortit de la voiture et s'appuya à la rambarde. Quelques femmes lavaient du linge un peu plus loin. Elles avaient remonté leur pagne jusqu'en haut des cuisses. Elles bavardaient tout en faisant leur lessive. Ana entendait leurs rires tandis qu'elles battaient et malaxaient le linge sale. Elle sentit une violente envie de les rejoindre, de remonter sa robe et de laver avec elles. Parmi ces femmes noires, elle retrouvait quelque chose d'Elin, et peut-être d'elle-même.

Elle finit par quitter la rambarde. Elle savait où enterrer Carlos.

Une fois chez elle, elle fut incapable de pleurer son singe mort. Mais elle éprouva un désir infini d'avoir Lundmark près d'elle pour rendre son deuil plus supportable. Il n'aurait pas eu grand-chose à dire, c'était un homme laconique. Mais il l'aurait consolée, l'aurait assurée qu'elle n'était pas seule. Sur ce continent troublant et contradictoire, elle n'avait finalement pu faire confiance qu'à un singe.

Elle plaça le sac contenant la dépouille de Carlos dans la glacière. Elle interdit à Julietta et aux autres domestiques de s'en approcher. Elle savait que leur curiosité était grande. Aussi plaça-t-elle une grosse pierre sur le couvercle de la glacière en déclarant que les Blancs aussi avaient leur magie. Elle avait jeté un sort à cette pierre. Celui qui la toucherait verrait ses doigts se transformer en fins éclats de granit et rien, ni la médecine blanche ni la noire, ne permettrait de les récupérer. Elle vit qu'ils la croyaient : elle ne put s'empêcher de ressentir une joie amère malgré tout son malheur.

Cette nuit aussi, elle dormit grâce à un puissant somnifère. Dès l'aube, elle était levée. Prévenu, le chauffeur avait dormi en boule dans la voiture. Il l'aida à transporter le sac et chargea la bêche et la pelle qu'Ana était allée chercher la veille dans la cabane à outils du jardin.

Dans le silence des premières heures, ils portèrent le sac au bordel, devant les gardiens endormis, traversant le salon des canapés où quelques hommes ronflaient encore.

Le chauffeur posa le sac là où elle lui montra, près du jacaranda. Puis il regagna la voiture.

Elle enterrerait Carlos au pied de l'arbre. Le singe reposerait sous un ciel de fleurs bleues.

C'était le seul endroit digne de lui.

75

Ana leva la bêche. Ce seul mouvement suffit à la retransformer en Hanna Renström. C'est avec cet outil qu'Elin et elle préparaient le champ pour semer les pommes de terre au printemps, puis les récoltaient avant les premières gelées d'automne qui annonçaient le long hiver.

Le sol était dur en surface, puis de plus en plus meuble. Elle prit la pelle et creusa. Elle était pressée mais, pour creuser une tombe, il fallait prendre son temps. Elle ne creusait pas seulement le sol, mais aussi son cœur.

Enfant, elle avait un jour enterré un oiseau mort échoué au bord du fleuve. C'était la seule tombe qu'elle ait creusée de sa vie. Elle allait aujourd'hui donner à un singe sa dernière demeure puis s'éloigner de cet arbre pour ne plus jamais revenir.

Elle retroussa les manches de son corsage et le déboutonna au cou, car il faisait déjà très chaud. Un petit citronnier planté par Senhor Vaz embaumait la cour.

La pelle buta contre ce qu'elle prit d'abord pour une pierre. Mais en ramassant l'objet, elle vit que c'était un os. Un os de poulet, se dit-elle. Quelqu'un l'aura jeté là. Elle continua à creuser. D'autres os apparurent.

Sa pelle heurta une pierre plus grosse qui rendit un son

étrangement creux. Un crâne. Un très petit crâne. Elle resta interloquée : probablement un crâne de singe.

Puis elle comprit que c'était un crâne d'enfant. Si petit qu'il avait dû appartenir à un nouveau-né ou à un fœtus.

Un violent malaise s'empara d'elle. Elle continua pourtant à creuser. Partout, elle tombait sur des ossements et des restes de crâne. Ce n'étaient pas des os de poulet, elle le comprenait à présent, mais des parties de squelettes humains. Elle eut un haut-le-cœur, mais ne cessa pas de creuser. Elle voulait enterrer Carlos ce matin, et avoir fini avant que les femmes se réveillent.

Elle finit par réaliser qu'elle était en train d'ouvrir une fosse commune pleine de nouveau-nés, de fœtus enterrés là sous cet arbre pour y être cachés et oubliés.

Elle avait sous les yeux un cimetière d'enfants. Le fruit des grossesses non désirées provoquées par les milliers de passes consommées dans ce bordel. Les ossements étaient blancs ou gris. Mais les fœtus ou les nouveau-nés étranglés, ou tués d'une autre façon, étaient un mélange de blanc et de noir.

Elle finit par poser sa pelle et s'asseoir sur le banc. Elle était accablée. Devant elle, le sol était jonché d'ossements. Ce matin, elle avait une fois pour toutes compris dans quel monde elle avait vécu. Son malaise s'était transformé en crainte, peut-être en terreur.

Sans qu'elle la remarque, Felicia l'avait rejointe. Elle portait une de ses belles robes de chambre en soie. Elle regarda le trou et les ossements, le visage impassible.

– Pourquoi avoir creusé ici ?

Au lieu de répondre, Ana ouvrit le sac et lui montra le corps raide et recroquevillé de Carlos.

– Vous saviez que c'était un cimetière ? s'étonna Felicia.

– Non. Je ne savais rien. Je voulais juste donner à Carlos une belle sépulture sous l'arbre.

– Pourquoi avoir égorgé Carlos ?

Ana ne s'étonna pas du tout de la question de Felicia. Elle avait au moins appris une chose durant son séjour : des Blancs, on s'attendait à tout, même aux actes les plus incompréhensibles ou cruels.

– Je ne l'ai pas tué.

Elle lui raconta ce qui s'était passé à la ferme de Pedro Pimenta. Quand elle nomma Ana Dolores, elle vit que Felicia la croyait.

– Ana Dolores est une personne dangereuse, dit Felicia. Elle est entourée de mauvais esprits capables de tuer. Je n'ai jamais pu comprendre qu'elle soit infirmière.

Ana constata qu'elle n'était pas choquée par les ossements déterrés sous ses yeux, ce qui augmenta son malaise.

– Enterrez-le ici, dit Felicia. Il y sera bien.

Felicia fit mine de partir. Mais Ana la retint par sa robe de chambre.

– Tu dois répondre à une question. Je comprends bien que tous ces fœtus et ces enfants morts ou tués viennent du bordel. Mais il y a autre chose que je veux savoir. Et je veux une réponse franche.

– Je suis toujours franche, dit Felicia.

Ana secoua la tête.

– Non, tu ne l'es pas. Et moi non plus. Je n'ai rencontré personne dans cette ville qui dise la vérité. Mais maintenant je veux savoir : mon fœtus est-il aussi enterré là ?

– Oui. Laurinda s'en est chargée. Elle a fait un trou et a vidé le seau.

Ana hocha la tête en silence. Il lui sembla en cet instant avoir conscience de tout ce qu'elle avait vécu dans cette ville, depuis le moment où elle était descendue de la passerelle jusqu'à aujourd'hui, devant tous ces squelettes.

Elle se leva.

– Maintenant, je vais tout reboucher. J'ai compris, c'est un cimetière. Secret, au milieu du bordel.

– Et lui aussi raconte une histoire, dit Felicia.

– Oui, dit Ana. Une vérité que nous aimerions mieux ne pas entendre.

Felicia la laissa. Mais Ana sentit soudain qu'elle ne pouvait pas enterrer Carlos ici. Elle voulait lui épargner de reposer parmi tous ces malheureux fœtus et nouveau-nés. Elle remit le chimpanzé dans le sac et reboucha le trou, recouvrant de terre tous les ossements. Elle alla chercher le chauffeur, qui rechargea le sac dans la voiture. C'est un vieil homme qui a tout vu et tout entendu, pensa Ana. Parmi toutes les lubies des autres Blancs, que lui importent mes allées et venues avec un singe mort dans un sac ?

Elle lui demanda de la conduire au port, là où accostaient les petits bateaux de pêche. Il y avait aussi là les hauts montants en bois où les pêcheurs pendaient leurs filets et les paniers utilisés pour porter les prises au marché.

Ana descendit de voiture. La plupart des bateaux étaient déjà en mer, et ne devaient revenir avec leurs prises que plus tard dans la journée. Mais sur un des pontons étaient encore amarrées quelques embarcations, la voile roulée autour du mât. Elle demanda au chauffeur de l'accompagner.

– J'ai besoin d'un bateau, dit-elle. Je veux emmener mon singe en mer et l'enterrer là.

– Je vais voir, dit le chauffeur.

– Celui qui me prêtera son bateau sera bien payé.

Deux des pêcheurs refusèrent de la tête. Mais un troisième, plus âgé, accepta. Voyant cela, Ana s'avança sur le ponton.

– Je l'ai assuré que la senhora n'était pas folle, dit le chauffeur. Il veut bien sortir en mer, si c'est maintenant.

– Je le paierai bien, dit Ana. J'ai aussi besoin de quoi lester le sac, pour qu'il coule au fond.

Le chauffeur traduisit, reçut une réponse et hocha la tête.

– Il a une vieille ancre qu'il veut bien sacrifier comme lest. Pour ça, il demande un supplément. Il espère aussi que la senhora n'a pas peur de salir sa robe. Mais il a aussi une question.

– Que veut-il savoir ?

– La senhora sait-elle nager ?

Ana songea à son père, refusant obstinément de la laisser apprendre à nager dans le fleuve. Devait-elle mentir, ou dire la vérité ? Elle sentit qu'elle n'avait plus la force pour d'autres mensonges.

– Non, dit-elle. Je ne sais pas nager.

– Très bien, dit le chauffeur. Il ne veut pas de gens sachant nager à bord de son bateau. Ils ne respectent pas assez la mer.

Ils allèrent chercher le sac. Ana le trouvait de plus en plus lourd.

– J'ai oublié ton nom, dit Ana. J'ai honte.

– Pourquoi avoir honte de ce qu'on oublie ? Devrait-on alors aussi avoir honte de ce dont on se souvient ? Je m'appelle Vanji.

– Je veux que tu attendes ici mon retour. Après, je n'aurai plus besoin de toi et de la voiture que pour quelques jours encore.

Vanji s'attrista en comprenant qu'ils allaient bientôt se séparer. Elle n'avait pas la force de le consoler.

– Comment s'appelle le pêcheur ?

– Columbus. Il ne pêche jamais le mardi. Il est persuadé que sinon il rentrerait bredouille. La senhora a de la chance que nous soyons mardi. Personne d'autre que Columbus n'accepterait de sortir en mer avec un singe mort et en plus une femme blanche comme passagère.

76

Ana s'assit près du mât, le sac et la vieille ancre rouillée à ses pieds. Le vieux bateau était imprégné d'une forte odeur de poisson. Columbus hissa la voile de ses bras noueux et s'assit à la barre. Au bout du chenal, le vent s'engouffra dans la voile. Ana indiqua le large, le vaste détroit entre le continent et l'île d'Inhaca, encore invisible.

– Hors de vue de la côte, essaya-t-elle d'expliquer, sans bien savoir si le vieux pêcheur parlait ou non le portugais.

Pour toute réponse, il lui sourit. Ce sourire la tranquillisa tout à fait. La découverte cauchemardesque du cimetière d'enfants lui avait noué la gorge. L'impression se dissipait peu à peu. Elle passa une main par-dessus le bastingage. L'eau était à la fois chaude et rafraîchissante. Quelques oiseaux tournoyaient au-dessus de sa tête. Ils allaient et venaient, étincelles blanches de soleil auréolant le bateau peint en bleu, vert et rouge. Columbus avait allumé une vieille pipe, le regard obstinément fixé sur l'horizon. Ana plaça l'ancre dans le sac, fit étreindre à Carlos le fer rouillé, puis noua le tout comme elle l'avait vu faire à l'enterrement de Lundmark. Peut-être les corps se retrouvent-ils tous au fond de l'eau ? L'idée était puérile, elle le savait. Mais personne ne se souciait de ce qu'elle pensait, et sûrement pas Columbus, sa pipe au coin de la bouche.

Une bande de dauphins joueurs se mit dans le sillage du

bateau. Carlos ne serait pas seul, pensa Ana. Les dauphins faisaient surface, serraient la coque puis plongeaient de nouveau. Elle sentit le désir irrésistible de parler un jour de ces dauphins à Berta, de lui raconter cet étrange cortège funèbre. Après avoir trouvé les parents d'Isabel, elle aurait enfin un cap à suivre : Je veux parler à Berta d'un singe mort, de dauphins qui nagent et de moi à l'approche du second grand départ de ma vie.

Ils continuèrent vers le large. La ville disparut dans la brume. Ils avaient atteint le point que cherchait Ana.

– Baissons la voile, dit-elle. Ce sera bien, ici.

Columbus fourra sa pipe dans sa chemise déchirée, amena la voile et la fixa autour du mât. Le bateau s'immobilisa dans la houle. Les dauphins tournaient autour à distance. Les mouettes criaient au-dessus d'eux comme des instruments désaccordés. Columbus l'aida à passer le sac par-dessus bord. Ana le vit s'enfoncer dans l'eau. Un des dauphins vint l'effleurer, puis repartit après ce dernier adieu.

Quand le sac disparut, Ana se dit qu'elle n'avait jamais été aussi seule. Mais la solitude ne l'effrayait plus. Elle allait se libérer d'un monde où elle ne pouvait avoir aucun ami. Elle ne se sentait aucune affinité avec les Blancs de la ville, les Noirs ne lui faisaient pas confiance, ne voyaient en elle qu'une personne puissante à qui obéir.

Senhor Vaz lui avait offert un collier lors de leur mariage. Elle l'arracha soudain de son cou et le jeta à l'eau. Une mouette se précipita, mais pas assez vite pour l'attraper au vol.

Ils revinrent au port. Ana paya Columbus et lui serra la main. Elle se demanda combien d'années de pêche représentait ce qu'elle lui avait donné. Mais Columbus reçut la liasse avec indifférence. Il continua à lui offrir son sourire calme, mais ne la regarda pas regagner sa voiture.

Ana s'arrêta à la capitainerie pour savoir quand partait le

prochain vapeur pour Beira. Elle avait de la chance. Il y en avait un deux jours plus tard, à six heures du matin. Elle acheta un billet et réserva la plus grande cabine. Tout était si facile à présent. Il ne lui restait plus qu'à faire porter les photographies au bordel, réunir ses domestiques et laisser ses clés. Se débarrasser enfin de ces trousseaux qu'elle portait sur elle en permanence.

Elle passa ses deux derniers jours à faire deux valises légères. Elle convint avec Andrade que tous ses vêtements et ceux de Senhor Vaz seraient distribués à des nécessiteux. Elle ne garda que quelques photographies, le passeport de Lundmark et son journal. Elle laissa tout le reste.

Le dernier après-midi avant son départ, Ana rassembla ses gens pour leur faire ses adieux. Comme Andrade allait s'installer dans la maison qu'il lui avait achetée, aucun d'eux n'avait à s'inquiéter pour son avenir.

Elle avait préparé des enveloppes pour chacun, afin que personne ne sache ce que recevait l'autre. Elle était certaine que même Julietta ne chercherait pas à comparer ses gages à ceux d'Anaka.

Ana les rassembla dans son bureau. Elle se souvint que Jonathan Forsman faisait de même pour s'adresser à ses domestiques. Elle leur dit la vérité : elle partait, d'abord pour Beira, puis pour une destination inconnue. Elle les remercia pour leurs services et leur souhaita bonne chance avec leur nouveau patron.

Ses mots ne rencontrèrent que le mutisme habituel. Personne ne la remercia, personne ne dit rien. Ana les renvoya à leurs occupations, mais retint Julietta.

– Tu te trouveras bien avec Andrade, dit-elle, à condition de bien te tenir.

– Je me tiens toujours bien, dit Julietta.

– Maintenant, je voulais te demander un service, dit-elle. Avant qu'il ne fasse nuit, je voudrais que tu descendes porter cette enveloppe à Felicia et aux autres. Elle contient des photographies.

Julietta prit l'enveloppe et s'en alla. Ana entendit claquer la porte d'entrée.

Une fois seule, elle nota dans son journal : « Je ne peux pas vivre dans un monde où tout le monde en sait toujours plus que moi. » Puis elle rangea le carnet dans une des valises, sans bien savoir pourquoi elle le gardait.

Le lendemain, quand Ana se leva très tôt pour se préparer avant de descendre au port, Julietta n'était pas encore rentrée.

Aussitôt, elle s'inquiéta. Que pouvait-il s'être passé ? Elle appela Anaka pour l'interroger. Anaka ne répondit pas. Mais elle ne montrait aucun signe d'inquiétude.

Alors Ana comprit. Julietta était restée au bordel. Elle était allée voir Nunez, le nouveau propriétaire, pour lui demander d'y travailler. Et naturellement, il l'avait prise. Tous ses beaux discours sur l'orphelinat, du vent. Peut-être l'avait-il lui-même emmenée dans une chambre pour s'assurer de ses talents à satisfaire un homme ?

Elle ressentit un désespoir muet en comprenant que c'était là l'explication la plus vraisemblable de l'absence de Julietta.

Mais elle chassa ces pensées. Elle n'avait pas la force de quitter cette maison avec en plus ce poids de chagrin et de déception. Elle en avait assez de cette existence sans joie. Pour la dernière fois, elle s'adressa à Anaka, qui l'avait accompagnée sur le pas de la porte :

– Je pars. La journée sera chaude. Mais en mer il y aura de la fraîcheur.

Que pouvait-elle ajouter d'autre ?

Elle n'avait plus de mots. Elle caressa vite la joue d'Anaka et la quitta à jamais.

77

Dans la rue, il n'y avait pas que la voiture qui attendait Ana. Moses lui aussi était revenu. Il n'était donc pas retourné aux mines de Rand, il était resté en ville. Peut-être a-t-il tout ce temps-là veillé sur moi, sans se montrer, pensa Ana. Comme le léopard qui voit toujours mais qu'on ne voit jamais.

Moses portait son habituel bleu de travail. Il avait aux pieds des lambeaux de sandales et ses mains pendaient, désemparées.

– Toi, ici ? dit-elle.

– Oui, répondit Moses. Je suis là. Je voulais dire adieu.

– Comment savais-tu que j'allais partir aujourd'hui ?

Moses la regarda et sourit. Mais il ne répondit pas.

Aucune importance, pensa Ana. Elle était juste heureuse qu'il soit revenu.

Soudain, elle sentit qu'elle n'avait plus envie de partir. Elle voulait rester près de lui, pour toujours. Mais impossible. Elle n'avait plus de maison. Elle avait rendu ses clés. Il ne lui restait plus qu'une cabine à bord d'un vapeur côtier à destination de Beira.

Ce qu'elle ressentait l'effrayait et la remplissait de joie. Elle aimait vraiment l'homme qu'elle avait en face d'elle. Mais leur amour était impossible, il allait à l'encontre de tous les usages de cette maudite ville.

– Viens avec moi au port.

Ce fut tout ce qu'elle réussit à dire.

– Oui, fit Moses. Je viens.

Mais quand elle lui ouvrit la portière de la voiture, il secoua la tête et partit à petites foulées vers le port.

Ana demanda à Vanji de faire un détour. Elle ne voulait pas doubler Moses.

Elle donna aussi à Vanji deux enveloppes, une pour la location de la voiture, l'autre pour son salaire.

C'étaient les deux dernières enveloppes. Désormais, tout le monde était payé. Elle n'avait plus de dettes. Les autres Blancs de la ville auraient aussitôt condamné sa façon de faire, s'ils en avaient eu connaissance. Ils auraient dit qu'elle gâtait les Noirs, les rendait capricieux, paresseux, et qu'elle minait le respect qu'ils pouvaient porter à l'autorité blanche.

Je suis au milieu de tout ça, un pied dans chaque camp, n'appartenant à aucun des deux, pensa Ana. Jusqu'à aujourd'hui. Maintenant que Moses est revenu. Mais je ne peux pas non plus lui appartenir. C'est impossible.

Il l'attendait sur le quai. Malgré la longue course, il ne semblait pas du tout essoufflé. Ana se dit que c'était comme avec Lundmark : elle ne voyait que ce qu'elle voulait voir. Aurait-elle inspecté Moses de près, elle aurait vu ses mains sales et son bleu de travail taché, et aussi que la course avait mis à rude épreuve ses poumons abîmés par la mine.

Elle fit ses adieux à Vanji, qui se mit gauchement au garde-à-vous.

– Nous ne nous reverrons plus, dit-elle.

– Pas dans cette vie, en tout cas, répondit Vanji en saluant derechef.

Quand elle se retourna, Moses avait soulevé ses deux valises. Il la suivit à bord. En haut de la passerelle, l'officier blanc salua Ana et s'écarta pour la laisser passer. Un groom en veste blanche les conduisit jusqu'à la cabine. Ana ne put s'empêcher de penser à la première fois qu'elle avait vu Carlos, et éclata d'un rire mélancolique.

Personne ne comprendra jamais cela, se dit-elle. Je porte le deuil d'un homme avec qui j'ai à peine été mariée. Un autre homme avec qui j'étais aussi mariée est mort sans que j'en ressente aucun chagrin. Mais il y a une femme noire et un singe dont le souvenir m'accompagnera toute ma vie. Et, à présent, un homme noir, Moses, qui m'attire.

Le groom ouvrit la porte de la cabine. Il attendait pour raccompagner Moses à la passerelle. Mais Ana referma la porte après avoir expliqué qu'il devait défaire ses valises avant de la laisser.

Pour la première fois, ils étaient seuls dans la même pièce. Ana s'assit sur le lit. Moses resta debout.

– Je croyais que tu étais retourné dans tes mines, dit-elle. J'étais fâchée que tu n'aies rien dit.

Moses ne répondit pas. Sa calme assurance semblait soudain avoir disparu.

Il faut que j'ose, pensa-t-elle. Je n'ai rien à perdre. Si j'ai appris quelque chose entre ces deux passerelles, celle que j'ai descendue en arrivant ici et celle par laquelle je repars, c'est d'oser faire ce que je veux sans me laisser entraver par le regard des autres.

Pour la première fois, tout lui apparut avec clarté, au terme de son séjour confus au bord de la lagune. La rencontre avec Isabel avait lié son sort à celui d'une femme noire, dont le destin l'avait durement affectée. Mais Isabel était morte. Comme Lars Johan Jakob Antonius Lundmark, son premier époux, était mort. Et Senhor Vaz, qui l'avait rendue riche, était mort lui aussi.

Alors, Moses avait croisé son chemin. L'affection qu'elle avait ressentie pour Isabel s'était transformée en amour pour son frère. Lui était vivant, il ne l'avait pas quittée.

Ana se leva et s'approcha de Moses. Elle renversa son visage vers lui et ressentit à la fois gratitude et soulagement quand il passa ses mains autour de sa taille.

Ils firent l'amour en grande hâte, à moitié habillés, inquiets mais passionnés, avec des bruits de pas au-dessus d'eux et dans le couloir étroit. Elle aurait voulu que cela ne finisse jamais, qu'ils restent là jusqu'à ce que le bateau s'emplisse d'eau et coule. Elle sentit la jouissance de Moses, sa tendresse, et, quand soudain elle l'entendit sangloter, Isabel et ses enfants furent eux aussi présents dans la cabine.

Après tout fut très calme. Ils étaient couchés côte à côte sur l'étroite couchette, avec ses garde-corps en bois usé. Ana posa sa main sur le cœur de Moses dont les battements passaient lentement de la joie agitée au grand calme.

Peut-être songea-t-elle alors à Lundmark ? Elle repensa souvent par la suite à toutes ces étranges répétitions qui scandaient sa vie. L'amour dans des cabines étroites, les passerelles, les départs précipités, les enterrements en mer. Elle n'avait pas été préparée à cette vie, ni par son père ni par Elin. Au bord du fleuve, elle avait appris à manier la bêche, à s'occuper des enfants, à marcher dans la neige profonde par grand froid, et là-dessus à craindre le Dieu vengeur que révérait avec angoisse sa grand-mère. Et voilà qu'elle avait agi courageusement sans y être en rien préparée, et sans y être forcée.

Le temps pressait. Le bateau allait partir.

– Viens avec moi, dit-elle. Je veux que tu viennes.

– Je ne peux pas.

– Pourquoi ?

– La senhora le sait.

– Arrête de m'appeler senhora. Et ne m'appelle pas non plus Ana. Appelle-moi Hanna. C'est mon vrai nom.

– On me tuera, comme Isabel.

– Pas tant que je serai là.

– Tu n'as pas pu protéger Isabel.

– Tu me le reproches ?

– Non. Je dis ce qui est.

Moses se mit debout et remonta son bleu de travail. Ana resta couchée, encore à moitié nue, les vêtements en désordre, son chignon défait.

À cet instant, on entendit des pas devant la cabine. On tambourina, puis la porte s'ouvrit. C'était l'officier qui l'avait accueillie sur la passerelle, accompagné d'un autre homme qu'Ana supposa être son collègue.

78

Ana eut le temps de penser qu'ils ressemblaient à des fauves en colère.

– Il vous a agressée ? cria l'officier en frappant Moses à la figure.

– Il ne m'a pas touchée ! cria Ana en essayant de s'interposer.

Mais l'officier avait déjà renversé Moses d'un coup de pied et s'assit sur lui en lui serrant la gorge.

– Je vais tuer ce salaud, hurla-t-il. Un porteur qui agresse une de mes passagères, dans sa cabine !

– Il ne m'a pas agressée, cria désespérément Ana en tirant sur les mains de l'officier. Lâchez-le !

L'officier se releva, hors de lui. Le visage de Moses était ensanglanté.

– Qu'a-t-il fait ? fit l'homme resté silencieux sur le pas de la porte.

– Rien d'autre que ce que je lui ai demandé, répondit Ana. Et c'est une honte de le traiter ainsi.

– À bord, c'est nous qui décidons comment traiter les nègres, dit l'officier.

Comme pour appuyer ses paroles, il assena un nouveau coup à Moses. Cette fois-ci, il toucha son nez, qui se mit à saigner. Ana se plaça alors entre eux. Elle était à peine vêtue, et voyait bien que toutes les apparences étaient là pour scandaliser l'officier. Mais elle ne s'en souciait pas. Dans un des moments les plus heureux de sa vie elle avait été outragée comme jamais.

– Il va partir, dit-elle. Ne le touchez plus.

– Non, dit l'officier. Il sera emprisonné. On va s'occuper de lui au fort.

Ana fut pétrifiée à l'idée que Moses soit jeté dans le cachot où sa sœur était morte.

– Alors il faudra m'emmener moi aussi.

Il y avait dans sa voix quelque chose de si convaincant que les deux officiers perdirent contenance. Ana prit une serviette et essuya le visage de Moses. Le sang qui tachait le linge lui fit soudain remarquer le liquide qui poissait l'intérieur de ses cuisses. Elle savait ce que c'était. En cet instant, le plus grand et le plus important secret de sa vie.

Quand ils sortirent, les passagers et l'équipage observèrent la procession avec curiosité. Tout le monde à bord savait qu'il s'était produit quelque chose dans la plus grande cabine.

Moses descendit la passerelle sans qu'ils aient pu se dire adieu. Ana le vit disparaître sur le quai, sans se retourner. Elle le suivit du regard jusqu'au bout. Puis elle regagna sa cabine, épuisée et furieuse. Elle resta allongée là jusqu'à ce qu'elle entende crier des ordres, les vibrations des chaudières, le bruit des amarres remontées.

Pourquoi n'avait-elle pas quitté le bateau pour suivre Moses ? Pourquoi n'avait-elle pas osé ?

Un bref instant, tout a été clair pour moi, se dit-elle. Puis je n'ai pas osé agir en conséquence.

Quelques heures plus tard, elle monta sur le pont. Elle s'était soigneusement peignée et avait changé de robe. Elle s'appuya au bastingage. Les autres passagers blancs lui laissèrent la place. Non par politesse, mais pour marquer leurs distances.

Au dernier moment, je me suis transformée à leurs yeux en pute, se dit-elle. J'ai fait entrer un Noir dans ma cabine pour faire avec lui ce que ces gens-là considèrent comme la pire ignominie.

Elle regarda au loin la ville blanche accrochée aux collines s'effacer dans la brume de chaleur. Le bateau faisait route droit au nord, le soleil était à son zénith quand on sonna la cloche du premier service. Elle déclina. Elle avait peut-être faim, mais ne voulait pas interrompre ses adieux à cette ville qu'elle ne reverrait jamais plus.

Soudain, un homme apparut à ses côtés. Il portait un uniforme, elle comprit que c'était le capitaine. Elle eut l'impression vague de le connaître, sans parvenir à le remettre. Il la salua puis lui serra la main.

– Capitaine Fortuna, dit-il. Bienvenue à bord.

Il sentait fort la bière, son haleine était un lointain souvenir de Senhor Vaz. La quarantaine, brun, musculeux.

– Merci, dit-elle. Quel temps aurons-nous pendant la traversée ?

– Calme. Un peu de houle, rien d'autre.

– Des icebergs ?

Le capitaine Fortuna la regarda, interloqué. Puis il éclata de rire, pensant qu'elle plaisantait.

– Pas d'icebergs ailleurs que dans la glacière, répondit-il. Par ici, pas de récifs, aucun danger tant qu'on reste assez loin des côtes. Je commande ce navire depuis bientôt dix ans. L'incident le plus dramatique a été quand un taureau d'élevage pris de folie a sauté par-dessus bord. Il n'a hélas pas pu être sauvé. Il est parti à la nage à toute allure en direction de l'Inde. Comme cela s'est passé de nuit, il a été impossible de le localiser.

– Je ne suis jamais allée à Beira, dit Ana. Je ne sais rien de cette ville. Mais j'aurai besoin de trouver un hôtel.

– L'Africa Hotel, dit le capitaine Fortuna. Flambant neuf. Un hôtel impeccable. Vous devez y descendre, senhora.

– C'est une grande ville ?

– Pas autant que Lourenço Marques. L'hôtel est tout pres du port.

Le capitaine salua de nouveau puis gagna l'échelle qui montait à la passerelle.

Ana se souvint alors où elle l'avait vu. Une fois, plusieurs peut-être, le capitaine Fortuna était venu au bordel. Sans son uniforme. Voilà pourquoi elle ne l'avait pas reconnu tout de suite.

Je suis entourée de mes anciens clients, se dit-elle. Et il sait que j'étais la tenancière.

Elle retourna dans sa cabine et se coucha. Elle toucha son bas-ventre : si un enfant devait y pousser, elle le laisserait vivre. Où qu'elle aille après sa mission à Beira, elle éviterait les cimetières pour fausses couches, fœtus et nouveau-nés non désirés.

Une promesse, pensa-t-elle. Je fais un serment que je suis la seule à connaître.

Elle dîna dans sa cabine, pour éviter les curieux et les médisants.

La nuit tombée, elle ressortit sur le pont à l'air frais. Le ciel étoilé était dégagé. Elle sentait la présence de Moses, tout près d'elle. Mais aussi de Lundmark, et peut-être de Senhor Vaz. Un cordage roulé à ses pieds aurait pu être Carlos dormant en boule.

Au loin : des feux de position, des étoiles filantes, le faisceau d'un phare balayant l'horizon.

Le capitaine Fortuna surgit soudain de l'ombre. Il ne sentait plus la bière, mais le vin.

– Je ne me mêle pas de la vie des autres, dit-il, mais laissez-moi juste vous dire mon admiration, Senhora Vaz, pour avoir essayé de sauver cette femme noire emprisonnée. Pedro Pimenta était un homme gentil, mais un scélérat. Il a trompé toutes ses femmes.

– Je n'en ai pas fait assez, répondit Ana. Isabel est morte.

– Nos semblables se transforment en créatures insupportables en arrivant en Afrique, dit-il tristement. Ici, sur ce bateau, je ne m'approche pas trop de toute cette misère. Mais il ne fait aucun doute que nous paierons un jour notre façon de traiter les Noirs.

Le capitaine Fortuna s'attendait peut-être à une réponse. Mais elle se tut, avant de changer de sujet.

– Soyons francs, dit-elle. Je sais que vous êtes venu au bordel dont j'ai été propriétaire depuis la mort de mon mari. Vous payiez rubis sur l'ongle, vous traitiez bien les filles. Mais je me demandais… Laquelle alliez-vous voir ?

– Belinda Bonita. Jamais aucune autre. Si j'avais pu, je l'aurais épousée.

– Le porteur noir qui m'a accompagnée à bord, dit Ana. Je l'aime. J'espère porter son enfant.

Le capitaine Fortuna la regarda dans la lueur tremblante de sa lanterne.

Il sourit. Un sourire amical.

– Je comprends, dit-il. Je comprends tout à fait.

Cette nuit-là, Ana dormit longtemps, d'un sommeil profond. La mer était un fauteuil à bascule qui la berçait doucement tandis que la nuit passait, et qu'une autre vie, lentement, devenait possible.

ÉPILOGUE

Africa Hotel, Beira, 1905

Pour la deuxième fois de sa vie, Hanna Lundmark quitta un bateau pour ne jamais y revenir. Pendant la traversée, elle avait pour de bon remisé ses autres noms, Ana Branca et Hanna Vaz. Elle avait aussi envisagé d'abandonner Lundmark et de redevenir celle qu'elle était au début, Hanna Renström. Accoudée au bastingage du petit vapeur, elle avait vu des dauphins suivre le sillage et même, à la hauteur de Xai-Xai, aperçu quelques baleines cracher au loin. Mais surtout elle avait soupesé ses différents noms avant de les laisser tomber l'un après l'autre par-dessus bord.

Elle avait choisi l'avant du bateau, car c'était là qu'était la cambuse, comme sur le *Lovisa*. Dans la cuisine exiguë et enfumée travaillaient une femme noire obèse et deux hommes peut-être choisis en raison de leur maigreur. Sans quoi ils n'auraient pas logé ensemble dans le réduit, parmi les casseroles et les pots ébréchés.

Il y avait peu de passagers à bord. Hanna avait la meilleure cabine. Chaque soir, pourtant, elle faisait la chasse aux cafards, qu'elle écrasait sous sa chaussure. Au-dessus de sa tête, elle entendait bouger et tousser les passagers qui dormaient sur le pont, roulés dans des couvertures.

Elle avait quelquefois bavardé avec le capitaine Fortuna.

C'était un homme dont les origines s'étendaient au monde entier. Le deuxième jour, il lui avait demandé d'où elle venait.

« De Suède. Un pays tout au nord. La nuit, on y voit l'aurore boréale. »

Elle n'était pas certaine qu'il sache où était situé son pays natal. Elle l'avait alors poliment interrogé sur ses origines.

« Ma mère était grecque. Son père venait de Perse, d'une mère indienne, elle-même originaire d'une île du Pacifique. Mon père était turc, issu d'un mélange juif, marocain, avec une goutte de sang japonais. Moi-même, je me considère comme un Africain arabe, ou un Arabe africain. La mer appartient à tous. »

Hanna prenait ses repas dans sa cabine, servie par un des hommes maigres aperçus dans la cambuse. Elle mangeait peu, passait le plus clair de son temps à se reposer sur sa couchette ou à la proue du bateau, à regarder le continent noir apparaître dans la brume de soleil.

Au bout de quatorze heures, une avarie était survenue. Ils étaient restés en panne, à la dérive, pendant presque une journée, avant que le machiniste ne parvienne à réparer la chaudière et qu'ils puissent reprendre le voyage vers Beira.

Le soir tombait quand elle descendit de la passerelle dans la ville étrangère, suivie de deux matelots chargés par le capitaine Fortuna de l'accompagner à l'Africa Hotel. Elle logerait là le temps de retrouver les parents d'Isabel.

En franchissant les portes illuminées ouvertes par des gardiens en uniforme, elle fut stupéfaite du faste qui l'entourait. L'hôtel où Pandre était descendu était un palace somptueux. Mais l'Africa Hotel de Beira dépassait ses rêves les plus fous. Elle s'installa dans la deuxième plus grande suite, la suite nuptiale étant déjà réservée. Le premier soir, on lui servit dans sa chambre un dîner au champagne. Elle n'en avait bu qu'une fois dans sa vie : le soir de son mariage avec Senhor Vaz.

Le lendemain, elle partit à la recherche des parents d'Isabel. L'hôtel l'avait aidée à recruter deux Africains pour la guider dans les bidonvilles où ils étaient susceptibles d'habiter. Pendant plus d'une semaine, elle fouilla tous les faubourgs de la ville. Comme elle n'avait jamais visité de quartier africain à Lourenço Marques, ce fut pour elle un choc de voir dans quelles conditions vivaient les Noirs. Elle vit une misère qu'elle n'aurait jamais pu imaginer. Chaque soir, elle se retrouvait comme paralysée dans sa chambre luxueuse. Elle cessa presque de manger. La nuit, des cauchemars la reconduisaient dans les montagnes, au bord du fleuve, sans qu'elle parvienne jamais à retrouver la maison qu'elle cherchait.

Au bout de quelques jours, elle découvrit pourtant autre chose lors de ses visites dans les quartiers noirs : une joie de vivre inattendue chez les plus pauvres. Les gens s'entraidaient, même s'ils n'avaient presque rien à partager.

Un soir, dans son journal, elle s'efforça de s'expliquer à elle-même la nature de sa découverte, sous la surface de la misère : « Au milieu de cette inconcevable pauvreté, je vois des îlots de richesse. Une joie qui ne devrait pas être là, une chaleur qui devrait à peine pouvoir survivre. À l'inverse, je vois chez les Blancs qui vivent ici de la pauvreté au milieu de leur aisance. »

Elle se relut. Elle n'avait pas réussi à rendre ce qu'elle ressentait. Pourtant, il lui semblait pour la première fois voir réellement les Noirs et leur vie. Auparavant, sa perspective était déformée.

Issue elle-même de la population la plus pauvre de Suède, peut-être avait-elle plus en commun avec les Noirs qu'elle ne l'avait imaginé ?

Le lendemain, elle reprit ses recherches. Chaque pas, chaque personne qui croisait son regard la persuadait de la justesse de ce qu'elle avait écrit la veille.

Pour la première fois, une pensée inattendue la traversa : Peut-être pourrais-je malgré tout me sentir chez moi ici ? Elle comprit alors qu'elle ne recherchait pas seulement les parents d'Isabel. Elle était aussi partie en quête d'elle-même.

Pendant ce temps, à l'hôtel, on s'affairait aux préparatifs d'un grand mariage. Un prince portugais allait se marier avec une comtesse anglaise. Dans la rade mouillaient des yachts de luxe venus d'Europe pour l'occasion. Hanna était la seule à l'hôtel à ne pas être de la noce. Elle reçut pourtant une invitation. Elle l'accepta et se sentit malgré elle en sécurité parmi tous ces Blancs, après toute la misère qu'elle avait rencontrée en cherchant les parents d'Isabel.

Elle faillit abandonner. Elle ne pourrait jamais les retrouver et leur annoncer la mort d'Isabel. Elle paya ses deux guides. Étonnés, presque effrayés, ils regardèrent tous les billets qu'elle leur donnait.

C'était le soir de la noce. Hanna passa l'après-midi dans la partie ombragée du parc de l'hôtel, pour ne pas gêner les préparatifs affairés.

Soudain un homme se présenta, blanc, en costume sombre. Il avait peut-être la soixantaine. Hanna le trouva d'abord envahissant, mais comprit bientôt que son amabilité n'était pas feinte, et qu'il cherchait juste quelqu'un avec qui parler.

Sous leurs yeux, des oiseaux multicolores au long bec volaient entre les buissons et les fleurs.

– Je suis en route, dit l'homme.

– Comme tout le monde, non ? répondit-elle.

– Harold Fendon, enchanté. Autrefois j'avais un autre nom, mais je ne m'en souviens plus. Mon père se nommait Wilson, John Wilson, mais on ne l'appelait que Jack. Je suis actuellement en route vers le Van Diemen's Land, comme on disait autrefois.

– Où est-ce ?

– Aujourd'hui, c'est la Tasmanie. Mais à l'époque de mon père, c'était une terrible colonie pénitentiaire, où l'Angleterre envoyait en masse ses pires criminels pour s'en débarrasser. Mon paternel avait volé une paire de chaussures à Bristol. Pour ça, il a été condamné à quinze ans de déportation. À la fin de sa peine, il a choisi de rester. Il est devenu éleveur de moutons et facteur d'orgues. Il est mort, à présent. Mais j'ai l'intention de me rendre là-bas, pour vivre près de lui.

– Comment êtes-vous arrivé ici ?

– La route vers l'Australie est longue.

Oui, pensa Hanna. La route vers l'Australie est très longue. Moi, je ne suis jamais arrivée à destination. Moi aussi, je suis restée ici.

– On peut voir des icebergs en y allant, dit-elle.

– Je sais, dit Fendon. Nombre de bateaux qui transportaient des criminels vers l'Australie ou la Tasmanie ne sont jamais arrivés. Une partie d'entre eux ont certainement été coulés par des icebergs.

La conversation mourut aussi vite qu'elle était née. Fendon se leva soudain, s'inclina et tendit sa main.

– J'ai besoin d'aide pour mon voyage, dit-il. J'ai honte, mais je vous le demande quand même.

Elle monta dans sa chambre prendre cinquante livres sterling.

– Comment saviez-vous que j'avais de l'argent ?

– Rien ne semble vous inquiéter, dit Fendon. Soit vous croyez en Dieu, soit vous avez beaucoup d'argent. Comme vous n'aviez pas l'air croyante, j'avais mes chances.

– Bon voyage, dit-elle en lui tendant l'argent.

Elle le regarda s'éloigner. Allait-il partir pour la Tasmanie, ou perdre cet argent au jeu ? Quelle importance !

Hanna assista à la cérémonie nuptiale. En voyant le magnifique jeune couple, elle repensa à la simplicité de son mariage avec Lundmark à Alger. Mais elle n'alla pas au dîner de gala. Elle regagna sa chambre. Où se trouvait sa Tasmanie ? Quel choix avait-elle ? Avait-elle seulement le choix ? Ou pouvait-elle aussi bien rester là, à l'Africa Hotel, jusqu'à ce que ses ressources s'épuisent ?

Tard dans la nuit, elle décida de se rendre à Phalaborwa, dont la missionnaire Agnes lui avait parlé à bord du *Lovisa*, le lendemain de son arrivée en Afrique. Là-bas, elle trouverait peut-être un sens à sa vie. À la mission, elle pourrait effacer tout ce qui restait de ce qu'elle était devenue pendant son séjour en Afrique.

Elle dormit quelques heures avant de se lever à l'aube. La noce continuait. À la fenêtre, elle sursauta. Sous un arbre du parc, Moses. Il regardait sa fenêtre. Elle l'appela, certaine de ne pas se tromper. Folle de joie, elle s'habilla et se hâta de descendre au jardin. Moses n'était plus sous l'arbre. Il n'était pas convenable qu'un Noir rencontre une femme blanche dans le jardin de l'hôtel. Voilà pourquoi il s'était retiré. Elle regarda alentour et vit un épais buisson contre le mur d'enceinte.

Il l'y attendait. Il avait quitté son bleu de travail pour un costume noir élimé. Elle s'étonna pourtant qu'on l'ait laissé entrer. Les Noirs qui travaillaient à l'hôtel ou dans le parc étaient tous en uniforme.

– J'ai escaladé le mur, dit-il. Jamais je n'aurais été le bienvenu ici. Dans les mines, on apprend à grimper sur des éboulis. Aucun mur ne résiste à un mineur.

Elle écouta à peine. Elle se serra contre lui et sentit qu'il l'entourait de ses bras.

– Comment es-tu arrivé ?

– Avec un autre bateau.

– Quand ?

– Hier.

– Mais tu sais sans doute déjà que je n'ai pas trouvé tes parents ?

– Je sais.

Elle le regarda.

– Pourquoi es-tu venu ?

Il recula d'un pas et sortit un petit sac de sa poche. Hanna le reconnut aussitôt. Elle en avait donné un semblable à Isabel.

– Je veux te donner ceci.

– Comme à Isabel ?

– Oui.

– Cette fois-là, tu as dit que ça n'avait pas marché parce qu'elle était entourée de trop de Blancs. Pourquoi me le donner, à moi ?

– Parce que tu n'es pas comme les autres. Je sais qu'on t'appelle Ana Branca. Mais c'est faux. Pour moi, tu es Ana Negra.

Ana la Noire, songea-t-elle. Est-ce mon vrai nom ?

– La dernière chose qui reste à faire à la femme blanche que tu es encore est de retrouver mes parents, dit Moses. Après, tu seras une de nous, Ana Negra.

– Qu'arrivera-t-il s'il me pousse des ailes ?

– Alors tu arriveras là où je suis.

Sans rien ajouter, il lui donna le sachet, escalada le mur et disparut de l'autre côté. Cela alla si vite qu'elle n'eut pas le temps de réagir.

Elle continua ses recherches, sans retrouver les parents. Personne ne semblait connaître leur nom. Chaque soir, en rentrant à l'hôtel, elle voyait le sachet posé sur la table. Chaque matin, elle allait à la fenêtre, mais Moses ne se remontra pas.

Elle finit par abandonner. Les parents d'Isabel et de Moses avaient été avalés par la foule noire. Elle ne les retrouverait jamais. Ce qu'elle souhaitait le plus au monde, revoir Moses dans le jardin puis disparaître avec lui par-dessus le mur d'enceinte, ne se réaliserait jamais.

Ce soir-là, elle fit ses bagages. Le sachet était toujours là, intact. Sa décision de rejoindre la mission n'avait pas changé.

À la fin, il ne resta plus que son journal. Ce carnet fermé par un ruban rouge, elle voulait s'en défaire. Elle songea à le brûler, mais renonça, sans vraiment savoir pourquoi.

Par hasard, elle remarqua des fentes dans le parquet neuf. Elle en souleva sans peine une latte. Elle s'agenouilla et y glissa le carnet, le poussant aussi loin qu'elle put, puis rajusta la latte.

Elle demeura encore un jour et une nuit à l'Africa Hotel. Les invités de la noce étaient partis. L'hôtel semblait soudain abandonné.

Le dernier soir, elle resta assise devant la fenêtre ouverte, dont le rideau flottait doucement dans la brise marine. Elle versa dans sa main le contenu du sachet en cuir et l'avala avec un verre d'eau.

Personne ne la vit partir, et personne ne put par la suite dire si elle avait loué une voiture ou quitté la ville en bateau ou à cheval.

Quand on entra le lendemain pour faire sa chambre, on trouva sur la table dans une enveloppe le règlement de son séjour.

Ses valises avaient disparu.

Personne ne la revit jamais.

Postface

Tout ce que j'écris se fonde sur une vérité. Une grande vérité, une petite, claire comme de l'eau de roche ou extrêmement fragmentaire. Mais ce qui déclenche la fiction dans mon livre vient toujours d'événements réels.

Comme ici, et maintenant : c'est Tor Sallström, écrivain et ami de l'Afrique, qui, lors d'une conversation, comme en passant, m'a parlé de ce curieux document sur lequel il était tombé dans les archives coloniales de Maputo, la capitale du Mozambique. Là, il avait pu lire qu'à la fin du dix-neuvième siècle, et peut-être au début du vingtième, une Suédoise avait été propriétaire d'un des plus grands bordels de la ville qu'on appelait alors Lourenço Marques. Anonyme car c'était une importante contribuable.

Après quelques années, on ne trouve plus trace de son existence. Elle arrive de nulle part et disparaît de la même façon.

Qui était-elle ? D'où venait-elle ? J'ai approfondi mes recherches, mais son origine était réellement inconnue, et elle avait disparu sans laisser de trace. On en était réduit aux conjectures plus ou moins vraisemblables.

Mais que des navires suédois s'arrêtaient au port de Lourenço Marques, nous le savons. Souvent avec des cargaisons de bois pour l'Australie. Et il y avait bien parfois quelques femmes à bord, surtout des cuisinières.

En d'autres termes, tout le reste n'est que supposition. À part quelques notes dans un vieux registre administratif. S'agissant des impôts, les fonctionnaires coloniaux écrivaient la vérité. Chaque année, il fallait convaincre le gouvernement de Lisbonne que la colonie restait une affaire rentable.

Elle a donc un jour été là, puisque les archives ne mentent pas. Elle payait un impôt impressionnant.

Mon récit se fonde donc sur le peu que nous savons et sur tout ce que nous ne savons pas.

Henning Mankell,
Göteborg, juin 2011.

Table

Du même auteur

ROMANS

AUX ÉDITIONS DU SEUIL

Comédia infantil
2003
et coll. « Points », n° P1324

Le Fils du vent
2004
et coll. « Points », n° P1327

Tea-Bag
2007
et coll. « Points », n° P1887

Profondeurs
2008
et coll. « Points », n° P2068

Le Cerveau de Kennedy
2009
et coll. « Points », n° P2301

Les Chaussures italiennes
2009
et coll. « Points », n° P2559
Points Deux, 2013

L'Œil du léopard
2012
et coll. « Points », n° P3011

Daisy Sisters
(à paraître,
titre provisoire)

ROMANS POLICIERS

AUX ÉDITIONS DU SEUIL

« Série Kurt Wallander »

1. La Faille souterraine
Les premières enquêtes de Wallander
2012

2. Meurtriers sans visage
coll. « Points Policiers », n° P1122
(et Christian Bourgois, 1994)
et Point Deux, 2012

3. Les Chiens de Riga
prix Trophée 813
2003
et coll. « Points Policiers », n° P1187

4. La Lionne blanche
2004
et coll. « Points Policiers », n° P1306

5. L'Homme qui souriait
2005
et coll. « Points Policiers », n° P1451

6. Le Guerrier solitaire
prix Mystère de la Critique
1999
et coll. « Points Policiers », n° P792

7. La Cinquième Femme
2000
et coll. « Points Policiers », n° P877
et Point Deux, 2011

8. Les Morts de la Saint-Jean
2001
et coll. « Points Policiers », n° P971

9. La Muraille invisible
prix Calibre 38
2002
et coll. « Points Policiers », n° P1081

10. L'Homme inquiet
2010
et coll. « Points Policiers », n° P2741

La Main
(à paraître,
titre provisoire)

et

OPUS, vol. 1
Meurtriers sans visage, Les Chiens de Riga,
La Lionne blanche
2010

OPUS, vol. 2
L'Homme qui souriait, Le Guerrier solitaire,
La Cinquième Femme
2011

OPUS, vol. 3
Les Morts de la Saint-Jean, La Muraille invisible,
L'Homme inquiet
2011

Hors série

Avant le gel
2005
et coll. « Points Policiers », n° P1539

Le Retour du professeur de danse
2006
et coll. « Points Policiers », n° P1678

Le Chinois
2011
et coll. « Points Policiers », n° P2936

THÉÂTRE

AUX ÉDITIONS DE L'ARCHE

L'Assassin sans scrupules
2003

Ténèbres
suivi de Antilopes
2006

Des jours et des nuits à Chartres
suivi de Miles
2010

JEUNESSE

La Société secrète
Flammarion, 1998
et « Castor Poche », n° 656

Le Secret du feu
Flammarion, 1998
et « Castor Poche », n° 628

Le Chat qui aimait la pluie
Flammarion, 2000
et « Castor Poche », n° 518

Le Mystère du feu
Flammarion, 2003
et « Castor Poche », n° 910

Le Roman de Sofia
Le Secret du feu, Le Mystère du feu et La Colère du feu
(inédit)
Flammarion, 2011

Les ombres grandissent au crépuscule
Seuil, 2012

SUR L'AUTEUR

Kirsten JACOBSEN
Mankell (par) Mankell
Un portrait
Seuil, 2013

RÉALISATION : NORD COMPO, À VILLENEUVE-D'ASCQ
IMPRESSION : CPI FIRMIN DIDOT, À MESNIL-SUR-L'ESTRÉE
DÉPÔT LÉGAL : OCTOBRE 2013. N° 107970 (119361)
Imprimé en France